Witte ruis

Bezoek onze internetsite www.awbruna.nl voor informatie over onze boeken, volg @AWBruna op Twitter of bezoek onze Facebook-pagina Facebook.com/AWBrunaUitgevers.

Åke Edwardson

Witte ruis

A.W. Bruna Fictie

Oorspronkelijke titel
Hus vid världens ände
Copyright © Åke Edwardson, 2012
First published by Albert Bonniers Förlag, Stockholm, Sweden
Published in the Dutch language by arrangement with Bonnier Group Agency,
Stockholm, Sweden
Vertaling
© Elina van der Heijden en Wiveca Jongeneel
(via het Scandinavisch Vertaal- en Informatiebureau Nederland)
Omslagbeeld
Stenberg Photography
Omslagontwerp
Riesenkind
© 2013 A.W. Bruna Uitgevers, Utrecht

ISBN 978 94 005 0278 9
NUR 305

Voor Rita

... love supreme, a love supreme,
a love supreme, a love supreme...

John Coltrane, *A Love Supreme*

0

Hij was de stenen op de Paseo gaan tellen. Daar was hij een week geleden mee begonnen, of eigenlijk al voor Kerstmis. Eén, twee, drie, vier, vijf, twintig, honderd; de stenen leken groter toen de zon aan de andere kant van de zee in Marokko begon te dalen, toen de schaduwen voor hem zich over de strandpromenade bogen, naar de golfbrekers in het oosten. Hij telde weer stenen.

Het was tijd om terug te gaan.

Het bos ging meteen over in woestijn. Hij had nog steeds het geweer bij zich, hetzelfde geweer, een Husqvarna die twintig wilde beesten had gedood, honderd. Nu liep hij in een stad. Het was zijn stad. Hier was hij thuis. Hier was hij een jager op het moment dat een jager op zijn best is. Ik heb het gemist, zei hij tegen een man die hij bij winkelcentrum Nordstan passeerde. De man had een leren jack, een muts, handschoenen en stevige schoenen aan. Het was dus winter. De man knikte naar het geweer op zijn schouder. Hij richtte niet op iemand in het bijzonder, hield het wapen voor zich uit terwijl hij door de straten liep. 'Goed je weer te zien,' riep de man. 'Ik wens je een goede jacht. Hier zijn genoeg onverlaten te vinden!' Hij hoorde geschreeuw uit de afgrond, die lag voor hem, achter hem, aan weerszijden. God, wat heb ik dit gemist. Hij schreeuwde zelf, hij bleef schreeuwen tot Angela hem wakker schudde.

Het was nog geen winter. Hier werd het nooit winter, dat was nu net het punt.

'Januari is echt de perfecte maand om terug te gaan naar Göteborg,' zei ze. 'Het weer is dan geweldig.'

'Ik weet het,' zei hij. 'Daarom wilde ik ook wachten tot februari.'

'Dan is het ook klote,' zei ze. Ze glimlachte niet. Het was niet grappig meer, als het dat al was geweest.

'Roepen de nachtmerries je terug?'

'Ja.'

'Je moet met iemand gaan praten, Erik.'

'Ik praat met jou.'

'Soms ben je net een mokkend kind.'

'We hebben alle leeftijden in ons,' zei hij.

'We hoeven ze niet allemaal te laten zien.'

'We zijn hier nu twee jaar, Angela. Ik... Ik weet niet...'

'We zouden tot de zomer kunnen wachten. Daar gaat het toch om? Dat we niet in januari teruggaan naar Göteborg?'

'Februari.'

'*Cojones*, Erik!'

'Je bent in je element als je in het Spaans vloekt.'

'Dat klopt. Dat is ook precies de bedoeling van deze discussie.'

'*Cojones,*' zei hij.

'Lilly vroeg laatst wat het betekende. Ze vroeg ook wat *conjo* betekent.'

'Wat heb je geantwoord?'

'De waarheid.'

'Artsen zijn ook helemaal niet discreet.'

'We hebben te veel gezien,' zei ze. 'En jij hebt genoeg gezien.'

'Ik weet het, Angela. Maar ik... Ik kan gewoon niet langer zonder. Het is geen gif. Het is iets anders.'

'Mijn god.'

'Bergen is trouwens nog erger. Dat is 's winters echt de verschrikkelijkste stad ter wereld.'

'Hoe komen we opeens in Bergen?'

'Een reis in de fantasie.'

'Ik moet dus blij zijn dat ik in mijn fantasie niet naar Bergen ga? Dat ik in plaats daarvan naar de plek met het op een na ergste winterweer ga?'

'Godsallemachtig conjo blij,' zei hij.

Ze zaten op het balkon. Het was laat. De meisjes sliepen, Elsa nog maar net, Lilly al een paar uur, ze hoorden het gebruis van de oude stad beneden niet. Winter hoorde het ook niet meer. Het hoorde bij hun nieuwe leven, ze maakten deel uit van de Spaanse stad. Waarom zou hij in godsnaam terugkeren naar het oude leven in Zweden, de oude dood in Zweden?

'Ik ben te jong,' zei hij. 'Te jong om met pensioen te gaan. Weet je dat ik ooit de jongste hoofdinspecteur van Zweden was?'

'Ik geloof dat ik dat ergens heb gelezen.'

Hij pakte zijn wijnglas en dronk. De wijn smaakte naar ijzer en bloed. Het was een van de goedkope plaatselijke merken, maar de wijn was toch beter dan die uit het noorden. De grond in Andalusië was roder.

'Wil je eindigen als de oudste hoofdinspecteur van Zweden?' vroeg ze.

'Ik weet het niet. Ik denk het niet.'

'Het is tegenwoordig gevaarlijker dan in je jonge jaren,' zei ze.

'Ik ben nog steeds jong.'

'De criminaliteit in Göteborg is gestegen tot wereldniveau. Zo was het niet toen jij een groentje was.'

Hij antwoordde niet. Ze had gelijk. En toch was hij de afgelopen vijftien jaar verschillende keren dicht bij de dood geweest in zijn zogenaamde beroep. In zijn zogenaamde roeping. Het was altijd heel gevaarlijk geweest. Daar ging het om. Hij nam nog een slok wijn. Hij voelde zich niet aangeschoten. In een land waar de wijn nooit opraakt word je nooit aangeschoten.

'Ik weet niet waarom,' zei hij. 'Ik weet alleen dat ik nog niet klaar ben.'

'Ik ga niet zeuren,' zei ze. 'Dat heb ik nooit gedaan.'

'Dat weet ik.'

'Ruim twee jaar geleden was je bijna doodgegaan in een zwembad,' zei ze.

'Dat ben ik echt niet vergeten.'

'Wat wordt het de volgende keer?'

'Er komt geen volgende keer.'

'Hoe moet ik dat interpreteren? Wat bedoel je daarmee?'

'Wil je nog wat wijn?' vroeg hij en hij reikte naar de fles, de tweede van die avond.

'Ik ga niet,' zei ze. 'Wij gaan niet, de meisjes en ik. Elsa moet groep 2 afmaken.'

'Natuurlijk.'

'Misschien ook groep 3.'

'Natuurlijk.'

'Jij bent nooit volwassen geworden,' zei ze. Ze stond op, liep de kamer in en liet de balkondeur openstaan. Hij draaide zich om en zag haar over de stenen vloer lopen. Het is aangenaam om over die vloer te lopen, dacht hij, het werd aangenaam toen we vloerverwarming kregen. De mensen zeiden dat we niet goed wijs waren.

Hij luisterde naar de geluiden van de nacht. Hij hoorde niets wat hij niet herkende. Het geruis in zijn oren was er, maar daar was hij inmiddels aan gewend, zijn gedachten hadden een soundtrack gekregen.

Hij stapte uit bed en liep naar Lilly's kamer. De stenen vloer voelde koel aan, maar niet koud, nooit koud. Lilly snurkte. Hij draaide haar voorzichtig om en ging toen naar Elsa's kamer. Ze mompelde iets in haar slaap, hij hoorde niet wat ze zei. Hij liep haar kamer uit. De nacht droeg sporen van het ochtendgloren in zich. Hij opende de balkondeur en stapte naar buiten. Het rook naar dennennaalden, zand, steen, zout en benzine, alsof het bos, de woestijn, de zee, de stad en de bergen bij elkaar hoorden. Hij liep terug naar de woonkamer en liet de balkondeur openstaan. Er lag een cd-hoes op de salontafel, *Save Our Children* van Pharoah Sanders, waar ze de vorige avond laat naar hadden geluisterd, jazz uit Afrika. Red onze kinderen. Hij huiverde, als van een Middellandse Zeewind. Hij wist dat er iets gruwelijks zou gebeuren als hij weer in Zweden was, iets wat hij nog nooit had meegemaakt. Het riep hem. Het wachtte op hem.

1

Het was een kleine advertentie onder het kopje DIEREN; een kleine hond, een kleine advertentie. Er stond iets over mengras en pup. Hij belde en de vrouw die opnam gaf hem een adres. Hij wist niet precies waar het lag, maar hij vroeg niets, ergens in het zuiden, hij kon het opzoeken. Hij had geen gps, maar achter in de Gouden Gids zaten plattegronden, al was het de vraag hoe lang nog. Binnenkort was alles gedigitaliseerd, niet dat hij klaagde, het had geen zin om te klagen, te zeuren, niemand trok zich er iets van aan en alleen idioten klaagden.

Hij was de eerste die belde, had ze gezegd. Dat was best vreemd, de telefoon had roodgloeiend moeten staan, de mensen hadden toch niet veel anders te doen, al hielden veel mensen natuurlijk niet van mengrassen, dat gold ook voor hem, maar als het om honden ging was het een ander verhaal. Als hij er nu heen ging, zou hij de eerste zijn, wie het eerst komt, wie het eerst maalt.

Hij vertelde er niets over aan Liv.

'Ik ga even naar Frölunda Torg,' zei hij. 'Ik heb een nieuwe kruiskopschroevendraaier nodig.'

Het floepte er zomaar uit, een kruiskopschroevendraaier. Hij had duizend kruiskopschroevendraaiers, er lagen er verscheidene in zijn auto. Maar hij moest toch iets zeggen. Ze geloofde hem, als het om gereedschap ging had hij het laatste woord.

'Hebben we verder niets nodig?' vroeg ze.

'Ik weet het niet.'

'Ik ga even kijken,' zei ze.

Hij hoorde dat ze naar de keuken ging en de koelkast opende. De deur piepte weer. Het had hen nooit gestoord. Nu stoorde het hem. Als hij thuiskwam, zou hij de scharnieren smeren, hij zou er misschien zelfs een paar vervangen. Hij had er het gereedschap voor.

'Neem maar een pak yoghurt en een pak melk mee,' riep ze.

Naar het winkelcentrum rijden om een pak yoghurt en een pak melk te kopen, dacht hij. Hij moest niet eens die kant op.

'Doe ik,' zei hij.

'Misschien kun je ook een film huren,' riep ze.

Hij antwoordde niet.

'Hoorde je me?' riep ze.

'Ik ben niet doof,' riep hij terug.

'Kun je een film huren?'

'Heb je voorkeur?'

'Als het maar niet eng is.'

Er cirkelden een paar meeuwen boven het stadsdeel Näset, zwart als raven in het bleke zonlicht. De zon hing vlak boven de scheren in de bocht, dun en bedeesd als een lamp van 25 watt. Maar het was de zon, hoewel het winter was. De lucht was mat en nevelig. Er lag niet veel sneeuw. De wegen waren droog. Er viel niets te zeuren. Hij zag zijn eigen ogen in de achteruitkijkspiegel. 'Ik zeur niet,' zei hij.

Hij sloeg af richting Billdal, vervolgens weer rechts af naar de eilanden Stora Amundö en Lilla Amundö. Hij zag de zee toen hij boven op de heuvel was aangekomen. De baai leek wel een schilderij: zwart-wit, een beetje geel, een beetje blauw.

Het huis moest vlak bij Stora Amundö liggen. Hij parkeerde de auto bij de botenhelling. Op een bord stond AMUNDÖ MARINA. Hij was hier eerder geweest, vaak zelfs. Hij bestudeerde de plattegrond. Het was niet ver. Hij liep langs de grote parkeerplaats en kwam op een kleiner weggetje. De huizen lagen bijna verborgen voor de zee, op zichzelf. Dit was nog steeds de stad, maar het was ook iets anders. Hij hoorde geen geluiden. Het was meer bos dan zee. En toch rook het naar de zee. Hij controleerde het adres nog een keer. Het was het goede nummer, het goede huis, een houten huis dat nog niet zo lang geleden was gebouwd, het had waarschijnlijk behoorlijk wat gekost, al zag het er niet duur uit. Geen naam op de brievenbus, een ouderwets geval van groen plastic. Dat vond hij wel mooi, die nieuwe plaatijzeren dingen met een slot waren grotesk, groot als een vakantiehuis, er zat zelfs een dakje op. Toen hij op de bel drukte, hoorde hij hem in het huis galmen. Het klonk eerder als een boor dan als een bel. Hij hoorde stemmen, het leken kinderstemmen. Hondengeblaf. Hij was aan het juiste adres. De deur ging open. De vrouw zag er ongeveer net zo uit als ze door de telefoon had geklonken, niet jong, niet oud. Ze had een soort overhemd en een spijkerbroek aan. Rode sokken, zijn blik werd naar de rode sokken getrokken. Hij zag een klein gezicht ter hoogte van haar knieën. Dat keek naar hem met een blik alsof hij gevaarlijk was. Alsof ik eng ben, dacht hij.

De pup rende rondjes om zijn voeten. Een kleine kop, hij verbaasde zich over de lange poten, maar anderzijds had hij absoluut geen verstand van honden.

'Christian... Runstig?' vroeg ze.

'Ja. Ben jij Sandra?'

Ze knikte.

'En dat is zeker Lassie?' zei hij met een knikje naar de pup. Die rende nu de hal in, draafde, speelde.

'Ze heet geen Lassie,' zei het gezichtje beneden.

'Ik maakte maar een grapje,' zei hij. 'Hoe heet ze dan?'

Het kind gaf geen antwoord. Het gezicht verdween. Hij hoorde voetstappen die zich verwijderden, dun als bladeren over de vloer. Hij zag bladeren voor zich die over de vloer bliezen, door de hal, door alle kamers.

'Ze zijn verdrietig,' zei de vrouw.

'Ik begrijp het,' zei hij. Hij dacht dat hij het begreep. Hij begreep dat kinderen van honden hielden, misschien wel van alle dieren. Het lag in de aard van kinderen om van dieren te houden; er waren kinderen die vliegen pootjes uittrokken, maar die waren in de minderheid. Het is beter om van dieren te houden dan van mensen. Dieren zijn altijd onschuldig.

'We hebben haar nog maar een week,' hoorde hij de vrouw zeggen. 'Maar ik kreeg na een dag al uitslag.'

Hij zag geen uitslag, maar het was vast waar, waarom zou het niet waar zijn?

'Wat vervelend,' zei hij.

Hij hoorde een kind huilen. Het klonk als een heel klein kind.

'De kleine is wakker,' zei de vrouw.

'Hoeveel kinderen heb je?'

'Drie,' antwoordde de vrouw. Ze draaide zich om naar de hal en toen weer naar hem.

'Wie had kunnen denken dat ik allergisch was voor pelsdieren?' zei ze. 'In elk geval voor honden. Voor deze hond.' Hij dacht dat ze glimlachte.

'Zoiets kun je nooit weten,' zei hij.

'Dat was ik niet toen ik jong was. Voor zover ik weet, ben ik nooit ergens allergisch voor geweest.'

De hond was het buitentrapje op gerend en holde nu weer terug het huis in. Het was een klein beest met een grote tong, hij dacht dat hij ergens had gelezen dat de hangende tong met de ademhaling te maken had. Mensen vonden zichzelf veel te belangrijk om hun tong buiten hun mond te laten hangen.

15

'Ze is een kruising tussen labrador en bordercollie,' zei de vrouw. 'Ik dacht dat je niet allergisch kon zijn voor collies, of waren het poedels?'

Hij lachte.

'Het maakt voor mij niet uit wat ze is,' zei hij.

'Ik hoop dat je haar lief gaat vinden.'

Achter hem reed een auto langs. Hij draaide zich niet om. Het geluid van de auto verdween in de richting van de zee. Het sneeuwde, maar niet hard. Hij keek omhoog, de vlokken kwamen uit een lege hemel. De zwakke kleuren waren nu helemaal verdwenen.

'Het is een verrassing voor mijn vrouw,' zei hij.

'Dan hoop ik maar dat ze niet allergisch is.'

'Ik weet dat ze dat niet is.'

'Goed... Kom dan maar even binnen,' zei ze.

'Het zal niet lang duren,' zei hij.

2

Winter stapte over de drempel, hoewel er nooit een echte drempel was geweest. Het politiebureau moest modern worden, meegaan met de nieuwe tijd. De afgelopen twee jaar was hier veel gebeurd. Zijn parkeervak was verdwenen in een gat. Dat voelde als een misdrijf. De parkeerplaats was een thuis geweest voor zijn Mercedes. Het sneeuwde, de sneeuw bedekte de krater, dat kwam goed uit.

Hij nam de lift naar boven en bestudeerde zijn gezicht in de spiegel. In het rechtvaardige licht leek het ouder, de dreigende ouderdom stond in zijn gezicht gegroefd. Maar het was nu nog slechts een dreiging, hij zag eruit zoals hij eruit moest zien. Wie tweeënvijftig is, heeft het gezicht dat hij verdient. Hij zag de muren van de lift in de spiegel, als in een cel, als een voorbode van wat hem te wachten stond. *Gij die hier binnentreedt.* De spiegel zag er nieuw uit. Hij had de oude zelf gedemonteerd toen een arrestant zich eraan had verwond, of een poging had gedaan zich eraan te verwonden. Maar daarna had iemand een andere beslissing genomen, iemand die ijdel was en zich geen zorgen maakte om de toekomst, misschien Halders.

De muren op de afdeling boven waren dezelfde, maar zijn team had een nieuwe naam gekregen: Afdeling Ernstige Delicten, AED. De muren hadden een onbestemde kleur die geïnspireerd was op warenhuizen en martelkamers. God, wat haatte hij deze non-kleur. Die had deel uitgemaakt van zijn besluit om de boel hier te verlaten, een klein maar belangrijk deel. Alle andere redenen had hij op de bodem van een zwembad in Nueva Andalucía achter zich gelaten.

Maar dit was de toekomst. Dit was zijn besluit. Hij was degene die de beslissingen nam. Dit waren zijn muren, zijn gangen, zijn kamer, zijn uitzicht. Zijn team. Zijn jagers. Winter klopte op de open deur van de vergaderkamer. De gezichten rond de tafel draaiden zich naar hem om. Hij herkende de meeste, daar was hij blij om.

'De verloren zoon,' zei Fredrik Halders. Hij stond op, liep naar Winter toe en omhelsde hem. Dat Halders iemand omhelsde, een man nog wel, hing misschien samen met de renovatie van het gebouw; hier en daar

17

lieten dingen los, hard kon zacht worden.

'Als hij verloren was, zou hij hier nu niet staan,' zei Aneta Djanali. Ook zij was opgestaan.

'Welkom bij de KGB,' zei Halders en hij deed een paar passen terug. 'Of misschien moet ik de GRU zeggen. Het hele politiebureau krijgt een nieuwe naam. Je mag raden welke.'

'Lubjanka?' zei Winter.

'Meteen goed!' Halders deed nog een pas naar achteren. 'Ik had verwacht dat je nog veel dikker zou zijn, Erik.'

Robert Krol was de eerste getuige met wie de politie sprak. Slechts een paar uur na de vondst vertelde hij Erik Winter wat er was gebeurd tijdens zijn gebruikelijke ochtendwandeling op een van de paadjes bij het water, een eindje de heuvels op, op het weggetje dat in een lus langs de huizen loopt.

Een uur daarvoor was het weer gaan sneeuwen, dezelfde vette vlokken als laatst. Hij hield er niet van. Als er met oud en nieuw geen sneeuw lag, dan kon het evengoed zo blijven, over niet al te lange tijd werd het weer voorjaar, nietwaar? De grond wilde nu helemaal niet wit worden, als december toch geen beloften in zich had gehad. Kinderen vonden het misschien wel leuk, maar dit was Göteborg, de kinderen die hier woonden waren eraan gewend dat er 's winters geen sneeuw lag. Als je wit wilde zien, ging je maar naar de bergen. Hij wilde geen wit zien. Groen was zijn kleur, en blauw. Bij de kruising van het fietspad met het deel van de lusvormige Amundövik waar hij woonde, waren kinderen aan het spelen. Een paar kinderen klommen in de speeltoren, die gebouwd was als de brug van een koopvaardijschip. Dat vond hij in elk geval. Dat paste hier goed, met de baai en de zee zo vlakbij.

De weg waar hij op liep was blubberig van de moddersneeuw, bandensporen van een auto kronkelden heen en weer alsof de bestuurder een paar promille in zijn bloed had gehad. Hij was blij dat hij zijn zeelaarzen had aangetrokken, ander schoeisel zou geruïneerd zijn. Het bleef maar sneeuwen, de vlokken waren kleiner en harder geworden; dat betekende dat het harder was gaan vriezen en hij voelde de wind door zijn jack heen, de temperatuur was tijdens zijn wandeling een flink stuk gedaald. De bandensporen op de straat werden hard, als smerige golven die op weg naar de kust midden in hun beweging tot ijs waren bevroren.

Er staken een paar kranten uit Sandra's brievenbus, zo'n oud groen ding zonder slot. De kranten waren al bedroevend nat van de sneeuw, ondergesneeuwd. Hij had ze gezien toen hij naar de Amundöbrug was gelopen. Hij liep naar de brievenbus, probeerde de kranten erin te duwen, maar dat lukte niet omdat ze al stijf waren van de kou, ze kraakten van het ijs, er lag nog een krant in de bus, er lag post. Drie kranten, drie dagen. Sandra en de kinderen waren misschien plotseling vertrokken, wellicht naar Jovan. Had hij niet een eigen appartement na alle nachten die hij in hotels had doorgebracht? Had ze dat niet gezegd toen ze elkaar laatst waren tegengekomen, wanneer dat ook maar geweest was, dat hij tegenwoordig in Stockholm woonde. Ze had er niet blij uitgezien, maar wie zou dat in haar situatie wel zijn? Hij herinnerde het zich, alles was glashelder, wat zojuist was gebeurd, wat een halve eeuw geleden was gebeurd. Hij herinnerde zich alles.

Hij was hier de afgelopen drie dagen elke ochtend langsgekomen, en Sandra's V70 had er steeds gestaan. Ze zette de auto nooit in de garage als ze alleen thuis was met de kinderen. Hij vermoedde dat ze het niet durfde, vrouwen durfden maar zelden een auto in de garage te zetten. Het had iets te maken met het bepalen van de afstand. Ook hun oriënteringsvermogen was anders. Waar lag dat aan? De auto was al geruime tijd niet van zijn plaats geweest. Hij was bedekt met oude en nieuwe sneeuw. Hoe was ze naar de stad gegaan? Ze moest in drie dagen tijd toch zeker wel een keer boodschappen doen? Als je hier in je eentje met drie kleine kinderen woonde, kwam je nergens zonder auto. Hij keek om zich heen. Hij stapte de tuin in, liep naar de deur en belde aan. Hij hoorde het signaal binnen als een echo stuiteren, heen en terug. Het huis klonk groter dan het in feite was, alsof het van steen was gebouwd en niet van hout. Hij belde nog een keer aan. Niemand deed open, niemand liep binnen rond. Hij drukte op de knop, die voelde koud aan zijn hand, bijna bevroren, alsof zijn vinger eraan kon vastvriezen. Hij keek weer om zich heen. Het geluid van de bel stierf weg in het huis. Hij meende een kreet te horen. Hij hoorde een baby krijsen. Hij riep: 'Hallo, Sandra? Hallo? Zijn jullie thuis?' Ze hadden nooit kinderen gekregen, Irma en hij. Nu ging hij naar haar toe, zo snel hij kon met zijn knie, hij wist dat ze altijd thuis op hem zou wachten. Het sneeuwde niet langer, het was nu koud, verdomd koud.

'Bel de politie,' riep hij luid toen hij in de gang stond, terwijl de kou hem als een noordenwind door de open deur volgde. Hij riep nog een keer.

De meldkamer stuurde een auto naar de Amundövik. Niemand wist iets, behalve dat er kennelijk een baby in het huis zat opgesloten. Met enige moeite lukte het inspecteur van politie Vedran Ivankovic om het huis tussen nieuwe sneeuwwallen en een paar stepsleeën voor een hek te vinden.

'Net het platteland,' zei zijn collega Paula Nykvist en ze knikte naar de ouderwetse stepsleeën. 'Echt idyllisch.'

'Dit is het platteland,' zei Ivankovic. 'Een dorp op het platteland.'

'Daar staat iemand,' zei Nykvist met een knikje naar Robert Krol, die voor het huis wachtte. Het was een oudere man die stampend heen en weer liep. Hij had een grijze baard en droeg een gebreide muts op zijn hoofd. 'Hij ziet eruit als een oude zeebonk.'

Ze parkeerden de auto en stapten uit.

'Hier is iets vreemds aan de hand,' zei Krol, terwijl hij op hen af liep. Hij liep een beetje mank. 'Het kind huilt. Er is een krijsende baby in het huis, maar niemand doet open.'

Nykvist knikte. Ze liep dichter naar het huis toe. Het leek groot en klein tegelijk. Dit was het lichtste uur van de dag, maar het huis leek in het donker te liggen, als een constante winterduisternis. Een kwade duisternis, dacht ze, ik heb me een paar keer eerder in een vergelijkbare situatie bevonden en ik herken het kwaad voordat ik het recht in de ogen kijk.

'De deur zit op slot,' zei Krol achter haar. 'Niemand doet open, ik heb het geprobeerd.'

Er deed ook niemand open voor Ivankovic en Nykvist.

Ze wachtten tot het geluid van de bel binnen was verstomd.

'Ik hoor de baby!' zei Nykvist.

Ze voelde zich bang. Ze was niet bang. Ze voelde zich bang. Ze was niet...

'De auto is minstens drie dagen niet van zijn plaats geweest,' hoorde ze de zeebonk zeggen. 'Niemand heeft de post uit de brievenbus gehaald.'

Ze hoorde de baby weer huilen. Het geluid klinkt nu zwakker, dacht Nykvist. Alsof het uit die richting komt. Ze liep naar het raam een paar meter links van de voordeur. Ze hoorde het kind daar, veegde vorst van de ruit, keek naar binnen, zag een kinderledikant, iets wat een paar meter achter het raam bewoog. De kamer moest meteen links van de hal liggen.

'We gaan naar binnen!' riep ze naar Ivankovic.

Het kostte hem vijftien seconden om het slot open te krijgen. Dat was heel lang.

Ze gingen naar binnen, eerst Ivankovic, daarna Nykvist. Ze haastte zich meteen naar het kind, tilde het op, alles was nat en heet en koud tegelijk, alles was erger dan het ooit was geweest.

Ivankovic rook de lucht in de hal, het was alsof die door de deuren verderop op hem af stormde. Hij wist wat voor lucht het was, een stank, maar hij wilde het niet weten, hij liep verder het huis in en zag de lichamen. Hij belde naar het politiebureau, de melding werd doorgestuurd, hij hoopte op een snel verloop, de melding zou nu de AED bereikt moeten hebben. Aan zijn linkerkant zag hij Paula aan komen snellen, ze droeg iets in haar armen, de oude man achter haar zei wat.

Winter en Ringmar reden naar het zuiden. Het sneeuwde nog steeds. Het badstrand van Askim was een wit veld, de zee een witte massa zonder beweging. Een eenzame fiets stond midden op het veld. Die deed Winter aan iets denken. Maar hij wist niet aan wat.

'Toen de kinderen klein waren, gingen we hier 's avonds soms op de fiets heen,' zei Ringmar en hij keek naar de fiets op het veld en de oude gebouwen langs het badstrand. 'In die tijd had je vaak mooie avonden.' Hij draaide zich om naar Winter. 'Heb je daar weleens aan gedacht, Erik? Dat de avonden vroeger altijd mooi waren?'

Winter reed verder toen het licht op groen sprong. Hij bedacht dat hier vroeger geen verkeerslichten hadden gestaan. Het was vreselijk lastig geweest om vanaf de parkeerplaatsen bij het badstrand op de Säröleden te komen. Ze hadden vaker met de fiets moeten gaan. Ringmar had gelijk. Maar Ringmar was tweehonderd jaar ouder dan hij, hij had meer gedaan in zijn leven, alles wat Winter nog moest doen. Volgend jaar zou Bertil met pensioen gaan, of was het over twee jaar? Of het volgende decennium? Bertil was groter dan het leven, hij zou er altijd zijn.

'Het waren mooie avonden,' herhaalde Ringmar. 'De immigranten kookten op het strand. Overal rook het naar gegrild vlees. Ze hadden hun eigen barbecues meegebracht.'

'Dat kan ik me nog wel herinneren,' zei Winter. 'Het rook enorm lekker.'

'Ik weet niet hoe het nu is,' zei Ringmar. 'Misschien komen ze hier niet meer.'

'We kunnen hier van de zomer heen fietsen,' zei Winter, terwijl ze verder reden naar het zuiden.

'Ik ga liever met de auto,' zei Ringmar. 'Ik weet niet of ik nog wel zo ver wil fietsen.'

'Met de auto is het niet hetzelfde, Bertil. Bovendien is jouw conditie veel beter dan die van mij.'

Ringmar antwoordde niet.

'Ik verheug me niet op wat ik straks te zien krijg,' zei hij na een tijdje.

Ze passeerden het zwembad aan hun linkerkant. Daar had Ringmar Moa en Martin heen gebracht toen ze op zwemles zaten. Terwijl zijn kinderen in het water lagen, had hij hardgelopen, langs de kerk, over de weg naar het badstrand van Hovås, langs het oude station, en weer terug. Dat was een andere wereld geweest, helemaal aan de andere kant van de wereld die hij nu kende en waarin hij nu leefde. Hij had het gevoel gehad dat hij in een vreemd land had gerend. Het rook er anders. Het deed hem beseffen dat Göteborg een grote stad was. Toen de kinderen niet langer op zwemles zaten, was hij hier toch een paar keer per week naartoe gereden om hetzelfde kloterondje te rennen. Hij wist dat het een soort therapie was, maar niet waarvoor. Dat had hij pas later begrepen, toen hij geen zoon en geen vrouw meer had en slechts af en toe een dochter. Toen had hij overwogen om zich dood te rennen, als een oude draver die overal genoeg van heeft. Daar dacht hij soms nog steeds aan. Hij dacht er nu aan. Hij wilde het niet. Het was een destructieve zelftherapie.

Winter verliet de Säröleden en sloeg bij het oude Kodak-gebouw opnieuw af. Het pand deed hem denken aan de keren dat hij met Angela en de kinderen naar Stora Amundö was gereden om te zwemmen en te zonnen op de klippen. Alles hier deed aan kinderen denken. Dat was ook wat hen te wachten stond, kinderen, die informatie had hij in elk geval van de surveillancewagen gekregen.

Hier was hij voor teruggekomen, al op de eerste werkdag in zijn nieuwe incarnatie. Welkom thuis, Winter.

Toen ze uitstapten, zagen ze de agenten die op de straat voor het huis stonden te wachten, samen met een wat oudere man die iets leek uit te leggen. De man zag Winter en Ringmar en stapte met zijn O-benen op hen af.

'Het kind is bij mijn vrouw,' zei hij.

'De ambulance is onderweg,' zei Nykvist. 'Die had er al moeten zijn. Dit is een spoedgeval. Het ziet er niet goed uit.'

'Krols vrouw geeft de baby te drinken,' zei Ivankovic met een knikje naar Krol.

'Ze is verpleegkundige, vroeger in elk geval,' zei Krol. 'Ze weet wat ze doet.'

Maar Winter luisterde niet naar hen. Hij luisterde of hij andere dingen hoorde. Dingen die te maken hadden met alles wat hij op dit moment kon zien: het huis, de auto op de oprit, de weg, de klippen op de achtergrond, de bomen, de wind, de sneeuw, de witte sneeuw die alles als een kapotte deken probeerde te bedekken.

Hij hoorde vanbinnen een schreeuw die alles drenkte, iets in de diepte van het geruis in zijn oren, en die schreeuw zou er altijd zijn, maar alleen hier, in wat hij kon zien, als een zwarte cirkel om dit huis aan het einde van de wereld. Hij zag nu alleen dit huis, de sneeuw die het hier en daar bedekte was zwart, die was nu overal zwart. Het was alsof het huis in een krater stond waar de wind in was neergedaald om nooit meer omhoog te komen.

Hij draaide zich om naar Ivankovic.

'Hoeveel lichamen heb je gezien?'

'Ik weet het niet zeker. Twee of drie.'

'Waar?'

'Dat weet ik ook niet zeker.'

'Woonde de vrouw hier alleen met haar kinderen?'

'Haar man schijnt tijdelijk elders te wonen.'

'Waarom?' zei Winter, maar meer voor zichzelf. Het was een vraag die niemand op dit moment exact kon beantwoorden. Waarom. Daar viel te veel onder. Altijd dat vervloekte waarom dat altijd te vroeg opdook en altijd lastig te beantwoorden was, onmogelijk, het was als een vraag van God.

'Jovan verzorgt opleidingen elders in het land,' zei Krol.

'Heet hij Jovan?'

'Ja. Manpower.'

'Heet hij Jovan Manpower?' zei Ringmar.

Krol keek hem aan alsof hij niet goed wijs was.

'We gaan via de garage naar binnen,' zei Winter en hij liep die kant op.

De garagedeur was niet echt dichtgetrokken, maar zat vast door de vorst. Winter, die leren handschoenen droeg, trok aan de deur en die gaf zachtjes mee. De garage was gehuld in duister, maar Winter kon achter in de ruimte een andere deur zien en hij liep er over de betonnen vloer naartoe. Hij hoorde Bertils ademhaling achter zich. Niemand zei iets.

De deur kwam uit op een kleine hal. Winter zag een tweede deur. De stilte dreunde. Hij liep door het halletje en opende de andere deur. Aan de andere kant was nog een hal, die was groter, lichter. Hij rook het meteen, de geur van de dood. Er was niets zoals die geur, niets ter wereld.

Hij zag een kleine schoen. Hij zag een want op de grond, die lag naast zijn eigen schoen. Hij zag dat Bertil het zag. Bertil was op weg door de linkerdeur rechts in de hal. Winter zag dat hij halverwege de drempel bleef staan, zich omdraaide en Winter zonder iets te zeggen aankeek. Winter merkte dat hij bewoog, naast Bertil ging staan, de kamer inkeek die de woonkamer moest zijn: een bank, een paar fauteuils, een flatscreentelevisie, een boekenkast, een vitrinekast met porselein en glazen, een spijkerbroek op de bank, op de tafel een paar fiches van een gezelschapsspel, een kapotte blouse op de vloer, een gehavend lichaampje op de vloer, half verborgen onder een soort plaid. Bertil bewoog zijn hand, wees met de loop van zijn pistool. Geen van beiden had nog iets gezegd, ze hadden alleen heel voorzichtig bewogen. Winter wist dat het geruis in zijn oren nu luid was, maar hij hoorde het niet, de adrenaline stootte al dat soort gezeur opzij. Hij probeerde te zien, te zíén, het was nu of nooit, alles hier zou worden verzameld, gemerkt, geanalyseerd en doorgelicht, er zouden DNA-monsters worden genomen, en er zou sectie worden verricht, maar er was slechts één eerste en enige kans als deze, de eerste indrukken als deze, niet de reconstructie, de reprise, maar dit scherpe beeld waar de dader zélf zou vertellen wat er was gebeurd, in welke volgorde en hoe, het ging er meer om wat er ontbrak dan wat er daadwerkelijk aanwezig was.

'De slaapkamer,' zei hij. Hij draaide zich om en liep naar de laatste kamer die uitkwam op de hal. De deur stond open. Het eerste wat hij zag was het dode licht van buiten dat door het enige raam in de kamer probeerde binnen te komen – een zinloze poging, even zinloos als te trachten de vrouw en het kind op het tweepersoonsbed, dat een groot deel van de kamer in beslag nam, weer tot leven te brengen. De mensen in de slaapkamer waren heel ver verwijderd van het leven en dat waren ze al een paar dagen, zoveel wist hij wel van recherchetechniek, en de persoon die hen van het leven had beroofd, had daarbij geen risico's genomen.

'Jezus,' hoorde hij Bertils stem achter zich, als een bevestiging van zijn eigen gedachten.

Winter antwoordde niet.

'Dit slaat alles,' zei Ringmar.

'Zeg dat wel, Bertil.'

'Ik krijg geen adem,' zei Ringmar. Op dat moment hoorde Winter een geluid bij het raam. Eerst dacht hij dat iemand van buiten op het raam klopte. Maar het was een vogel, hij hoorde een snavel; de vogel wilde naar binnen, het was misschien een vriendje van het meisje op het bed voor hem. Kom hier niet binnen. Winter kon de contouren van het vogellijfje aan de andere kant van het raam als een schaduwspel zien. Kom hier nooit binnen.

Het bed was opgemaakt, de lichamen lagen op de sprei. Hun hoofden lagen niet op de kussens. De vrouw lag in een merkwaardig gebogen houding, alsof ze een yogaoefening deed. Hier had ze er niets aan, misschien aan gene zijde. Winter voelde het metaal van zijn pistool als vorst in zijn handpalm. Het wapen was waardeloos, net als het licht in de vroege februarimaand, hoeveel schoten hij ook afvuurde met zijn Sig Sauer, het zou geen enkel verschil maken voor de doden in dit huis. Zou hij zelf een verschil kunnen maken? Dat was de reden waarom hij was teruggekomen. Hij had heimwee gehad. Naar dit, naar de jacht. Dit zou de allergrootste worden, en die begon nu.

De pup, die nog steeds geen naam had, keek hem aan met ogen die alles of niets uitdrukten. De ogen van een hond bevatten niet veel intelligentie, ook niet veel geheugen trouwens. Hij betwijfelde of honden zich konden herinneren wat ze een paar dagen eerder hadden meegemaakt, misschien hadden ze helemaal geen herinneringen. Hij was geen deskundige. Dat was Liv ook niet, maar ze was blij geweest toen hij met het nieuwe gezinslid was thuisgekomen.

'Hoe heet ze?'

'We moeten zelf een naam bedenken.'

'Is dat niet raar?'

'Ik heb in elk geval geen naam meegekregen.'

'Ik hoop maar dat ik niet allergisch ben,' zei Liv.

'We proberen het vijf dagen.'

'Hebben jullie dat afgesproken?'

'Ja. De vrouw is allergisch. Dat werd ze in elk geval toen ze de hond kregen.'

'Maar dan kunnen ze haar niet terugnemen,' zei Liv en ze streelde de hals van de pup. 'Dat hoeft ook niet. Je blijft hier, kleine vriend.' Ze keek op. 'Ze is in januari bij ons gekomen. We noemen haar Jana.'

'Als het een kat was geweest hadden we haar Jamauw kunnen noemen.'

'Heel grappig.' Liv aaide de snuit van de hond. 'Welkom thuis, Jana.' Ze keek weer op. 'Was ze duur?'

'Nee. Vierhonderd kronen, een symbolisch bedrag zei ze, vooral bedoeld om gekken weg te houden.'

Hij stond op van zijn stoel.

'Ik ben vergeten boodschappen te doen,' zei hij.

'Dat geeft niet,' zei ze. 'Ik heb toch geen zin om naar een film te kijken.'

'Ik heb een nieuwe kruiskopschroevendraaier nodig. De oude is kapot.'

De technisch rechercheurs bewogen als marsmannetjes in het huis. Winter stond op het witte gazon en kon de in het wit geklede mensen door het raam zien. Alles was bekend en vreemd tegelijk. Hij hoorde een gekrijs, keek omhoog en zag zwarte vogels als een net onder de hemel over de zee verdwijnen. Hun instinct klopte: vertrek van deze hel, zo snel mogelijk.

Bertils blik was ergens anders. Winter zag Halders en Aneta uit een politiewagen stappen. Zij konden net zo goed hier zijn. Ze zouden allemaal bij elkaar blijven tot dit voorbij was. Hij zou de klootzak van het einde van de wereld tot het einde van de wereld achtervolgen. Dat was een ware gedachte, banaal, gecompliceerd.

'Jezus Christus, wat is hier in godsnaam gebeurd?' zei Halders.

'Twee kinderen, een vrouw,' zei Ringmar. 'Waarschijnlijk een mes.'

'Een keukenmes?'

'Dat weet ik niet.'

Halders keek om zich heen. Wat hij zag, beviel hem helemaal niet. Hij had nooit van doodlopende steegjes gehouden. Voorsteden en villawijken en idylles waren doodlopende steegjes. Hij had nooit van moordplaatsen gehouden. Hij had nooit van misdrijven gehouden. Eigenlijk had hij ook nooit van geweld gehouden, al was dat voor velen een geheim. Eigenlijk hield hij bijna nergens van, behalve van zijn kinderen, en van Aneta, en van de mensen met wie hij werkte.

'Een baby heeft het overleefd,' vervolgde Ringmar.

'Heeft de familievader zijn gezin met het keukengereedschap terechtgewezen?' zei Halders en hij ontmoette Djanali's blik. 'Dat was geen vraag,' zei hij. 'En ook geen bewering.'

Maar iedereen wist dat dat nu de grote vraag was. Het was de gewoonste vraag, en het gewoonste antwoord. Banaal en gecompliceerd en waar.

'Hij is kennelijk in Stockholm,' zei Winter. 'Verzorgt een of andere opleiding. We hebben hem nog niet weten te bereiken.'

Torsten Öberg kwam het huis uit. Hij was het hoofd van de technische afdeling, eigenlijk het plaatsvervangend hoofd, maar niemand wist hoe de hoogste baas heette. Öberg deed zijn astronautenkap en mondkapje af.

'Het is een paar dagen geleden gebeurd,' zei hij, 'misschien drie, misschien meer, het ruikt daarbinnen niet prettig. We kunnen nog niets met zekerheid zeggen. Het lijkt erop dat de vrouw elf keer is gestoken, meerdere steken kunnen dodelijk zijn geweest.'

'En de kinderen?' vroeg Djanali.

'Hetzelfde,' zei Öberg en hij ademde zwaar in en uit. 'Maar voor zover we nu kunnen zien is er geen sprake van seksueel geweld.'

'Alleen maar moord,' zei Djanali. Er viel niet zoveel meer te zeggen. Alleen maar moord.

'Waarom zoveel steken?' zei Ringmar, vooral tot zichzelf.

Öberg haalde zijn schouders op. Het was geen onverschillige beweging. We zullen zien. Al het werk moet nog worden gedaan.

'Het kan belangrijk zijn,' zei Halders. 'Heb je een mes gevonden, Torsten?'

'Nee, nog niet.'

'Is het hetzelfde?'

'Hetzelfde als wat?'

'Je weet wat ik bedoel.'

'Op dit moment weet ik helemaal niets.'

Winter keek naar Öberg. Hij vroeg zich af of Torsten het zou zeggen. Er was meer. Öberg ontzag zijn collega's niet als hij informatie had. Er was iets anders. Öberg hield iets achter omdat hij de beelden nog niet in zijn hersenen had geformuleerd. Ze zouden komen, voor iedereen in het team dat hier onder de onbarmhartige hemel bij elkaar stond. Ze zouden allemaal de foto's zien. Winter en Ringmar hadden de werkelijkheid gezien.

3

Er lag een compacte stilte over de baai. Compact. Alsof ze omlaag werd gedrukt en zich als betonstof over alles heen legde, over hem. De hemel was een plafond dat niemand wilde hebben en dat niemand nodig had.

De hemel boven Spanje reikte verder naar andere zonnestelsels. In Zweden verborg die alles wat zich om de wereld heen bevond. De wereld begon en eindigde hier, op de plek waar hij stond.

Winter liep over het grijze zand, voelde de wind uit het zuidwesten. Die was zojuist over zijn stuk grond getrokken, het strand dat vijftien kilometer zuidelijker lag en alleen van hem was, van zijn gezin, een eigen strand waar hij in twee seconden stenen terug kon gooien in de zee, stenen die tien miljoen jaar nodig hadden gehad om uit het water te komen.

De stilte in het huis was heet en plakkerig. Hij zag al het wit buiten, het was opgehouden met sneeuwen, maar daarna was het weer begonnen. Er bewoog niets. De schemering was al gevallen. Hij keek op zijn horloge. Het was drie uur. Hij was hier nu drie uur, drie uur in het huis aan het einde van de wereld. De kamers waren gevuld met de dood en de geur van de dood. Alles om hem heen droeg sporen van leven, maar het was verleden tijd. Drie dagen verleden tijd, misschien iets meer, of iets minder.

Hij liep de kamer in die nog steeds naar leven rook. Hiervandaan kon hij de scheren in de zee zien. Het kinderbedje had vlak bij het raam gestaan en de plek werd nu getroffen door het dalende licht.

Waarom was het leven van dit kind gespaard? Was dat toeval? Of was het juist omgekeerd, was het nog veel erger: was het kind achtergelaten om een lange dood te sterven, een eenzame dood, zonder iets te begrijpen, behalve de pijn, de honger, de kou, de hitte, zonder spraak, zonder herinnering. Had ze hem gezien? Had de baby de moordenaar gezien? Had hij haar opgetild? Had hij haar nooit opgemerkt? Ze had een naam, Greta. Ze bestond nog als persoon in haar naam, in tegenstelling tot de anderen, die vooral herinneringen waren, maar nu alleen de herinneringen van anderen.

De technisch rechercheurs van Torsten hadden het bed en alle andere spullen uit de kamer meegenomen. Winter vertrouwde Torsten, technische bewijzen waren doorslaggevend, belangrijker dan iemand die een bekentenis aflegt, mensen konden van alles bekennen, ze fantaseerden zich soms de afgrond in.

Hij liep een rondje om het bed, zag het bed daar nog steeds staan. Hij was hier binnengekomen, tóén, het kind was er toen niet geweest, daar had mevrouw Krol zich over ontfermd, maar al het andere was er nog geweest, het beddengoed, de dingen die op de grond hadden gelegen... Wat had er op de grond gelegen?

Wat zag ik? Ik zag iets zachts, een klein dier, zo'n knuffel die Elsa en Lilly ook hebben gehad, die ik zelf heb gekocht. Waarin kinderen niet kunnen stikken. Die lag daarginds in de hoek. Die ligt nu op de technische afdeling. Waarom lag het knuffeldier daar? Greta kon het daar niet heen gooien. Waarom lag het helemaal in de hoek?

Wat had hij in het bed gezien?

Wat had hij niet gezien?

Wat zag ik?

Wat zag ik niet?

Wat zag ik dat ik niet zag?

Hij wist nu wat hij niet had gezien. Niet op de vloer. Niet in het bed. Nergens.

Hij pakte zijn iPhone en toetste het snelkeuzenummer van Torsten in. De telefoon ging drie keer over voordat zijn collega opnam.

'Ik ben in het huis bij Amundö, Torsten. Hebben jullie een speen meegenomen?'

'Een speen? Dat moet ik nakijken. Ik zit nu alles door te nemen. Zoals je weet ben ik zelf niet zoveel in de kinderkamer geweest.'

'Nee, dat waren Lisbeth en Mario, hè?'

'Ja. Ik zal het even controleren. Lisbeth is ergens op de afdeling. Ik kan het haar meteen vragen.'

'Heel graag.'

Torsten stelde geen vragen. Winter hoefde nooit iets uit te leggen. Zo werkte het niet. Winter luisterde of hij in het huis geluiden hoorde, maar daar was nu alleen de stilte van de winter. Zijn hoofd gonsde, hij deed een paar passen op de lege vloer.

'Erik?'

'Ik ben er.'

'Geen speen.'

'Weten jullie het zeker?'

'Wat denk je, verdomme?'

'Sorry, Torsten.'

'Geen speen in de kamer. Die had er wel moeten zijn.'

'Misschien zoog ze op haar vingers,' zei Winter. 'Dat deed Lilly ook. Dat doet ze soms nog steeds, als ik eerlijk ben. Geen spenen voor haar.'

'Je moet het maar aan de vader vragen, Erik.'

'Hij zal zeggen dat de baby een speen had,' zei Winter.

'In dat geval...'

'Nee, ik weet het niet. Maar de moordenaar heeft de speen meegenomen.'

'Wacht even,' zei Öberg. 'Daar is Lisbeth.'

Winter hoorde stemmen op de achtergrond.

'We hebben diverse nieuwe spenen in een keukenla gevonden,' zei Öberg in de hoorn. 'Ongebruikt. Kennelijk is ze een spenenkind, tenzij ze nog over zijn van toen de andere kinderen klein waren.'

'De klootzak heeft de speen meegenomen. Hij had hem aangeraakt. Hij wist dat hij de speen had aangeraakt.'

'Dat is mogelijk. Waarom raakte hij hem aan?'

'Hij probeerde het kind stil te krijgen.'

Winter stond in de woonkamer, keek door het raam, *inside looking out*, dacht hij, misschien Marsalis. Hij wist nu waar de klippen achter het huis op leken. Die vormden een tweemaster met een zeil, een zeil van steen, gescheiden van de zee.

De jongen had gedeeltelijk onder de deken, de plaid gelegen. Waarom? Wilde de moordenaar hem niet langer zien? Winter hurkte neer bij de contouren van het vermoorde kind die op de vloer waren getekend. De jongen had Erik geheten, heette nog steeds Erik, dacht Winter. Erik was vijf jaar geweest. Er waren foto's van hem, aan de muren, op ladekastjes, overal, samen met zijn zusje, alleen, samen met zijn oudere zus, die Anna had geheten. Die Anna heet, dacht hij.

Hij ging niet naar de andere slaapkamer, niet nu.

In de hal ging hij voor de voordeur staan. Er waren geen sporen van inbraak geweest. Die zouden Torstens mensen direct hebben gezien, zoiets zag je.

Winter draaide zich om. De sleepsporen op de vloer waren nog zichtbaar. Er was iemand binnengekomen en de vrouw had daar gestaan, dáár, een van de kinderen dáár, misschien allebei. Er was strijd geweest, beweging, een soort verzet. Maar misschien niet in het begin. Of helemaal niet. Zoiets kon later worden gedaan, een koelbloedige moordenaar kon dat ensceneren. Het kon gestyled worden, dacht hij, alles kan gestyled worden. Het meeste kan na afloop worden gedaan, maar niet alles. Er is bloed in de hal, hier is het begonnen. De bloedbeelden zullen hun geschiedenis vertellen, Torsten heeft twee medewerkers die gespecialiseerd zijn in het interpreteren van bloedbeelden. Die kunnen veel over de dader zeggen, over de opzet, andere dingen. De patronen van de spetters, in verschillende richtingen, vanuit verschillende richtingen. De volgorde, leuk woord, de richting, het aantal steken. De klootzak was hier met zijn eigen wapen gekomen. Alles was al in beweging.

Bloed over bloed, dacht hij, het bloed over het bloed.

Zijn mobieltje ging.

'Ja?'

'Ben je daar nog steeds?'

'Ja.'

'Hoe voelt het?' vroeg Ringmar.

'Waarom vraag je dat?'

Het werd stil aan de andere kant. Waarom vraag ik dat zo? Waarom zeg ik dat zo? Ik ben vergeten hoe het in mijn vorige incarnatie was. Ik moet weer leren met Bertil te praten. De methode. Ik moet de methode weer leren, praten in vrije fantasieën. Ik heb te veel zon gehad.

'Ik heb het gevoel dat hij ze kende, Bertil. We kunnen het ook omdraaien, dat zij de moordenaar kende.'

'Hoe?'

'Een goede vriend.'

'Hoe goed?'

'Goed genoeg.'

'Maar waarom heeft hij niet gewacht?'

'De honger begon al in de hal.'

'De honger?'

'Ja.'

'Heeft ze de deur voor hem opengedaan?'

'Ja.'

Winter liep terug naar de kinderkamer. Hij keek door het raam naar buiten. Hij kon het paadje naar de weg zien, huizen, auto's, witte velden, klippen, lucht, zee, hij kon alles zien.

'Hij kon alles zien,' zei hij.

'Wat? Kon hij alles in het huis zien?'

'Er is iets met dit raam,' zei Winter.

'Welk raam?'

'In de kinderkamer. Waar de baby lag.'

31

'Kon hij de baby zien? Vanuit het huis?'

'Hij kon alles zien,' zei Winter opnieuw, het klonk alsof het van een andere kant in de kamer kwam, alsof hij zijn eigen stem amper hoorde. Hij wist niet wat zijn woorden betekenden, maar daar zou hij achterkomen, daar was hij van overtuigd.

Angela belde om halftien. Hij had net de balkondeuren dichtgedaan. Het was koud in de kamer, dat was prettig. Hij had nog twee vingers Springbank ingeschonken, die van 21 jaar oud, slechts twee. Hij werd warm vanbinnen, koud vanbuiten.

'Wat ben je aan het doen?'

'Ik zit te schemeren.'

'Begon de schemering niet zes uur geleden?'

'Het schemert hier de hele tijd.'

'Dat zei ik toch toen je wegging. Toen je ons in de steek liet.'

'Je had gelijk.'

'Heb je gedronken?'

'Vier vingers.'

'Je klinkt bedrukt.'

'Hm.'

'Zware eerste dag op het werk? Kun je erover vertellen?'

'Liever niet.'

'Is het zo vreselijk?'

'Erger.'

'Ik weet niet wat ik moet zeggen.'

'Slapen de meisjes?'

'Ja. Elsa is een halfuur geleden in slaap gevallen. Siv is net weg.'

'En hoeveel vingers heeft mijn moeder gedronken?'

'Heel grappig.'

'Weet je zeker dat Elsa slaapt?'

'Ja. Had je met haar willen praten?'

'Ja.'

'Zal ik haar wakker maken?'

'Nee, nee.'

'Heeft het te maken met wat er vandaag is gebeurd? Dat je haar stem wilt horen?'

Hij antwoordde niet. Hij hoorde iemand roepen op het Vasaplein. Het klonk als een schreeuw, maar het kon net zo goed een lach zijn, of een dronkenlap die zich met de snelheid van het licht tussen de hemel en de hel bewoog.

32

'Erik? Wat is er gebeurd?'
'Daar moet ik achter zien te komen.'

Hij deed zijn ogen dicht, strekte zijn armen boven zijn hoofd, probeerde te ontspannen, probeerde in het bed weg te zakken, de beelden los te laten, te voelen hoe al het harde verdween en werd vervangen door zachtheid, en daarna te slapen, een slaap zonder dromen. Het geruis van de zee steeg en daalde in zijn oren zonder op de zevende golf te wachten, er was geen respect voor regelmaat. Overdag en de meeste avonden ging het goed, maar op het inslaapmoment dat nooit kwam, zong het geruis door zijn hoofd, en hij wilde niet opstaan om een slaappil te nemen, hij wilde niet nog meer whisky drinken, hij wilde alleen maar slapen, weg van het gesuis en geruis, het bruisende leven zoals de zwakken tinnitus noemen. Hij noemde het een vanzelfsprekendheid, misschien een noodzakelijkheid: de hoofdpijn van de afgelopen jaren was uiteindelijk geëxplodeerd, vreemd genoeg toen alles achter de rug was, en zijn artsen – onder wie Angela – hadden hem gefeliciteerd omdat zijn hersenen niet door een bloeding onherstelbaar waren vernietigd. Heette dat zo? Onherstelbaar? Geen reserveonderdelen meer.

Hij draaide zich om in zijn bed. Het geruis werd minder, alsof de zee zich had teruggetrokken. Maar die zou zich nooit helemaal terugtrekken, dat wist hij omdat hij wist dat hij alle jaren met een tank vol adrenaline op de linkerbaan had geleefd en toen hij de tank leeg had gemaakt, was hij gek geworden, in elk geval even, tien minuten, hij had bij een zwembad in Nueva Andalucía gestaan en gezien hoe een man zichzelf probeerde te verdrinken en hoe een andere man het leven van de moordenaar probeerde te redden en hij, Winter, was leeg geweest, volkomen leeg, en toen er armen naar hem waren uitgestrekt – gevaar? redding? – had hij ernaar gereikt, als in een reflex, zonder goedkeuring van zijn hersenen, en hij was het water ingetrokken, had vastgezeten als aan een kruis, en het water was zijn hoofd in gestroomd en had de leegte vervangen; het blauwe water, het kunstmatige water, was genoeg geweest, hij had zich zacht gemaakt en was naar de bodem gevallen en vervolgens was hij langzaam onder de lichamen door gezwommen die nog steeds aan de oppervlakte tekeer gingen, bruisten, en hij had het trapje bereikt en zich omhooggetrokken en het enige wat hij op dat moment had gedacht, was dat hij geen enkele keer de behoefte had gevoeld om te ademen. De pijn was gekomen toen hij de Spaanse nachtlucht in zijn longen had moeten binnenlaten. De lucht was koud geweest, het water in het zwembad was nog warm geweest van de zon. Het water had hem omhelsd.

En toen bevond hij zich plotseling op andere plaatsen die altijd onbekend waren. De slaap ging onmiddellijk over in een droom. Hij volgde een schaduw die scherp was in het scheve zonlicht, en lang, langer dan al het andere. De schaduw brak in het midden toen die achter een huismuur verdween die even wit was als een verlicht filmdoek, daar waren geen bewegingen. Hij passeerde de muur en liep de hoek om en zag de schaduw een eindje verderop, als een perfecte greppel in het veld, helemaal tot aan de zee, als een rechte lijn. Die volgde hij terwijl die langzaam bij hem weg bewoog, en vooraan bij het hoofd, als het een hoofd was, verdween de schaduw in het water, liep als een zwarte lijn over de golven de zee in, deelde de zee, en hij stond nu aan de rand van het water en hoorde het geruis, het enige wat hij hoorde was het geruis. Hij draaide zich om, iemand riep hem, achter een raam zag hij een arm zwaaien, die wees, hij zag meer armen die wezen en ze leken naar de zee te wijzen en hij draaide zich weer om en de schaduw was op zijn weg terug, maar deze keer was die niet alleen.

Huh!

Hij deinsde terug in zijn bed alsof hij een klap had gekregen.

Hij was al bezig uit bed te stappen, alsof hij op de vlucht wilde slaan, alsof hij nog steeds ten dele gevangenzat in de nachtmerrie. Hij zag de schaduwen aanvallen. Hij had een van hun hoofden gezien.

Huh!

Winter huiverde, alsof de wind door zijn woning raasde. Hij was naakt. Het geruis in zijn hoofd was sterk. De wekker op het nachtkastje gaf drie uur aan. Hij had misschien twee uur geslapen. Hij had het gevoel dat hij al die tijd had gedroomd. Was de droom zo langzaam geweest? Waar was die begonnen? Was er nog iets meer gebeurd? Was hij ook nog ergens anders geweest? Was het niet bij de zee?

Het geruis in de kraan had bijna dezelfde toonsoort als het geruis in zijn oren. Hij liet het water stromen, stond met het glas in zijn hand, liet het uiteindelijk vollopen en dronk. Hij kon de zwaaiende armen niet uit zijn hoofd zetten. Die hadden hem gewaarschuwd, daar was hij zeker van, maar er was ook iets anders. Toen hij zich had omgedraaid, had hij het huis herkend, het huis aan de Amundövik. Iemand had vanaf de bovenverdieping gewuifd. Daar had hij de eerste arm gezien, als een wapperend vaandel vlak onder het dak. Maar er was helemaal niets gebeurd op de bovenverdieping. Daar was het stil geweest, schoon, bijna een obsceen contrast met beneden. Torstens mensen waren uiteraard boven geweest, maar de verschrikkingen leken niet zo ver te zijn gekomen, de zeventien traptreden op. Hij had ze geteld. De hel op aarde bevond zich op de begane grond.

Winter zette het glas op het marmeren aanrechtblad. De bovenverdieping. Daar was iets. Hij had daar niet genoeg gezien, niet genoeg geluisterd. Niet begrepen.

Hij liep terug naar de slaapkamer en kleedde zich snel aan. Toen hij zijn overhemd dichtknoopte, hoorde hij het geblaf uit zijn droom, hij hoorde het duidelijk, maar pas nu, alsof het tijd nodig had gehad om door de lagen van zijn bewustzijn heen te dringen. Een eenzame hond die een eenzaam geblaf uitstootte. Waar kwam dat vandaan? Hadden ze een hond gehad? Had de familie Mars een hond gehad? Had Torsten daar iets over gezegd? Er waren zoveel andere dingen geweest. Hadden ze het aan de echtgenoot gevraagd, Jovan Mars? Hij zou vandaag uit Stockholm komen. Gisteren was hij onbereikbaar geweest.

Winter belde naar Egil Torner, Sandra's vader. Hij probeerde zijn deelneming te betuigen, of hoe je het ook maar moest noemen, het was nooit goed, echt nooit.

'Ik zou met u willen praten,' zei hij.

'We praten nu,' zei Torner.

'Dat bedoel ik niet.'

'Ik kan het niet.'

'Wie kan het hebben gedaan?' vroeg Winter.

'Niemand,' zei Torner. 'Op dit moment probeer ik te denken dat het niet is gebeurd. U hebt momenteel niets aan mij. Het is niet gebeurd.'

'Ik stuur iemand die u kan helpen,' zei Winter.

'Geen sprake van. Ik ben niet van plan me in zee te verdrinken. Maar ik kan op dit moment niet goed denken, ik kan even helemaal niet denken.'

Jana blafte luid over het water, over Skallvik. Hier kan niemand je horen, dacht hij. Bij Skallvik kan niemand je horen blaffen.

De scheren in de bocht waren leeg en verlaten en glommen als mat goud in de zon. Toen ze bij de zee waren gekomen, had hij zijn zonnebril opgezet. Zelfs een februarizon kon je ogen beschadigen.

'Ren dan!' riep hij naar de pup. 'Je mag rennen!' Hij wees naar de klippen. 'Die kant op!'

De hond keek hem aan met een blik die misschien achterdocht uitdrukte. Wie kon zeggen wat honden wisten? Het kon in elk geval niet veel zijn. Na een paar dagen waren alle herinneringen verdwenen. Dat had hij ergens gelezen. Na een bepaalde tijd misten honden iemand niet meer. Soms al na een paar dagen. Misschien gold dat ook voor mensen. Al het andere was spel, toneelspel. Hij haatte toneelspel. Alles moet echt zijn, dacht hij, terwijl hij zich omlaag boog en een kleine boomtak pakte die hij over de klippen gooide. De hond volgde de boog die de tak in de lucht maakte met haar ogen.

'Rennen, Jana! Ga hem halen!'

Jana bleef waar ze was. Ze draaide haar kop om naar de baai en blafte weer. Hij zag niets. Misschien was het iets wat alleen een dier kon zien. Waren er dingen die alleen dieren konden zien? Konden ze zich iets herinneren dat ze alleen maar hadden gezien?

Hij begon te lopen. De hond begreep het eindelijk. Ze kwam naast hem lopen, of eerder springen en huppen, ongeveer als een kind.

Hij had Liv gevraagd om mee te gaan naar de klippen. Dat is goed voor je, had hij gezegd. Heel veel frisse lucht.

'Ik ben moe,' had ze geantwoord.

'Daarom juist.'

'Het is koud.'

'Het is februari! De zon schijnt!'

'Nee. Gaan jullie maar.'

Gaan jullie maar. Alsof ze een gezelschap waren dat zonder haar het huis moest verlaten. De rest van het gezin. Gaan jullie maar. Het maakte niet uit wat hij deed. Ze kwam het huis niet uit. Als ze een depressie had, had ze hulp nodig. Ze wilde geen hulp. Het was elke winter hetzelfde liedje. Het was te donker, het duurde te lang. Daarom zou ze nu naar buiten moeten. Nu scheen de zon.

'De zon schijnt!' had hij herhaald.

'Christian, ik heb hoofdpijn,' had ze gezegd. 'Morgen.'

'Het kan wel weken duren voordat we de zon weer zien, Liv.'

'Morgen. Ik heb gelezen dat het de komende dagen mooi weer wordt.'

'Ga je morgen dan mee?'

'Ja.'

'Beloof je dat?'

'Ik beloof het.'

Maar hij wist dat die belofte niets waard was. Morgen was een andere dag, met andere problemen. Jana en hij waren op elkaar aangewezen. Zo zou het in de toekomst zijn.

De pup had een eindje voor hem uit gehuppeld. Ze begon te wennen. De klippen waren misschien niet langer zo bedreigend. 'Mooi is het hier, hè?' riep hij. Ze draaide zich om. Hij meende een glimlach bij het mormel te zien. Dat was goed, een glimlach was bij alle wezens goed.

'De moordenaar doodt dus het gezin en neemt de hond mee,' zei Halders.

'De hond?'

'Er is een hond in huis geweest. Ze hebben een hond gehad. Dat zei Torsten voordat hij terugging naar zijn afdeling. Zelfs ik herken hondenharen, zei hij. Maar hij twijfelde toch. Misschien hadden ze bezoek met een hond gehad.'

'Had de moordenaar een hond bij zich?'

'Torsten belt als hij meer weet. Zoveel sporen waren er nou ook weer niet.'

'Dit wordt erger en erger,' zei Djanali.

'De moordenaar komt dus misschien met zijn hond en doodt het gezin.'

'Niet het hele gezin,' zei Djanali. 'Hij heeft niet het hele gezin vermoord.'

'Dat is nog erger,' zei Halders.

'Wat bedoel je daarmee?'

Halders antwoordde niet meteen. Ze lagen in het bed dat groot genoeg was voor hen beiden. Ze waren niet getrouwd, maar het was hun bed. Het huis was van hem en Margareta geweest, maar nu was het hun huis. Magda en Hannes waren hun kinderen. Zo was het gelopen. Wil jij een kind, Aneta, had hij een keer gevraagd, misschien was hij dronken geweest. Ik heb er al twee, had ze geantwoord. Drie trouwens, had ze er even later aan toegevoegd.

Hij stond op, liep naar het raam en zag de stadslichten van de miljoenenstad die het hele gebied aan de voet van Lunden bedekten, helemaal tot aan de zee kilometers verderop. Het inwonertal van Groot-Göteborg was vorig jaar de miljoen gepasseerd en ze woonden nu in een grote stad in een dunbevolkte uithoek van de wereld. Toen hij hier als jonge politieagent naartoe was verhuisd, was er slechts één paard in de stad geweest, één saloon, één hotel, één straat. Wat was alles toch snel gegaan! De stad lag nog steeds aan het einde van de wereld, maar ze had zich gevuld met al deze mensen. Waar waren ze vandaan gekomen? Niet iedereen was hier geboren. Niet iedereen zou hier sterven, dacht hij en hij draaide zich om.

'Ik bedoel dat hij de baby achterliet om dood te gaan,' zei hij. 'Dat is nog erger.'

'Dat weten we niet,' zei Aneta en ze stapte ook uit bed, kwam naast hem staan en keek door de grote ramen naar buiten. 'Misschien wist hij niet dat de kleine er was. Ze bevond zich in een andere kamer.'

'Dat is wishful thinking,' zei Halders, maar hij zei het heel mild.

Ze waren allebei naakt. Ze legde haar hand op zijn arm. Het was vier uur in de ochtend. Het zou nog bijna vijf uur donker blijven. Dan zouden ze al in een andere stad zijn dan deze nachtelijke, een die minder mooi was.

'Het is nog steeds het jaargetijde van het licht,' zei hij.

'Het jaargetijde van het elektrische licht.'

'Er zijn mensen die dat liever hebben dan het natuurlijke licht,' zei hij.

'Zullen we weer naar bed gaan?' vroeg ze.

'Hij wist dat het kind er was,' zei hij.

Ze zei niets.

'Als hij de baby niet achterliet om dood te gaan, waarom liet hij haar dan achter?'

'Nu begrijp ik niet wat je bedoelt, Fredrik.'

'Voor wíé liet hij haar achter?'

'Dat moet je uitleggen. Ik weet trouwens niet of ik nu puf heb om erover te praten. Ik wil nog een paar uur slapen.'

'Je kunt niet slapen, toch? Wij kunnen niet slapen. En waarom kunnen we dat niet?'

'Oké, oké.'

'Wist dat vreselijke monster dat iemand de baby zou vinden? Voordat het te laat was?'

'Ik weet het niet,' zei ze.

'Ik ook niet.'

'Hij wist misschien dat haar man zou bellen?'

'Dat haar man zou bellen? Hoe kon hij dat weten? Dat hij zou bellen?'

Djanali antwoordde niet.

'Of dat hij thuis zou komen,' zei Halders. 'De moordenaar ging er misschien van uit dat haar man diezelfde dag thuis zou komen. Net als anders. Elke dag weer.'

'Maar dat deed hij niet,' zei ze. 'Hij woonde doordeweeks namelijk niet thuis.'

'Wist de moordenaar dat? Of wist hij dat niet?'

Djanali gaf daar ook geen antwoord op. Maar ze begreep waar Fredrik naartoe wilde.

'Hij wist misschien dat haar man weg was,' zei hij. 'Maar hij ging er vast van uit dat hij naar huis zou bellen, zoals hij natuurlijk elke dag deed als hij weg was. Deze keer zou er niet worden opgenomen, en daarom zou hij de eerste avond al ongerust worden. Hij zou uitzoeken wat er aan de hand was. Hij zou erachter komen. De eerste avond al.'

'Maar hij belde niet,' zei Djanali.

'Nee,' zei Halders en hij nam haar hand in de zijne, 'hij belde niet.'

Winter ontving Jovan Mars op zijn kamer. Mars had mogen bepalen waar ze elkaar zouden spreken. Hij was die ochtend uit Stockholm gekomen en had de baby gezien. Vóór de sectie mocht hij de dode lichamen op het Pathologisch Instituut niet zien. Het kind zou binnenkort naar Mars' zuster gaan, die in Hagen woonde. Winter kende die wijk goed. Hij was daar opgegroeid en tegenwoordig woonde zijn zus in hun ouderlijk huis. Met de fiets was je in tien minuten bij de steiger in Långedrag, soms zelfs in zeven. Dat had hij in geen jaren gedaan. Hij zou het binnenkort gaan doen.

Mars' blik was gericht op iets wat alleen in zijn eigen hoofd zat.

Dit was een van de moeilijkste momenten.

Winter had koffie gehaald. Die stond voor Mars en werd alsmaar kouder, er kwam geen damp meer af. Winter had ook niet van zijn koffie gedronken, wilde dat niet eerder doen dan Mars.

'We hadden ruziegemaakt,' zei Mars. Hij keek niet op. 'We maakten ruzie toen ik het laatste weekend thuis was,' ging hij verder en hij barstte in tranen uit.

'Waar hadden jullie ruzie over?' vroeg Winter.

'Wat maakt dat uit?' zei Mars. Hij keek op en keek Winter recht aan.

Hij was tien jaar jonger dan Winter, die alle cijfers van de ander kende, hem op diverse foto's had gezien. Nu vertoonde Mars geen enkele gelijkenis met de man die hij eerder was geweest. Het leek alsof een sterke wind zijn haar op zijn hoofd had gedrukt. Zijn ogen hadden geen licht, maar wat het meeste over de toestand van deze man zei, was zijn lichaamshouding. Hij zat op de stoel alsof die elektrisch geladen was. Alsof hij tegen zijn zin op de stoel was gedrukt, wat in zekere zin ook zo was.

'Misschien maakt het niet uit,' zei Winter. 'Maar ik vraag het toch. Ik ga je heel veel vragen. Sommige dingen kunnen dom lijken. Ik hoop dat je dat niet erg vindt.'

'Dat ik dat niet erg vind?'

'Waar hadden jullie ruzie over, Jovan? Sandra en jij?'

'Het gebruikelijke.'

'Wat is dat? Wat is het gebruikelijke?'

Mars antwoordde niet. Zijn blik was weer leeg.

'Wat is het gebruikelijke, Jovan?' herhaalde Winter.

'Wat wás het gebruikelijke, zul je bedoelen.'

Mars was met zijn ogen terug in de kamer, die Winter had gekregen toen hij zestien jaar geleden hoofdinspecteur was geworden. Was dat alweer zestien jaar geleden? Het maakte ook niet uit. Hij had zich nooit thuis gevoeld in zijn kamer. Hij had meteen een Panasonic gekocht en die stond nog steeds op de vloer, hetzelfde oude ding en dezelfde Coltrane, samen met alle anderen die als ijs of vuur door de kamer bliezen, maar dat maakte deze ruimte nog niet tot een tweede thuis. Als dat gebeurde was hij gek geworden. Dat was hij nog niet.

'Stockholm,' zei Mars. 'Ze wilde niet dat ik daar bleef werken.'

Winter knikte.

'Dat wilde ik ook niet,' zei Mars.

'Waarom deed je het dan?' vroeg Winter.

'Wat?'

Mars keek hem op een andere manier aan. Winter had die blik niet eerder gezien, niet bij Mars. Wel bij anderen. Winter knikte, dat was het enige wat hij deed. Het was nú. Het was híér. Het kon binnen een minuut voorbij zijn. Voor zover ze op dit moment wisten had Mars geen waterdicht alibi, in elk geval nog niet. Stockholm lag niet aan de andere kant van de wereld, alleen aan de andere kant van het land, aan de achterkant.

'Waarom ik daar bleef werken?' Mars spreidde zijn handen. 'Weet je iets over de arbeidsmarkt? Heb jij een keuze op de arbeidsmarkt?'

Winter antwoordde niet. Hij was degene die de vragen stelde. Daar moest hij nu mee beginnen.

'Was er geen werk in Göteborg?' vroeg hij.

'Niet voor mij.'

'Je rekruteert mensen. In Göteborg kunnen ook mensen worden gerekruteerd.'

'Je begrijpt het niet,' zei Mars.

'Wat begrijp ik niet?'

'Hoe het werkt.'

'Hoe werkt het?'

'Ik moet ook activiteiten op gang brengen.' Mars stond op. 'Ik kan dit niet langer opbrengen.'

'Ga alsjeblieft zitten,' zei Winter.

'Is dat een bevel?'

'Ik wil samenwerken,' zei Winter.

'Geef me dan maar een touw,' zei Mars.

'Sorry?'

'Geef me dan maar een touw zodat ik me kan ophangen,' zei Mars. 'Dat is samenwerken.'

'Waarom wil je jezelf ophangen?'

'Wat is dat voor stomme vraag?'

'Ik moet het vragen.'

'Je lijkt niet te begrijpen wat er is gebeurd,' zei Mars.

'Je hebt een kind,' zei Winter.

'Ik heb nog één kind, bedoel je?'

'Greta,' zei Winter.

Mars stond nog steeds, alsof hij zelf besliste, maar dat was nu allemaal voorbij. Hij keek naar Winter, die nog steeds op zijn bureaustoel zat tegenover de fauteuil waarop Mars had gezeten. De fauteuil, dat was ook een eigen interieuridee van Winter geweest.

'Ik mag jou niet,' zei Mars. 'Je bent een zwijn.'

4

Winter keek naar het kind. Het meisje sliep. Er gingen allerlei gevoelens door hem heen, het sterkste was opluchting, niet vreugde. Zijn hoofd gonsde. Dat kwam door de kou, het moest door de kou komen. Stress in zijn hoofd die in de poolnacht heviger werd. Zenuwen die door zijn achterhoofd gierden.

Winter had het koud gehad toen hij zijn auto in de oude garage van het Sahlgrenska-ziekenhuis had geparkeerd. Wat een verschrikkelijke plek. Er was iets mis met de stoelverwarming van zijn Mercedes. Hij had het koud toen hij van de auto naar het met ijs bedekte trottoir liep. Iemand met een pessimistischer aard zou snowsteps hebben gebruikt. En een stok of een staf, dacht hij. We gaan naar ons graf met behulp van een staf. Hij had alleen stokken gebruikt bij het skiën. Dat was lang geleden, een andere incarnatie.

Het gezicht van het kind zag er vredig uit. Greta. Ze wist dat ze heel veel honger en dorst had gehad, maar veel meer ook niet. Hier was het veilig. Weldra zou Greta haar ogen openen, alles om zich heen bekijken en leren leven.

Winter verliet de kamer en liep door de gang naar de receptie. De vrouw achter de computer keek op. Ze kwam hem bekend voor. Ze had daar niet gezeten toen hij binnenkwam. Ze was misschien een verpleegkundige, nee. Misschien had hij haar een keer gezien toen hij Angela van haar werk had opgehaald. Of toen hij slachtoffers van een misdrijf naar het ziekenhuis had gebracht, of misdadigers, goede mensen, slechte mensen.

'Is Arne Johnsson op dit moment vrij?' vroeg hij.

'Sorry?'

'U hoeft zich niet te verontschuldigen. Ik heb een afspraak met hem. Met dokter Johnsson.'

'Wie wil hem spreken?' vroeg ze.

'Ik.'

'En wie bent u?'

'Ik ben Winter,' zei hij en hij pakte zijn portemonnee uit de binnenzak van zijn jas en liet haar zijn legitimatie zien.

'Aha,' zei ze. 'Het kind.'

Winter knikte.

'U zou iets hoffelijker kunnen zijn,' zei ze. Ze had geen naam, er zat geen naamplaatje op haar borst. Ze was misschien van zijn leeftijd. Dat viel met geen mogelijkheid te zeggen. Ze zag er misschien goed uit.

Dokter Johnsson ontving hem in zijn kantoor, of hoe je de ruimte maar moest noemen: ordners, papieren, een computer, een telefoon, een bureau. Het had Winters eigen ellendige kantoor kunnen zijn. Winter was hier vaker geweest. Overal in Göteborg was hij al vaker geweest. Hij had ook whisky gedronken met Johnsson.

'Het gaat goed met het kind,' zei Johnsson.

'Daar ziet het naar uit.'

'Het is zo. Maar het heeft niet veel gescheeld.'

'Hoe weinig?'

'Als ze twee dagen geen eten heeft gehad, dan heeft het niet veel gescheeld. Als het drie dagen zijn, dan is het een wonder. Als het langer is, dan is het onmogelijk.'

'Om hoeveel dagen gaat het dan?'

'Dat kunnen we niet zeggen. We moeten de uitslagen van de onderzoeken nader bekijken, maar het blijft moeilijk. Ik denk dat het hooguit om twee dagen gaat. Op dit moment kunnen we alleen maar zeggen dat het kind was uitgedroogd.'

'Dat heb ik zelf kunnen zien,' zei Winter.

'Wat zegt jullie eigen patholoog?'

'Niet veel meer dan jij.'

'Ik dacht dat jullie al verder waren.'

'We zijn een heel eind op weg. Misschien al in deze zaak. We wachten op de forensisch entomoloog.'

'Een doctor in insecten,' zei Johnsson en hij stond op van zijn stoel. Hij was een grote man, reusachtig. Hij hield het bleke licht van buiten tegen.

'Het is het proberen waard, zelfs in de winter,' zei Winter. 'Insecten kunnen in een huis een winterslaap houden en wakker worden van de lijklucht. Ze kunnen eitjes gaan leggen in lichamen.'

'Dat is interessant. Het is mogelijk.'

'We zullen zien.'

'Jullie hebben toch zeker wel andere aanwijzingen om het tijdstip te bepalen dan alleen het kind?' vroeg Johnsson.

'We hebben drie exemplaren van de *Göteborgs-Posten* in de brievenbus gevonden, verder is er de post. En wat andere dingen.'

'Het kind heeft niet drie dagen niets te drinken gehad, dat is onwaarschijnlijk.'

'Dat zei je al, Arne.'

'Als de moorden meer dan drie dagen voor de ontdekking zijn gepleegd...'

Winter zag het doffe licht in de ogen van zijn vriend, een naar licht. Hij voelde de bekende kou over zijn hoofd trekken.

'Hij is teruggegaan,' zei Winter. 'Hij is teruggegaan om het kind in leven te houden.'

Johnsson zei niets. Hij bestudeerde Winter, zijn gezicht of zijn voorhoofd, alsof hij wilde ontdekken hoe Winters hersenen werkten.

'Moge God ons bijstaan,' zei Winter.

'Staat hij jou bij?'

'Waar zouden we anders zijn?'

'Als ik jou was, zou ik wachten met de bezweringen tot je meer weet,' zei Johnsson. 'Van je insectendokter bijvoorbeeld.'

Maar Winter zag het plaatje al in zijn hoofd, achter zijn ogen, zoiets vreselijks kon alleen tot de werkelijkheid behoren.

'Hoe was het met de temperatuur in het huis?' vroeg Johnsson.

'Hè?'

'Jullie proberen toch aan de hand van de temperatuur in het huis vast te stellen wanneer... het is gebeurd?'

'Ja, uiteraard, Arne.'

'Ik denk alleen maar hardop.'

Winter zag twee zwarte vogels voor het raam langs vliegen. Ze waren heel dichtbij. Ze keken naar hem. Ze zeiden iets tegen elkaar, verdwenen, zetten koers naar de hemel.

'Waarom heeft hij het kind zo achtergelaten?' zei Winter. 'Achtergelaten voor... het leven?'

'Denk jij nu hardop?'

'Ja. Ik kan het niet uit mijn hoofd zetten.'

'Ik ben daar niet met jou geweest. Ik heb het plaatje nodig om eraan te kunnen denken. En ik heb niet jouw fantasie.'

'Het was misschien zijn eigen kind,' zei Winter.

'Het kind van de moordenaar?'

Winter zei niets. Johnsson zei niets meer. Hij was weer gaan zitten. Winter kon de zon tussen twee gebouwen van het ziekenhuis zien. De zon zag er klein en bang uit, durfde zich nauwelijks te vertonen.

'Zijn eigen kind,' herhaalde Winter na een tijdje.

'En de andere twee dan?'

Winter probeerde het gezicht van Jovan Mars op te roepen. Dat had duizend gevoelens uitgedrukt. Woede was daar slechts één van geweest.

'Niet van hem,' zei hij.

'Niet de kinderen van de vader?' zei Johnsson.

'Dit is een vertrouwelijk gesprek,' zei Winter.

'Natuurlijk.'

'Hij heeft het niet gedaan,' zei Winter. 'Hij is geen moordenaar.'

'Weet je het zeker?'

'Nee.'

'Heeft hij een alibi?'

'Nee. Nog niet in elk geval, misschien nooit. Dat is een van de redenen van ons gesprek.'

'Waarom denk je dan dat hij het niet heeft gedaan?'

'Omdat hij me een zwijn noemde,' zei Winter.

Jana was er nu niet bij. Het was goed als zij tweeën elkaar een beetje beter leerden kennen, Liv en Jana. Liv begon het te begrijpen, het was tenslotte haar hond. Hij had er niets mee te maken, nu niet meer. Hij had de hele tijd aan haar gedacht, het ging om haar.

Hij parkeerde aan het eind van de Grevegårdsvägen. Hij had eerst naar Frölunda Torg willen rijden, maar aan het Opalplein kon je ook films huren, al haatte hij het Opalplein. Waren er mensen die van het Opalplein hielden? Die 'ik hou van het Opalplein' konden zeggen zodat anderen het hoorden? Ha ha, misschien bestonden ze wel, maar hij was niet een van die mensen.

Hij wilde een paar oorlogsfilms hebben, er waren een paar nieuwe die volgens hem wel goed waren, maar hij was vergeten hoe ze heetten. Niet dat dat uitmaakte, hij zou ze herkennen als hij ze zag. Aan de cover kon je heel makkelijk zien of een film goed of slecht was. Je zag het aan de gezichten van de acteurs. Je kon zien of ze voelden dat ze in een goede of een slechte film speelden. Het had niets met de recensies te maken, eerder het tegendeel. Hij keek bijna nooit naar films die een goede recensie hadden gekregen, die waren stomvervelend. Alleen homo's waren dól op zulke films, en ze haatten oorlogsfilms die toch nooit goede kritieken kregen. Niet dat homo's ooit naar oorlogsfilms kijken. Niet dat ik homo's ken, dacht hij, en dat zal ook nooit gebeuren. Een homovrij Opalplein, dacht hij en hij barstte bijna in lachen uit. Het Opalplein bevrijd van alle mensen die hier niet thuishoren, zoals jeugdbendes, die zijn nog erger dan homo's, nee, maar ze zijn wel een plaag, een grotere plaag zelfs als je er even over nadenkt, omdat homo's niet in groepjes rondlopen en mensen in elkaar trimmen, homo's worden misschien door de bendes in elkaar getrimd, maar het kan ook anderen overkomen, het blijft daar niet bij, dat heb ik gezien en gehoord en gelezen en ik hou er niet van. Upperclassbendes uit de villa's in Önnered.

Hij werd woedend toen hij eraan dacht. Rondtrekkende rechtse lummels die het plein en de stadsdelen Önnered en Näset vernielen en als we hen hun gang laten gaan, vernielen ze de hele stad, en vervolgens de hele provincie Västra Götaland, en daarna het hele land, en uiteindelijk de hele wereld, verdomme. Zo zal het gaan. Het wordt een echte oorlog. Misschien helemaal niet zo gek, dacht hij toen hij midden op het plein stond. Dat is misschien het enige juiste. Ik zou meedoen, ik zou het heerlijk vinden om mee te doen, het zou een echte oorlog zijn die ergens toe zou leiden.

Een eindje verderop hing een groepje snotapen rond. Waarom zaten ze niet op school? Voor zover hij wist was het nog steeds schooltijd. Ze gingen natuurlijk helemaal niet naar school, ha, de school was één grote schertsvertoning. Wat leerden de kinderen op school? Als hij kinderen had gehad, zou hij erop hebben toegezien dat ze iets leerden! Hij zou de lessen hebben bijgewoond, hij zou elke dag op school zijn geweest, er daadwerkelijk voor hebben gezorgd dat ze opletten. En als ze thuiskwamen, zouden ze geen computer mogen gebruiken, alleen als ze informatie nodig hadden voor hun huiswerk, en dat zou hij grondig controleren.

Als hij kinderen had gehad, zou hij echte mensen van hen hebben gemaakt, ze zouden de beste van de wereld zijn geworden. Dat zou hij hebben gedaan, hij had altijd geweten dat hij dat zou doen.

Als ze hem kinderen had willen geven. Toen hij daaraan dacht, nu, op dit smerige plein, balde hij zijn handen, dat was niet zo vreemd, niet vreemder dan dat hij op zijn lip beet als hij ergens echt woedend over was, zoals nu, nu hij aan haar dacht, die vuile... en haar had hij een pup gegeven, zo aardig was hij, hoewel ze hem geen kinderen had willen geven, geen een, terwijl de wereld vol was met kinderen die zonder sturing rondrenden, kinderen zonder toekomst, zinloos, het was zinloos dat er zulke kinderen waren.

Hij deed zijn ogen dicht en toen hij ze weer opende, daalde de waardeloze zon neer achter de Opalkerk. Hij stond voor een informatiebord. Hoe was hij hier beland? Links van hem lag een slagerij, Kamperfoelievlees, wat een naam, alsof ze vegetariërs probeerden te lokken, ecologische karbonades, het werd steeds gekker.

Hier had ooit een videotheek gezeten, hij wist niet meer hoe die heette, maar die was alweer jaren weg. Hoe had hij dat kunnen vergeten? Hij ging bij supermarkt Willys naar binnen, maar die verkocht alleen maar flutfilms, hij had ze allemaal op VHS gezien, zo oud waren ze al. Ze hadden hier alleen maar tweederangsfilms, ze dachten zeker dat hier alleen maar tweederangsmensen woonden en daar hadden ze voor negenennegentig procent gelijk in, Willys was een winkel voor tweederangs mensen. Het schraapsel van alle mogelijke zogenaamde culturen woonde hier, als je de kranten mocht geloven, woonden alle allochtonen in de stadsdelen Angered en Hjällbo, maar sommigen hadden zich ook hier genesteld, godallemachtig, kijk alleen maar naar dit informatiebord, KERKDIENST IN HET ARABISCH, je moest tegenwoordig dus Arabisch kunnen om een kerkdienst bij te wonen, dat moesten ze bedoelen, het zei alles over alles, zo ver was het inmiddels gekomen.

Het was nu bijna donker op het plein, de zon ging onder in Tynnered, het leek wel alsof er een hevige brand woedde, alsof heel West-Göteborg in de fik stond. Dat zou gebeuren, hij wist het, de hele stad zou vlam vatten, dat moest gebeuren. Dan zou hij of heel ver weg zijn, of hij zou vooroplopen met een ratelende kalasjnikov. Hij zou alle kanten op schieten. Niemand zou weten waar het vuur vandaan kwam. Terreur, echte terreur. Er heerst terreur als niemand begrijpt wat er gebeurt. Dat was wat ze nodig hadden, zowel de allochtonen als die lui uit de bovenklasse. Een kogel door hun kop zou fatsoenlijke mensen van hen maken.

Hij liep in de richting van de croissanterie op de hoek, Le Pain Français, merci merci, monseigneur homo, ik denk dat ik maar even doorloop.

Er hing een groot uithangbord aan de muur van de kerk en de tekst was in het wegstervende licht nog te lezen: ALS GOD BESTOND, WAT ZOU JE HEM DAN VRAGEN? Dat was een heel goede vraag, hij zou vragen of God ooit een scheermesje had gehad, nee, domme vraag, hij zou vragen wat God slikte, dat moest sterk spul zijn. Kennelijk twijfelde de kerk tegenwoordig aan het bestaan van God, 'Als God bestond...' zo ver was het inmiddels gekomen. Zelf zou hij hebben geschreven: WAT ZOU JE GOD VRAGEN? Rechttoe rechtaan, maar de kerk was natuurlijk bang om het aan de stok te krijgen met andere culturen en goden, misschien moest hij die lui van de kerk een brief schrijven en hun vragen de tekst te veranderen in ALS DE GODEN BESTONDEN, WAT ZOU JE HUN DAN VRAGEN? Maar dat werd misschien serieus genomen, het zou hem niet verbazen als ze zijn advies opvolgden, ha.

Nu liep hij over het plein, terug naar zijn auto, die een paar honderd meter verderop stond. Het was prettig om te lopen. De kou deed hem niets, hij had zelfs de hals van zijn jack opengedaan. Hij had het warm, ongebruikelijk warm.

'Pas maar op dat je niet doodvriest, ouwe lul!'

Het geroep kwam van het groepje dat bij Willys rondhing. Hij draaide zich om. Hij kon hun gezichten niet zien, wist niet of ze zwart of wit waren. Dat maakte niet uit, deze keer niet.

'Ouwe lul!' schreeuwde iemand anders. Zo klonk het in elk geval.

Hij deed een paar passen in hun richting. Ze waren met z'n vieren of vijven, dat maakte niet uit. Mutsen, capuchons, handschoenen, gewatteerde jacks, bang voor een beetje kou, bang voor alles.

'Hoe noemden jullie mij?' zei hij en hij zag zijn eigen adem als een streep gas in de lucht. Gas uit de vulkaan, dacht hij, ik ben warm, ik ben een vulkaan, ik kan elk moment uitbarsten.

Een van de snotapen deed een paar passen in zijn richting.

'Oprotten, ouwe! Oprotten! Je bent ziek in je hoofd!'

'Ik woon hier,' zei hij.

'We hebben je al een tijdje niet gezien.'

'Wat heeft dat ermee te maken?'

'Heb je in het gesticht gezeten?'

Er zijn geen gestichten meer, dacht hij. De gekken lopen vrij rond op de straten en de pleinen. Nu kwamen ze zijn kant uit, allemaal. Voor zover hij kon zien waren er geen andere mensen op het plein. Het was alsof de klok plotseling middernacht had geslagen. Alsof alle lampen waren gedoofd. Het was misschien middernacht, hij wist het niet, hij had wel vaker urenlang als een slaapwandelaar rondgelopen, soms was dat prettig, spannend bijna, zoals nu. Spannend. De voorste in de groep hief zijn hand alsof hij wilde slaan, deed een pas naar voren, zei iets wat volstrekt onbelangrijk was; wat belangrijk is, is dit hier, dacht hij en hij voelde het heft van het mes in zijn hand, alsof het mes vanzelf uit de schede aan zijn riem omhoog was gegleden, het zachte heft in zijn hand, ik neem nu deze stap en dat heb ik gedaan hij brengt zijn hand weer omhoog vriendelijk bedankt wat kijkt hij verbaasd ja jij kleine etterbak dit is een mes recht in je longen in je hart het doet misschien nog geen pijn het gaat misschien wel helemaal geen pijn doen het gaat te snel te veel pijn te snel. De jongen ernaast kreeg een harde klap in zijn buik viel voorover op het asfalt mooi zacht asfalt de anderen waren verdwenen renden laf de hoek om bij Willys hij was alleen met die etters op het asfalt daar kwam een geluid vandaan, ouwe lul? Nee het was nu niet zo vet meer, ha, vet! Dit was vet, het vetste wat ze in hun hele leven hadden meegemaakt, misschien het hoogtepunt in hun leven! Hij draaide zich om en liep weg, hoorde niets meer, zag niets, bevond zich nu op de weg, hij kon een willekeurig persoon zijn, hier liep een willekeurig persoon, hij stapte in zijn auto, een willekeurig persoon, startte de motor, reed, was overal, was alles. Toen hij de Åkeredsrotonde op reed, dacht hij weer aan God, aan wat hij God zou vragen, kunt u mij vergeven, God? Dat zou hij vragen, hij deed het nu.

In het maanlicht leek de auto van de beveiligingsdienst bijna net zo wit als de sneeuw, niet echt onopvallend, misschien wel effectief.

Toen Winter had geparkeerd, stapte de bewaker uit zijn auto. Winter gleed bijna uit. Toen liet hij zijn legitimatie zien.

'Heb je geen snowsteps?' vroeg de man. Het was misschien een grapje. Het klonk als een grapje.

'Als ik met een helm op achter het stuur ga zitten, heb ik ook snowsteps onder mijn schoenen,' zei Winter.

'Stoer hoor. Wat als je achter iemand aan moet?' vroeg de bewaker. 'Als je moet rennen of zo?' Hij was relatief klein, even breed als lang. Winter vermoedde een geschoren hoofd onder de bontmuts, die de man een Russisch uiterlijk gaf. Het was Russisch weer. Winter zou morgen een bontmuts kopen, als hij een mooie kon vinden. Misschien bij Ströms. Zijn legermuts was ondenkbaar. Hij had ook thermo-ondergoed nodig als hij veel buiten moest zijn, dat hoefde niet zo mooi te zijn.

'Ik ben niet van plan om nu te gaan rennen,' zei Winter.

'Pelle,' zei de man en hij stak zijn behandschoende hand uit.

'Erik,' zei Winter en hij drukte Pelles hand.

'Het is hier rustig.' De bewaker keek naar het huis. 'Wat een... ver-schrikking. Zoiets vreselijks heb ik nog nooit gehoord.' Hij draaide zich weer om naar Winter. 'Een uur geleden liep er een oudere man voorbij. Hij zei dat hij hier elke avond langskwam. Een buurman. Toen ik naar zijn naam vroeg, zei hij dat hij Krol heette. Robert Krol.'

'Ik heb hem ontmoet.'

'Klinkt als een Nederlandse voetballer,' zei Pelle.

Winter knikte. Er was een Krol in Nederland geweest, Ruud Krol, bij het eerste WK-voetbal dat hij had gevolgd en waar hij echt belangstelling voor had gehad, het WK van 1974 in West-Duitsland. Winter was toen veertien geweest. Had ervan gedroomd profvoetballer te worden.

'Kletste me de oren van het hoofd,' zei Pelle.

'Wat zei hij?'

'Hebben jullie hem niet verhoord?'

'Even maar. Gisteren,' zei Winter en hij keek naar het huis. Dat was zwart en verschrikkelijk. Misschien niet voor de mensen die het niet wisten. Maar iedereen hier in de buurt moest het weten. 'We hebben alle mensen in de naaste omgeving gesproken.'

'Hij zei dat hij alarm had geslagen,' zei de bewaker.

Winter antwoordde niet. Hij keek naar de ramen van het huis. Ze waren zo licht in het glinsterende schijnsel van de maan dat het net leek alsof de kamers in brand stonden.

'Misschien de krantenbezorger,' zei Pelle.

'Hè?'

'De krantenbezorger had alarm moeten slaan. Hebben jullie hem verhoord?'

'Hem hebben we nog niet verhoord, nee. Ben je hier alleen, Pelle?'

'Nee, gelukkig niet. Sören loopt ergens rond. Hij dacht dat hij iets zag.'

Winter wachtte op het vervolg. Het kon van alles zijn. Pelle had net gezegd dat het hier stil was. Het zag er stil uit.

'Een schaduw aan de andere kant van het huis,' zei Pelle. 'Hij is gaan kijken.'

'Wat voor schaduw?'

'Weet ik niet.'

'Wanneer was dat?'

De bewaker keek op zijn horloge.

'Een halfuur geleden.'

'Zou hij nu dan niet terug moeten zijn?'

'Dat zou wel moeten, nu je het zegt.' De bewaker keek naar zijn mobieltje. 'Hij heeft niet gebeld.'

De stenen zonken stil en langzaam in het water weg, het was hier onder de steiger als een beek, een stroom, de kleine Golfstroom. Hij had zijn jack met staaldraad om de stenen gewikkeld, het zat stevig vast. Altijd goed om staaldraad in de auto te hebben. Een mouw leek hem vanuit de diepte vaarwel te wuiven. Het was een fijn jack, hij miste het nu al. Maar het was bezoedeld, dat had hij in het licht van de auto gezien, een paar vlekken waren niet eens rood, alleen maar zwart. En op de bodem was alles zwart, de stenen waren geland, ze zouden in geen miljoen jaar boven komen.

Hij knoopte zijn jack dicht, ja hij had er nog een, hij had veel spullen in de kofferbak liggen, dat was altijd goed, zijn halve garage lag in de auto, hier had hij meer aan de spullen dan daar.

De zee was roerloos tot aan het zwarte dat of hemel of aarde was, de scheren in de bocht hadden in geen miljard jaar bewogen, zouden dat vanavond ook niet doen. Tot ver voorbij Ränneskär lag dik ijs. Hij zou helemaal tot aan de plek waar de aarde overging in hemel kunnen lopen. Hij zou God van aangezicht tot aangezicht vragen kunnen stellen.

Naast de steiger lagen drie zeilboten die in het ijs waren vastgevroren. Dat was niet goed, wat waren dat voor mensen die hun boten in de winter niet aan land trokken? Het waren mooie boten, dure. Waren ze maar van hem geweest. Waren ze toch maar van hem geweest.

Er kwamen geluiden van het achter de steiger gelegen restaurant, het klonk heel vrolijk, hij had er weleens een biertje gedronken, nooit samen met Liv, dat was niets voor haar.

Toen hij zich omdraaide, zag hij mensen de trap af komen. Iemand lachte. Het gelach stuiterde het ijs op en ging verder de bocht over. Er was geen echo, de hemel liet nooit een echo klinken.

Het waren twee stellen. Ze kwamen zijn kant uit, ze liepen de steiger op. Ze hadden een glas in hun hand, waren te schaars gekleed, pakken, jurken, hun adem kwam als tekstballonnen uit hun mond, praten, praten, praten, ze kwetterden naar elkaar, hij hoorde niet wat ze zeiden. Ze leken op weg naar de plek waar hij stond. Dat vond hij niet prettig. Hij liep een paar passen bij de rand van de steiger vandaan.

Winter begon te lopen, terug naar de zee. Hij hoorde de bewaker achter zich een paar woorden zeggen, draaide zich om, de bewaker zwaaide afwerend terwijl hij zijn telefoon tegen zijn oor gedrukt hield. Belden ze niet handsfree? Walkietalkie? Communicatieradio?

Hij stond op de brug naar Stora Amundö. Zijn mobiel had geen bereik, zelfs niet voor een noodgesprek.

Het eiland glinsterde in het maanlicht, zwarte silhouetten, scherpe, zachte. In de loop van de jaren had hij al deze paadjes wel een keer belopen, net als de meeste inwoners van Göteborg. Aan de overkant lag het badstrand, dat was er vooral voor de kleintjes, de oudere kinderen en de volwassenen maakten gebruik van de klippen op het eiland. Er was zelfs een ladder aan de meest noordelijke klip geboord, die was roestig geweest toen hij er de laatste keer op had gestaan.

Dat was helemaal niet zo lang geleden. Dat was toen alle ladders naar de hemel leidden. Hij wilde heel graag dat het nog steeds zo was. Op het kleine strand bij de baai in het westen, dwars over het water gerekend vanaf de plek waar hij nu stond, hadden ze worstjes gegrild. Het was winter geweest, net als nu, januari of februari, het was koud geweest, net als nu, Lilly en Elsa hadden kleine stukken drijfhout verzameld die ze thuis wilden drogen om er daarna poppen van te maken, het had eruitgezien alsof er tot aan de zuidelijke scherenkust een dikke laag ijs had gelegen, hij had de worstjes gegrild tot ze verkoold waren, dan waren ze het lekkerst. Dat was de allerbeste dag geweest, de lucht was blauw en oneindig geweest, moest zich onbegrijpelijk blauw om de hele aarde hebben gesloten.

Nu zag hij rechts op het eiland een licht, waarschijnlijk vlak bij het pad naar het badstrand, het bewoog heen en weer – een zaklantaarn. Die ging aan en weer uit. Was dat de andere bewaker, Sören? Waarom liep hij op het eiland? Er stonden geen auto's op de parkeerplaats naast de brug op het vasteland. Er liepen geen mensen rond. Hij wist dat de schrik er na de moorden nog goed in zat bij de bewoners, sterk en zwaar, als een zich terugtrekkende tsunami. De mensen zaten binnen, alleen met hun gedachten, of ze probeerden erover te praten.

Het licht bewoog nu naar het zuiden, over de velden waar 's zomers de paarden in het wild graasden. De persoon met de zaklantaarn zou zijn silhouet op de brug moeten zien, hij stond er midden op. Het ijs onder hem kraakte.

Moest hij het licht volgen? Dat kon een heel dom besluit zijn. Hij voelde iets over zijn nekharen bewegen, als een hand die niet van hem was. Het was weer de spanning. Hij dacht niet dat wat hij op dit moment zag elke avond gebeurde. De Sig Sauer stootte tegen zijn elleboog als hij zijn arm naar zijn lichaam bewoog, een veilig gevoel. Hij had weleens gedacht dat het prettig zou zijn om een leven te leiden waarin geen wapens werden gedragen, een onschuldig leven, maar hier en nu had hij de veiligheid van zijn pistool nodig. Als hij een onschuldig leven had geleid, had hij niet bij min veertien graden aan het einde van de wereld een zwakke lichtkegel gevolgd die misschien wel uit het niets kwam en nergens naartoe leidde. Maar nergens lag achter hem, wat hij nu zag was de toekomst, vol duisternis.

'Hallo?!' riep hij. 'Hallo?!'

Het licht ging uit.

'Hallo!' riep Winter opnieuw. Hij riep zijn naam, zei wie hij was, herhaalde zijn naam.

Het licht ging weer aan, kwam dichterbij, het ging snel. Winter had de afstand verkeerd ingeschat, dat was ook moeilijk in het donker.

De bewaker deed de zaklantaarn uit toen hij de brug op liep.

'Jij was het dus,' zei Winter. 'Sören.'

'Heb je met Pelle gepraat?'

'Ja. Hij begon zich zorgen te maken.'

'Daar geloof ik niets van. Maar ik kreeg geen contact toen ik hem probeerde te bellen. Er is vanavond iets met het eiland, of het ligt aan de hulpmast.'

'Ik heb ook geen bereik,' zei Winter. 'Waarom ben je bij het huis weggegaan?'

'Ik dacht dat ik iemand zag, achter het huis. En toen ik ging kijken, dacht ik dat ik iemand op de weg zag lopen en toen ik hier kwam, liep er iemand over de brug.'

'Weet je dat zeker?'

'Nee.'

'Waarom ging je naar het eiland?'

'Ik dacht dat ik iemand zag, zoals ik net al zei. Ik heb een rondje gemaakt, of eerder een half rondje.'

'Maar er was niemand?'

'Ik heb in elk geval niemand gezien.' De bewaker draaide zich om, keek naar het eiland. 'En als er wel iemand was, kan hij makkelijk zijn teruggaan toen ik daarginds was,' zei hij en hij wees naar het noorden.

'Iemand die wist dat je daar was? Op het eiland?'

'Dat is niet zeker.'

'Waarom kreeg je argwaan?'

'Het was geen argwaan. Maar er was iets.'

'Een mens?'

'Ik denk het wel. Ik geloof niet dat het een dier was.' Hij lachte even. 'Geen eland in elk geval. Misschien een ree. Nee.'

'Als er iemand rond het huis loopt, is het ernstig,' zei Winter. 'Meer dan dat.'

'Ik heb gedaan wat ik kon,' zei Sören.

Winter keek weer naar het eiland.

'Weet je zeker dat er iemand over de brug liep? Naar het eiland?'

'Er was iets,' herhaalde Sören. 'Wat doen we?'

Winter bewoog zijn voeten. Hij had te lang stilgestaan en zijn schoenen waren te dun. Hij merkte dat hij het koud had, vreselijk koud. Hij had het gevoel alsof het tot op zijn botten vroor, tot in zijn merg. Hij had echt behoefte aan een muts, alle warmte stroomde via zijn hoofd weg alsof het een schoorsteen was.

Hij deed nog een paar passen, heen en weer terug. Iets weerhield hem ervan zijn armen om zich heen te slaan. Wat daarginds ligt, is geen eiland meer, dacht hij. Het is land omringd door ijs dat nu ook land is, land waarop je kunt lopen. Als je wilde, kon je in noordelijke richting helemaal tot aan Långedrag over het water lopen, of zuidwaarts naar Särö. Het ijs was in het maanlicht net asfalt, de sneeuw was weggewaaid, de zee was een snelweg voor zowel aardige als gemene mensen.

'Ik laat een auto komen, naar de brug,' zei hij uiteindelijk. 'Het heeft geen zin om over het eiland rond te rennen. Als er iemand over de brug loopt, zien we wie het is. Let ook op het ijs.'

'Er mag dus geen hond de brug over!' zei de bewaker.

Winter antwoordde niet.

De pakken en de jurken keken naar het ijs, of het water, want dat was het net op die plek. Een beekje onder de steiger. Zijn pakket was onder het ijs gerold, ver weg.

Iemand lachte. Het was alsof ze hem niet zagen. Alsof hij er niet was, alsof hij onzichtbaar was. Alsof de steiger in Önnered en het restaurant erachter hun eigendom waren, plus heel Önnered, en het hele westen.

Iemand zei weer iets. Hij luisterde niet, hij zou gaan, draaide zich om. Ze keken naar hem.

Zien jullie me nu? Kijk maar goed. Ik ben het. Dit ben ik echt.

'Dag,' zei een van hen, een man.

Hij knikte ten antwoord. Hij zou gaan, een knikje was genoeg, hij had het nu koud, hij had te lang stilgestaan.

'Heb je hier een boot liggen?' vroeg dezelfde eikel. Hij stond daar in zijn pak met zijn glas, hij had het niet koud, dat soort lui had het nooit koud.

'Had,' zei hij en hij begon te lopen.

'Je komt me bekend voor,' ging de kletskous verder. 'Jouw boot lag toch bij de B-steiger?'

Hij antwoordde niet. De idioot had het over iemand anders, hij kon het niet zijn, niet bij de B-steiger, nee.

'Wil je een slokje wijn?' vroeg iemand anders, een vrouw. Hij zag een fles in haar hand. Hadden ze een extra glas meegenomen? Hij zag niet meer glazen. Hadden ze een bijeenkomst gepland? De jetset kon overal bij elkaar komen, feestvieren. Hadden ze hem hier zien staan toen ze nog in het restaurant zaten? Had ze echt een extra glas gehad als hij ja had gezegd? Daar dacht hij aan toen hij wegliep.

Het dreunde zacht van de trams op het Vasaplein. Na de eerste avond in zijn eigen appartement was Winter alweer gewend aan het geluid. De geuren in de kamers waren teruggekomen. Het was alsof hij nooit weg was geweest.

Hij ontdooide met twee vingers Glenfarclas cask strength op de rand van het bad, zestig procent, de beste drank van de duivel.

Hij had zich heel langzaam in het hete water laten zakken. Toen zijn testikels het oppervlak raakten, verschrompelden ze als walnoten op gloeiende kolen. Zo zou het elke keer moeten zijn.

Hij hield zijn voeten boven het water, zijn tenen waren nog steeds wit en blauw als bij een echte supporter die in februari alle oefenwedstrijden van IFK op ondergesneeuwde voetbalvelden volgt. Maar IFK was niet hier, de ploeg was op trainingskamp aan de Costa del Sol. De enige die hier was, was hij.

Hij droogde zijn hand af aan de handdoek die op de mozaïekvloer naast het bad lag en toetste het snelkeuzenummer naar de Costa del Sol in.

'Ik heb het koud,' zei hij toen ze opnam. 'Ik ben in kokend water gaan liggen, maar ik heb het nog steeds koud.'

'Eigen schuld.'

'Het is erger dan ik dacht.'

'Wat? Het weer of de zaak?'

'Allebei.'

'Hoe gaat het?'

'We wachten op de resultaten van Torsten, je weet hoe het gaat. Buurtonderzoek. Verhoren. Morgen ga ik weer met de vader praten.'

'Ja, mijn god.'

'Een van de problemen is het tijdstip.'

'Heeft het met hem te maken?'

'Dat is altijd zo.'

'Verdenk je hem echt?'

'Dat doe ik altijd, maar op dit moment maakt het voor de toekomst niet zoveel uit wat ik denk. Gezinsleden zijn de eerste verdachten.'

'Wat leven we toch in een vreselijke wereld,' zei ze.

'Hij is arrogant,' zei hij. 'Dat spreekt in zijn voordeel.'

'Hij is natuurlijk helemaal van slag.'

'Ik weet het niet.'

'Dan moet je iemand zoeken die daar met jou over kan praten.'

'Je hebt waarschijnlijk gelijk.'

'Meestal begrijp je dit soort dingen.'

'Ik begrijp het ook. Maar er klopt iets niet.'

'Wat dan? Weet je dat zelf?'

'Het kind dat nog leeft.'

'Ik weet niet of ik hier verder over wil praten,' zei ze.

'We houden erover op,' zei hij.

'Laten we dat doen. In elk geval voor vanavond.'

'Ik kom dit weekend,' zei hij.

'Beloof niet te veel, Erik.'
'In Marbella kan ik ook nadenken.'
'Ga je híér nadenken?'
'Ha ha,' zei hij.
'Het was maar een grapje,' zei ze.
'Daarom lachte ik ook,' zei hij.

Het geruis in zijn oren wilde niet verdwijnen, hij wilde niet opstaan, hij wilde geen pilletje nemen, hij had het koud. Hij stond toch op, ging plassen, waste zijn handen, dronk een glas water in de keuken, keek door het raam naar de binnenplaats, overal zwart, niemand wakker, hij was alleen.

Ik kan proberen weer na te denken. Hij ging in een fauteuil in de woonkamer zitten, stond op en liep naar de stereo-installatie, zette *A Love Supreme* op, liep terug en ging weer zitten.

Ze heeft opengedaan voor de moordenaar. Sandra heeft voor hem opengedaan. Waarom? Kende ze hem? Of was het iemand die ze niet kende... maar voelde ze zich toch veilig?

Iemand in uniform?

Een... officieel persoon?

Een buurman?

Toch veilig?

Het is nú, het is híér. Het komt niet terug. Deze dagen zijn belangrijk. Deze nachten. Hij deed de staande lamp aan en pakte het boek dat op de salontafel lag. Het begon vanavond. Hij zou naar *A Love Supreme* luisteren en tegelijk Ashley Kahns boek over de ontstaansgeschiedenis van dat meesterwerk lezen. Muziek had hem vaker geholpen. Coltranes *Meditations* had hem tijdens de verschrikkingen van een andere zaak gevolgd, of misschien had hij de muziek gevolgd. Coltrane zong nu in de kamer, *a love supreme, a love supreme, a love supreme, a love supreme,* het was geen zang, het was een boodschap, iets wat alleen hij, John Coltrane, wist, maar dat klopte ook niet:

Toen A Love Supreme *uitkwam, raakte Coltrane bij veel luisteraars zo'n sterke geestelijke snaar, dat de mensen hem als iets bovenmenselijks gingen beschouwen. Dat is mijns inziens onrechtvaardig, en verkeerd. Hij was net zo menselijk als jij en ik – maar hij was bereid om harder te oefenen, om alles te doen wat je moet doen om de beste binnen je kunst te worden. De echte waarde van wat Coltrane tot stand heeft gebracht, ligt in het feit dat hij dat als mens heeft bereikt.*

Hij was een mens als jij en ik. Winter legde het boek op de vloer. Alles wat Coltrane deed, was een mens zijn. Hij was bereid alles te doen om de beste te worden in wat hij deed.

Iemand lachte toen hij door de hal liep waar nooit een einde aan kwam. Eerst was het een kind en toen een man en toen weer een kind. Iemand lachte, lachte. Hij kwam een vrouw tegen die haar handen voor haar oren hield. De vrouw was op weg daarvandaan, nu rende ze. Hij rende zelf de andere kant op, naar het gelach dat nu alsmaar sterker werd, meer kinderen. Achter hem riep iemand, hij draaide zich om, een gestalte hield een hand op en er draaide iets om een vinger, hij kon niet zien wat het was, 'deze ben je vergeten' hoorde hij door de hal, het was een stem die hij niet herkende, hij herkende het voorwerp niet, het draaide, draaide.

5

De harde kern van de Afdeling Ernstige Delicten kwam bijeen in de oude vergaderkamer. Het was net als vroeger. Het enige verschil was dat Winter door de renovatie het nieuwe Ullevi-stadion niet langer kon zien. Hij zou het hiervandaan nooit meer kunnen zien. Hij miste de arena nu al. Hij zou zijn blik niet langer op een bepaald punt kunnen richten, een gedachte in een van de ronde hoeken van het stadion kunnen ophangen en wachten tot die op het asfalt viel of opsteeg naar de hemel. Hij zag het al voor zich. Hij keek naar de lucht. Die was blauw als ijs, een ongewone winterhemel boven Göteborg, blauw als een belofte. Hij strekte zijn hand uit en raakte het raam aan zonder te weten waarom hij dat deed. Hij had de herinnering aan de nachtelijke droom niet kunnen loslaten en was bang geweest toen hij wakker werd.

Uit het voorlopige sectierapport bleek dat zich spermasporen in de vagina van de vrouw, van Sandra, bevonden. De gemeenschap kon dagen eerder hebben plaatsgevonden, de sporen bleven lang zitten.

'Had ze een minnaar?' hoorde hij Halders' stem achter zich.

Winter draaide zich om.

'We hebben geen sporen van een verkrachting gevonden,' zei Ringmar. 'Ik heb Torsten vanochtend gesproken. Het sperma is er, maar... verder lijkt er niets aan de hand.'

'Niets aan de hand?' zei Djanali.

'Je weet wat ik bedoel, Aneta,' zei Ringmar.

'Ik vind het niet prettig dat Fredrik nu al over een minnaar begint. We weten nog helemaal niets met zekerheid.'

'Hoorde je het vraagteken niet?' zei Halders.

'Moet ik nu naar tekens gaan zoeken?' zei ze. 'Heb je tekstballonnen boven je hoofd hangen?'

Winter hief zijn hand als een bevelhebber, dezelfde hand die zojuist op een kinderlijke manier het raam had aangeraakt.

'We weten dat sperma een paar dagen kan blijven zitten,' zei hij. 'Op dit moment kunnen we niet veel meer over het tijdstip zeggen. Jovan Mars beweert dat hij de afgelopen tien dagen niet thuis is geweest. Dat weten we ook niet met zekerheid, we hebben alleen zijn woord.'

'Waarom zou hij erover liegen?' vroeg Halders.

Iemand lachte kort.

'We gaan er op dit moment van uit dat ze met iemand anders seks heeft gehad,' zei Winter zonder te antwoorden. 'Was dat de moordenaar?'

'Bedoel je dat ze seks hebben gehad, vrijwillig om het zo maar te zeggen, en dat de man haar daarna heeft vermoord?' zei Djanali. 'Meteen daarna?'

'Het is een hypothese.'

'Of ze heeft seks gehad met iemand die niets met de moord te maken heeft,' opperde Ringmar.

'De moorden,' zei Djanali.

'Ja, de moorden. Iemand die niet direct met de moorden te maken had. Maar met wie ze een verhouding had.'

'Als ze dat al had,' zei Djanali.

'Daar moeten we eerst achter zien te komen,' zei Winter. 'Had ze een ander? Wie was dat? Waar is hij? Waarom heeft hij zich in dat geval niet gemeld?'

'Goede vraag,' zei Halders. 'Daar is maar één goed antwoord op mogelijk.'

Winter knikte. Hij had het warm, alsof hij koorts kreeg. Hij moest hier weg, de zon voelen, ergens naartoe rijden.

'De moordenaar en de minnaar zijn een en dezelfde persoon,' zei Ringmar.

Op de technische afdeling heerste een en al beweging. Hier bevond zich de kern van de procedure, niet bij de denktank van de AED, dacht Winter en hij stak zijn hand in een groet omhoog toen Öberg verscheen.

'Sergej gelooft niet in de krantentheorie,' zei Öberg. 'Een voorzichtig wantrouwen.'

'Hij heeft nauwelijks tijd gehad om de lichamen te onderzoeken.'

'Hij heeft redelijk wat gezien.'

'De insecteneitjes?'

'Redelijk wat,' herhaalde Öberg.

Sergej Bodvarsson was de forensisch entomoloog. Zijn voor- en achternaam kwamen van twee kanten van het schiereiland Kola. Bodvarsson had een IJslands accent. Hij had dezelfde naam als een vulkanoloog, toch? Winter had het niet gevraagd.

'Waren ze zelfs al langer dan drie dagen dood?'

'Misschien.'

'Wanneer weten we dat?'

'Misschien nooit, Erik. Maar je mag er voorzichtig van uitgaan.'

'Dat doe ik al. De baby heeft het overleefd.'

'Wat bedoel je?'

'Iemand kan erheen zijn gegaan om haar eten te geven.'

'Na de moorden?'

'Ja. Ik heb met Johnsson van het Sahlgrenska-ziekenhuis gesproken.'

Öberg krabde aan zijn kortgeknipte baard. Hij was ouder dan Winter, vijf à zeven jaar, op weg naar de heerlijke leeftijd van zestig.

'De collega's in de VS werken met speciale body farms,' zei hij.

'Ik kan het voor me zien.'

'Het duurt maar een paar seconden voordat een lijk de eerste vliegen op bezoek krijgt,' zei Öberg.

'Over hoeveel seconden hebben we het hier in totaal?'

'Heel, heel veel.'

'Is het mogelijk om vingerafdrukken op de lichamen te vinden?'

'Zoals je weet is dat moeilijk.'

'Er zijn veel voorwerpen,' zei Winter.

'Ik ben momenteel met het bed bezig.'

'Het bed,' herhaalde Winter.

'De analyses van het DNA zijn pas over een paar dagen klaar. En voor het resultaat van de DNA-LCN-analyse moet je nog langer geduld hebben.'

'Ik weet het.' Hij raakte Öbergs arm aan, als een onwillekeurige beweging, een fantoombeweging. 'Het bed is belangrijk. Daar heeft hij de controle eventjes laten varen. Als er iets te vinden valt, is het daar.'

'We hebben de kleren van de baby,' zei Öberg.

'We hebben alles,' zei Winter.

Een vrouw met een aangelijnde hond liep over het zebrapad. Het was een grote hond, Winter wist niet welk ras het was, hij had nooit een hond gehad en zou er nooit een nemen. Als je niet allergisch was, werd je het waarschijnlijk wel als er een hond in huis kwam.

Hij volgde het dier met zijn blik. Goudkleurig.

De auto achter hem toeterde.

'Het licht staat op groen,' zei Ringmar. 'Dat betekent dat je mag rijden.'

Hij reed. Hij dacht aan de hond. De andere hond. Wie is het? Waar is die? Al afgemaakt? Begraven?

Torsten had behalve de haren geen sporen van de hond gevonden. Geen bloed, niets.

'Ze heeft hem verkocht,' zei hij ter hoogte van het Masthuggsplein.

'Hè?'

'Ze heeft de hond verkocht,' herhaalde Winter. 'Daarom is hij weg.'

'Of de moordenaar heeft hem meegenomen,' zei Ringmar.

'Dat klopt niet.'

'Het klopt ook niet dat hij een kind liet leven,' zei Ringmar.

'Het klopt niet, maar niet op dezelfde manier,' zei Winter. 'Ze kan hem hebben verkocht. De hond.'

'Hoe?'

'Ze heeft een advertentie geplaatst. Dat is volgens mij de meest gebruikelijke manier.'

'Wanneer?'

'We moeten de buren vragen wanneer ze de hond voor het laatst hebben gezien. En we moeten de kranten checken. De *Göteborgs-Posten*. Te beginnen met een week geleden, twee weken.'

'Oké.'

'We hebben niets over een hond naar buiten gebracht,' zei Winter. 'Heb jij daar iets over in de media gezien, Bertil?'

'Nee.'

'Maar als iemand de hond onlangs heeft gekocht, moet hij of zij toch over de moorden hebben gelezen, of er iets over op tv hebben gezien en het hebben begrepen,' zei Winter.

'En dan zou die persoon zich bij ons hebben gemeld, bedoel je,' zei Ringmar. 'Maar zo zitten de mensen niet in elkaar, dat weet je net zo goed als ik. Maar oké, we beginnen met de advertentie.'

'Als er een advertentie is, dan kunnen we de koper vragen zich te melden,' zei Winter. Hij reed de Stigbergsliden op en stopte voor de cd-winkel Bengans, waar je tien minuten gratis mocht parkeren.

'We gingen toch naar Amundö?' zei Ringmar.

'Ik ben zo terug,' zei Winter.

Hij liep naar de afdeling voor klassieke muziek en jazz, kocht een cd en was binnen vijf minuten terug.

'Ik heb geen muziek in de auto,' zei hij en hij startte de motor. 'Vanmorgen vergeten mee te nemen.'

Hij stopte de cd in de cd-speler toen ze de Djurgårdsgatan insloegen.

Ze hoorden een gitaar, een Spaanse gitaar.

'Luister je tegenwoordig naar flamencomuziek?' vroeg Ringmar.

Ze reden inmiddels op de Oscarsleden. De portaalkraan aan de andere kant van de rivier leek in het zonlicht op een schorpioen.

'Dit is geen flamenco,' zei Winter.

'Wat is het dan?'

'Het is jazz. Dit is Ulf Wakenius. Hij komt hiervandaan, net als Lars Jansson.'

Toen ze de Säröleden in zuidelijke richting volgden, schiep de zon net als in de zomer schaduwen. Het ijs op de zee rechts wierp reflecties die een onbeschermd oog konden beschadigen, de stralen werden verbrijzeld tegen zijn donkere bril. Het geruis in zijn hoofd was tijdens het rijden weer erger geworden. Het was gisteravond een poosje rustiger geweest. Het enige wat hielp was sterkedrank, maar niet te veel, en alleen Glenfarclas en Springbank. Als hij zijn hoofd naar rechts bewoog, werd de beweging gevolgd door een *tst-tst-tst*, als een vertraging in zijn hersenen die tegelijk iets pijlsnels had, als een slangentong in zijn hoofd, *tst-tst-tst*, zo was het sinds de zenuwen in zijn achterhoofd zich hadden gesplitst. Zijn hoofd langzaam bewegen hielp niet. De zenuwen zouden na verloop van tijd vanzelf herstellen, maar misschien pas in zijn volgende incarnatie.

Robert Krol stond al voor het huis toen ze parkeerden. De afzetlinten waren op diverse plaatsen losgeraakt, ze hingen slap langs de grond alsof het vooronderzoek al was beëindigd of permanent onvoltooid bleef.

'Het lijkt wel alsof niemand zich hier ergens druk om maakt,' zei Winter.

'Ik zal kijken of de jongens van Securitas nog wat lint in hun auto hebben liggen, ze hebben voor de verandering weinig gekregen,' zei Ringmar en hij liep naar de auto van de bewakers. Die was leeg. Misschien waren ze op het eiland, kijken of ze iets konden vinden.

Het huis lag in de schaduw onder een open hemel. Het was het enige huis dat in de schaduw lag. Zo zou het blijven. Winter stond er middenin. Als het huis werd gesloopt, zou de grond voor altijd zwart zijn.

'De mensen zijn helemaal van slag,' zei Krol met een blik naar het huis.

'Dat kan ik me goed voorstellen,' zei Winter.

'Ze zijn bang dat hij terugkomt.'

'Bent u bang?'

'Nee, ik niet. Maar anderen wel. Vrouwen en kinderen, bijvoorbeeld, en de vaders uiteraard.'

'Waarom bent u niet bang?'

'Ik denk niet dat die klootzak terugkomt.'

'Waarom komt hij niet terug?'

Krol antwoordde niet meteen. Hij keek weer naar het huis, alsof er iets op de gevel zat wat alleen hij zag.

'Het is voorbij,' zei hij na een tijdje en hij keek Winter aan. 'Het was eenmalig. Alleen die keer.'

'Wat hebt u vroeger gedaan?' vroeg Winter.

Krol leek niet verbaasd over de vraag.

'Ik was scheepswerktuigkundige, chief,' zei hij. 'Maar ik ben al bijna drie jaar met pensioen.'

'U wilde dicht bij het water wonen.'

'Ja, wat dacht u dan?'

'Ik begrijp dat het moeilijk is om zonder water te leven.'

'Wie kan dat?'

'Goede vraag.'

'Wilt u niet weten waarom ik denk dat het nu voorbij is?' zei Krol.

'Vertel maar,' zei Winter.

'Zij had... Ze hadden een vreemde relatie,' zei Krol en hij keek weer naar het huis. Het lag nog steeds in de schaduw. Dat kwam waarschijnlijk door de berg erachter, dacht Winter, gezichtsbedrog. 'Hij was doordeweeks weg, soms kwam hij niet eens in het weekend thuis. Jovan, ik heb het over Jovan.'

'Hoe weet u wanneer hij wel of niet thuis was?'

'Ik ben niet zo nieuwsgierig dat ik dat controleer, maar in een heel weekend merk je zoiets.'

'Wat was er vreemd aan hun relatie?'

Krol antwoordde niet. Hij keek nog steeds naar het huis.

Winter vroeg het nog een keer.

'Hun relatie,' zei Krol. Hij had zijn blik naar een ander punt verplaatst, voorbij het huis.

'Ja?'

'Hij was heel vaak weg,' zei Krol, 'en de kinderen waren heel klein.'

'Dat is toch niet zo ongebruikelijk,' zei Winter. 'U bent zeeman geweest. Dan was u vast ook vaak van huis.'

'Zeeofficier,' zei Krol.

'U was vaak weg.'

'We hebben geen kinderen,' zei Krol. 'We hebben nooit kinderen gekregen.'

Hij deed een pas in de richting van het huis, of misschien bewoog hij alleen even zijn voeten. Het was koud, de zon verwarmde bijna niets. Die bevond zich aan de andere kant van de wereld.

'Ik ben gek op kinderen,' zei Krol en hij barstte in tranen uit.

De pup voelde zich thuis, hij had haar gevraagd of ze dacht dat de hond bij hen begon te aarden.

'Ik weet het niet,' zei ze.

'Fikkie is jouw hond.'

'Waarom noem je haar zo? Niemand anders zegt dat.'

'Dat is toch heel gewoon? Ik ben echt niet de enige.'

Ze antwoordde niet.

'Ze wil naar buiten.'

'Hè?'

'Jana wil naar buiten. Kijk maar. Ze heeft beweging nodig. En ze moet dat andere.'

'Welk andere?'

'Je weet wat ik bedoel.'

'Waarom zeg je het niet gewoon? Ze moet pissen, net als alle andere wezens. Waarom kun je dat niet zeggen? En jullie hebben allebei beweging nodig. Jij kunt haar uitlaten.'

'Ik wil niet. Ik kan het niet. Ik heb keelpijn.'

Keelpijn, dacht hij. Ik zal haar...

'Ik heb ook last van mijn knie,' zei ze.

Hij voelde hoe zijn nagels zich in zijn handpalmen boorden, hoe ze zich in zijn handen probeerden te graven. Hij dacht er even over zijn hand in zijn mond te steken en zo hard hij kon in een vinger te bijten, die doormidden te bijten.

'Ik had natuurlijk eerder moeten reageren,' zei Krol. 'Veel eerder, natuurlijk had ik dat moeten doen.'

Ze liepen op de weg, op het stuk naar het fietspad. Het was te koud om stil te staan. Er waren nu geen fietsers. Alles was bevroren, blauw en wit. De huizen leken gehuld in een vlies van ijs.

'Waarom had u dat moeten doen?' vroeg Winter.

'Ze kwamen niet buiten zoals op andere dagen. De auto stond er. Niemand kwam naar buiten.' Bij elk woord dat hij tijdens het lopen sprak, blies hij lucht en ijs uit, als rooksignalen. 'Geen van allen.'

'Het was koud,' zei Winter. 'Misschien waren ze ziek.'

'Het was de gebruikelijke Zweedse lafheid,' zei Krol. Hij bleef staan en draaide zich om naar Winter. 'Ieder voor zich en God voor ons allen.'

'Gedragen we ons zo?'

'Zo gedragen we ons. Het is erger geworden.'

'U bent weggeweest, op zee.'

'Daarom kan ik het beter vergelijken. Elke keer dat ik van zee thuiskwam, was het erger geworden.' Hij keek naar het ijs dat tussen de privé-villa's aan de rand van het strand te zien was. 'Uiteindelijk kon ik er niet langer tegen om thuis te kómen. Het was beter om thuis te blijven, als u begrijpt wat ik bedoel.'

'Wanneer hebt u ze voor het laatst gezien?'

'Hè?'

'Wanneer hebt u het gezin voor het laatst gezien? Iemand van het gezin?'

'Bedoelt u ook de man?'

'Nee, op dit moment niet.'

Krol leek naar het ijs op de zee te kijken, naar het eiland in de verte en de lucht erachter. Het meeste was nu wit en grijs, met een beetje fantasie zag je misschien ook een streep groen.

'Dat is al een aantal dagen geleden,' zei hij. 'Ze reden weg. Ik denk dat ze met z'n allen boodschappen gingen doen. Zij en de kinderen.' Het leek of Krol weer zou gaan huilen. Winter zag nu dat de tranen van zonet in zijn ooghoeken waren bevroren, alsof hij ginds in de verte had gestaan, midden op het ijs, in de wind. 'Volgens mij was het de dag ervoor.'

'De dag voor wat?' vroeg Winter.

'De dag voor de moorden, natuurlijk! Neem ik aan.' Krol begon weer te lopen. 'Ik kan me toch zeker niet de precieze dag herinneren.'

'Ik moet het vragen.'

'Ja, dat zal wel. Wat een rotbaan.'

'Zag u ze weleens samen met anderen?'

'Jovan nog steeds niet meegerekend?'

'Nee, op dit moment niet.'

'De kinderen speelden met andere kinderen. In de speeltuin. Daar waren altijd volwassenen. Zij was er ook, neem ik aan. Met de kleine.'

'Geen andere volwassenen? U hebt geen mensen op bezoek zien komen?'

Ze stonden nu voor de speeltuin. Daar was het helemaal stil en bevroren. Geen kinderen die in de autoband heen en weer zwaaiden of in het grote speelhuis klommen. Het was een van de leukste speeltuinen die Winter ooit had gezien.

'Nee, ik heb hem nooit gezien.'

'Hem?'

'De man die de hond kocht.'

Op dat moment voelde Winter zich stijf bevroren. Zijn nekharen voelden als borstels. Het prikte in zijn hoofd, *tst-tst-tst.*

'Wie heeft de hond gekocht?'

'Dat weet ik niet. Maar ze was van plan om de hond te verkopen. Dat heeft ze ook gedaan. Dat weten jullie toch zeker wel?'

'Heeft ze tegen u gezegd dat ze de hond had verkocht?'

'Nee, maar ze was ermee bezig. En opeens was de hond weg. Die is toch zeker weg, of niet soms?' Krol kwam heel dicht naast Winter staan. Het was alsof zijn gezicht met schuurpapier was behandeld. Zijn huid leek van perkament. Dunne aderen liepen over zijn neus en wangen, als bij iemand die veel drinkt. Krol dronk misschien, maar zijn gezicht was een gezicht van de wind. Winter was ineens jaloers op hem. Alsof hem zelf de zin van het leven was ontgaan.

'Was de hond nog in het huis?' vroeg Krol.

'Nee,' antwoordde Winter. 'En ja, we proberen te achterhalen wie de hond heeft gekocht.'

'Veel succes,' zei Krol.

'Wanneer was dat?' vroeg Winter. 'Wanneer had ze het erover dat ze de hond wilde verkopen?'

'Niet... zo lang geleden. Een paar weken terug misschien. Of minder.'

'Wanneer zag u de hond voor het laatst?'

'Luna,' zei Krol. 'Ze heet Luna. Een pup nog.'

'Wanneer zag u haar voor het laatst?'

'Tja... een paar dagen daarna misschien.'

'Kunt u wat preciezer zijn?'

'Niet op dit moment. Misschien als ik weer wat ben ontdooid.'

'Waarom hebben ze Luna verkocht?'

'Allergie, zei ze. Ze was allergisch geworden, en de jongen leek het ook te worden. Erik heette hij.'

'Wat vond haar man ervan? Sandra's man?'

'Het gesprek gaat nu dus ook over hem?'

'Ja.'

'Ik geloof niet dat hij het wist,' zei Krol. 'Dat zegt heel wat, vindt u ook niet?'

'Hebt u Sandra samen met iemand anders gezien?' vroeg Winter.

'Wie zou dat moeten zijn?'

'Wie dan ook.'

'Ze had natuurlijk buren.'

'Iemand anders? Iemand die u niet eerder had gezien?'

'U lijkt te denken dat ik alles en iedereen voortdurend in de gaten hou.'

'Ik moet het vragen.'

Ze liepen weer, over het fietspad in de richting van Amundö Marina.

Winter zag honderden boten op het land, de kielen waren bestreken met ijs.

'Dit begint op geroddel te lijken,' zei Krol.

'We hebben het over moord,' zei Winter. 'Massamoord.'

'Ik heb niets gezien,' zei Krol. 'Ik wilde het niet zien.'

'Wat wilde u niet zien?'

Krol antwoordde niet.

'Wat niet?'

'Niets,' zei Krol.

'Vertel.'

'Er valt niets te vertellen.'

6

Voordat Winter het knopje had ingedrukt, stapte Ringmar al de lift in. De huid van zijn collega was grauw in het gemene licht, als smerige sneeuw. Bij zijn terugkeer in Göteborg was het Winter meteen opgevallen dat iedereen er ziek uitzag; hij begreep dat dat kwam doordat hij zo lang in natuurlijk licht had geleefd, maar godallemachtig, wat zagen de mensen er miserabel uit, zo grauw. Zo is het in Zweden in de winter, dacht hij, niets voor watjes die het licht zoeken, die hun gezicht naar de zon keren.

'Hoe gaat het met je, Bertil?'

'Waarom vraag je dat?'

'Omdat je er ellendig uitziet.'

'Dank je, baas. Net wat ik 's morgens om acht uur wil horen.'

'Ik ben niet langer je baas.'

'Formeel niet, maar je wordt het volgende maand. Weer.'

'Vind je dat een probleem?'

Ringmar antwoordde niet. Winter bestudeerde zijn eigen gezicht in de spiegel. Het was niet mooi, het was gebruind door de zon, maar op dit moment werd het ontsierd door de woorden die hij zojuist had gezegd.

'Sorry, Bertil.'

'Het geeft niet.'

'Als je een tijdje in vrijheid hebt geleefd, vergeet je hoe je je moet gedragen.'

'En die vrijheid heb jij opgegeven.'

'Voor jou, Bertil.'

'Wil je dat ik je omhels?'

'Waarom niet?'

'Het gaat niet. Ik heb last van mijn schouder.'

'Laten we het doen als dat over is.'

'Afgesproken,' zei Ringmar.

De lift stopte op de verdieping van hun afdeling. Ze stapten uit.

'Ik heb vannacht ook niet goed geslapen,' zei Winter.

'We zullen veel slapeloze nachten krijgen,' zei Ringmar.

'Denk je dat?'
'Kun je even naar mijn kamer komen?'
'Nu meteen?'
'Het liefst wel. Ik wil op onze eigen manier de zaak doornemen.'

'Hij heeft eerst de kinderen gedood.'
  'Waarom?'
  'Hij wilde niet dat ze het zouden zien.'
  'Waar?'
  'Waar we ze hebben gevonden.'
  'Torsten heeft zich daar nog niet over uitgelaten,' zei Winter. 'En we moeten nog een reconstructie doen.'
  'Wat we zagen waren geen sleepsporen.'
  'Wat mochten ze niet zien?'
  'Haar dood.'
  'Waarom deze consideratie?'
  'Hij kende ze.'
  'Hoe?'
  'Hij was hun vader.'
  'Hij was thuisgekomen, het was een verrassing,' zei Winter.
  'Hij is 's avonds laat gekomen en 's morgens vroeg weer vertrokken.'
  'Hij heeft niet aangebeld.'
  'De jongen droeg geen pyjama.'
  'Eerst wel. Maar hij heeft hem andere kleren aangetrokken.'
  'Hij heeft hem gedwongen zich aan te kleden.'
  'Nee, hij deed het uit vrije wil.'
  'Waarom?'
  'We laten het pyjamaverhaal even zitten.'
  'Hij heeft zijn jongste kind gespaard.'
  'De baby vormt de sleutel,' zei Winter.
  'Het waren allemaal zijn kinderen.'
  'Hij wist het.'
  'Hij wist het niet.'
  'Hij vermoedde iets.'
  'Hij had zijn vrouw een paar dagen niet gesproken.'
  'Zegt hij.'
  'We hebben dat telefoontje niet teruggevonden. We hebben een lijst met alle gesprekken.'
  'We hebben gesprekken van prepaidmobieltjes.'
  'We hebben drie van zulke gesprekken.'

'Waar kwamen die vandaan?'

'Van hem.'

'Ze kwamen niet van hem. Geen van alle,' zei Winter.

'Waar kwamen ze vandaan?'

'Ze kwamen van de moordenaar.'

'Alle drie?'

'In elk geval één.'

'Waarom maar één?'

'De moordenaar wilde de pup kopen. Hij belde vanwege de adverten-tie.'

'Waarom bellen op een manier dat het gesprek niet kan worden getra-ceerd?'

'Omdat hij zou moorden,' zei Winter.

'Hij wist toen al dat hij zou gaan moorden?'

'Ja.'

'Hij wist hoeveel personen er in huis waren.'

'Hij was er al eens eerder geweest.'

'Hij was er verschillende keren geweest.'

'In het huis?'

'Nee. Buiten.'

'Hij had in de buurt rondgelopen? Zichtbaar?'

'Ja.'

'Dan is er geen verband met de advertentie over de hond,' zei Winter.

'Hij was er nooit eerder geweest. De advertentie bood hem de gelegen-heid.'

'Hij had op een gelegenheid gewacht.'

'Hij wilde iemand doden. Wie dan ook. Hoeveel personen dan ook.'

'Hij heeft de baby nooit gezien.'

'Hij had het veel te druk.'

'Hij dacht dat hij niet veel tijd had.'

'Waarom dacht hij dat?'

'Het werd ochtend.'

'Het is midden in de winter. Het wordt nooit ochtend.'

'Het was ochtend. Het was zelfs middag.'

'De zon ging net onder.'

'Die was nog niet eens opgekomen.'

'Het was al donker.'

'Erger nog, het schemerde.'

'Hij wachtte tot de schemering viel.'

'Ze verwachtte hem.'

'Het was geen probleem voor hem om binnen te komen.'
'Hij bleef niet lang.'
'Hij kreeg de pup mee.'
'Die wilde hij hebben. Daarvoor was hij gekomen.'
'Dat was het enige waar hij aan dacht toen hij daar naartoe reed.'
'Voordat hij in de hal stond.'
'Toen moest hij het doen. Meteen toen hij ze zag, moest hij het doen.'
'Soms gebeuren er dingen die je niet hebt gepland.'
'Maar de moordenaar had het wel gepland,' zei Ringmar en hij stond op. Hij had aldoor in dezelfde houding gezeten, licht voorovergebogen, zijn onderrug en schouders gespannen. De schouder waar hij last van had, deed pijn.
'Hij had het al lang geleden gepland,' zei Winter.
'Sinds hij bevriend was geraakt met Sandra?'
'Nee.'
'Veel later?'
'Veel eerder.'
'Hij wist het alleen niet.'
'Het had altijd al in hem gezeten.'
'Het had dus niet met Sandra en de kinderen te maken?'
'Natuurlijk wel.'
'De relatie tussen Sandra en hem was al een tijdje aan de gang, maar niet heel lang.'
'Ze waren een paar dagen voor de moorden met elkaar naar bed geweest.'
'Twee dagen, drie dagen.'
'Niet toen hij haar vermoordde.'
'Nee.'
'Hij kon zich ongehinderd in het huis bewegen.'
'Hij voelde zich er thuis.'
'Hij beschouwde het als zijn thuis.'
'Hij zou bij haar intrekken,' zei Ringmar.
Winter stond ook op. Hij voelde het vocht tussen zijn schouderbladen, een transpiratie in zijn hoofd. Dit hadden ze lang niet gedaan, hun gedachten naar buiten gooien, een deel ervan vangen, de netten opnieuw uitgooien.
'Maar dat gebeurde niet,' zei Winter.
'Ze had tegen hem gezegd dat hij niet langer welkom was.'
'Nooit meer,' zei Winter.
'Er gebeurde iets.'

'Ik wil je nooit meer zien, zei ze.'

'Dat was niet wat ze hadden afgesproken.'

'Zijn hele wereld stortte in,' zei Ringmar.

'Hij was niet van plan om alleen in te storten,' zei Winter.

'Hij heeft het gedaan,' zei Ringmar.

Winter knikte. Hij zei niets. Hij probeerde een gezicht voor zich te zien. Ergens was een gezicht. Daarnaast stond een klein kind te zwaaien.

'Hij heeft het gedaan,' zei hij.

'Zijn we het eens?'

'Nee.'

'Hij wilde zijn eigen kind niet doden.'

'Nee.'

'Er zat een grens aan de waanzin.'

'Nee.'

'Was er iets anders?'

'Ja.'

'Wat dan?'

'Een herinnering.'

'Van wie?'

'Van hem.'

'Niet van haar?'

'Een herinnering van hem,' herhaalde Winter.

'Hij herinnerde zich iets waardoor hij de baby niet doodde?'

'Iets met het huis,' zei Winter.

Hij zag de dag buiten, door het raam naast Ringmar. Bertil leunde tegen de muur, alsof hij anders zijn evenwicht zou verliezen. Winter zag de bomen buiten, wat er over was van het park, de levende dode bomen. Die zouden herrijzen.

'Toen hij het huis binnenkwam, veranderde alles.'

'Het gaat over dat vervloekte huis,' zei Winter.

'Vervloekt in de zin dat er een vloek op rust?'

'Misschien.'

'Wie heeft de vloek uitgesproken?'

'Daar gaat de herinnering meespelen.'

'De herinnering aan een huis,' zei Ringmar.

'En de herinnering aan kinderen, kinderen die er niet waren.'

'Die er niet waren?'

'Hij heeft het gedaan, hij is onze duivel,' zei Winter en hij liep de kamer uit.

Gerda Hoffner zocht in de advertentieafdeling van de *Göteborgs-Posten* onder de rubriek DIEREN. Er werden vooral katten en honden te koop aangeboden, veel foto's, ouderloze puppy's en kittens die met onschuldige ogen de camera in keken naar iemand die ze een thuis kon geven. De foto's waren allemaal slecht belicht.

Ze vond de advertentie in de krant van 30 januari, een donderdag: 'Pup te koop, kruising labrador/bordercollie. Gezond verklaard door dierenarts, ingeënt en gechipt. Moet weg wegens allergie.' Gevolgd door een telefoonnummer. Het was het vaste telefoonnummer van de familie Mars.

Halders liet in de kleine keuken een glas water vollopen. Hij stond met zijn rug naar Winter, die aan een tafel zat in een vergaderkamer waar hij nooit eerder was geweest omdat die tijdens zijn vorige incarnatie op de afdeling niet had bestaan. Ze hadden twee kleine vertrekken omgebouwd tot een grotere ruimte en Winter vroeg zich af waarom. Hij zou er niet naar vragen. Het was niet zijn pakkie-an. Hij had niet gevraagd hoe de afgelopen twee jaar waren geweest, zonder hem. Hoe ze zich hadden gered. Hij had geen Zweedse kranten gelezen en hij had niet gebeld, afgezien van een paar privégesprekken omdat hij dat zelf had gewild. Niemand had naar hem gevraagd, naar zijn unieke competentie. Het enorme gat dat hij had achtergelaten. Het was alsof de aarde ook aan de Zweedse westkust was blijven draaien. Soms had hij zich eenzaam gevoeld.

Halders stond nog steeds met zijn rug naar hem toe. Waar denkt hij aan? Denkt hij aan mij?

Halders draaide zich om. 'Ik wil Mars verhoren,' zei hij.

'Ja.'

'Daar heb je geen bezwaar tegen?'

'Waarom zou ik?'

'Ik weet het niet,' zei Halders en hij zette het glas neer. 'Hij heeft geen alibi. Er is iets wat niet klopt.'

'De chemie tussen Mars en mij is sowieso niet geweldig,' zei Winter en hij stond op.

'Erik...' zei Halders en hij viel stil.

'Ja?'

'Ik ben blij dat je terug bent.'

'Goed om te horen, Fredrik.'

'We moeten ons misschien alleen weer aan elkaar aanpassen,' zei Halders.

73

'Dat heb je mooi gezegd.'

'Je merkt wat de functie van hoofdinspecteur met me heeft gedaan.'

'Het is geweldig. Zo is het mij destijds ook vergaan.'

'Als je ideeën hebt, dan hoor ik ze graag, Erik. Wat dan ook. Niets is te klein voor mij.'

'Dat heb ik altijd al geweten.'

'Wat?'

'Dat niets te klein is voor jou.'

Halders antwoordde niet. Winter had te veel gezegd over iets wat te ver bij hemzelf vandaan lag, hij had een gevoel uitgedrukt dat misschien echt was en hij wist niet waar het was geland.

Ik ben een klootzak, dacht hij.

'Vraag Mars naar de baby,' zei hij.

'Natuurlijk, wat dacht je dan?'

'Zij is een van de sleutels,' zei Winter.

'Goed, pa.'

Hij had de afgelopen dagen de kranten gespeld, de *Göteborgs-Posten*, de *Göteborgs-Tidningen* en de *Metro*, maar er was met geen woord over gerept.

Dat was onmogelijk.

De politie kon zo'n zaak niet geheimhouden. Er moesten getuigen op het plein zijn geweest, niet alleen de bende. Toen hij bij de jongens was weggelopen, had hij vanuit zijn ooghoek gezichten gezien, bange gezichten. Er was bloed geweest. Er moest nog steeds bloed zijn. Het ijzer in het bloed kruipt in het beton, etst zich vast, en er was veel bloed geweest.

'Ik ga even naar buiten,' zei hij.

'Neem je Jana mee?' hoorde hij haar vanuit de keuken roepen. Wat deed ze in de keuken? Ze stond niet te koken, ze kon niet koken. Had hij dat maar geweten. Hij had heel veel kunnen weten als hij maar wat meer zijn best had gedaan voordat hij zich tot de boeien van het huwelijk had laten verleiden. Ha.

'Ik ga met de auto naar het plein,' zei hij. 'Ik laat haar later uit.'

'Hebben we iets nodig?' hoorde hij haar stem.

Jij staat in de keuken, dacht hij, jij moet zeggen of we iets nodig hebben. Doe zelf verdomme de koelkast open.

'Neem maar een pak melk en een pak yoghurt mee,' riep ze.

Hij duwde de pup opzij toen hij de voordeur opendeed. De hond keek hem aan alsof ze iets wilde weten. Ik heb je niets te vertellen.

'Jij kunt met haar naar buiten gaan als je dat wilt,' zei hij, maar hij wist dat ze het niet hoorde, dat niet. Hij wist niet wanneer ze voor het laatst buiten was geweest. In elk geval niet na Kerstmis. Dat was niet gezond.

Hij parkeerde op de gebruikelijke plek.
De straat zag er net zo uit als anders.
Het Opalplein zag er net zo uit als anders.
Hij liep naar de open plek voor de winkel, daar was het, alleen maar daar.
Hij zag geen vlekken. Er was niets te zien. Hij keek om zich heen, hurkte vervolgens neer en onderzocht het beton.
Ze hadden enorm grondig geschrobd.
Zoiets wordt een doofpotaffaire genoemd, dacht hij, dat is het. Niemand mag weten wat hier is gebeurd. Het kan paniek veroorzaken. Andere autochtonen kunnen hetzelfde idee opvatten als ik. En dan moeten de allo's zich verdedigen. Dat leidt tot een burgeroorlog. Alleen dit al, wat ik heb gedaan, leidt tot een burgeroorlog, zo is het.
Maar hoe konden ze het geheimhouden? Dat was toch onmogelijk. De mensen bij Willys waren er toch zeker van op de hoogte, de mensen die daar werkten.
Hij ging de winkel in. Er zat een Zweed achter de kassa, een man van een jaar of dertig, een gesjeesde student, een dun baardje.
Hij zocht het goedkoopste wat hij kon kopen, een pakje kauwgum, want je kon niet zomaar naar binnen gaan en vragen stellen.
'Ik heb gehoord dat hier onlangs heibel was,' zei hij tegen de student, een brillenjood.
'O?'
'Het schijnt behoorlijk ernstig geweest te zijn.'
'Daar heb ik niets over gehoord.'
'Je collega's hebben er niets over gezegd?'
De man keek hem nu aan.
'Ben je van de politie?' vroeg hij.
'Nee, nee, ik was alleen benieuwd.'
Het was een achterdochtige klootzak. Hij zat misschien in het complot. Dat is natuurlijk ook logisch, als ze zoiets in de doofpot willen stoppen, moet iedereen meedoen.
Hij verliet de winkel. Een ouder echtpaar liep over het plein, buitenlanders, op weg naar de kerkdienst waar gegarandeerd geen Zweed zou komen. De dienst voor Allah. Dat was een betere benaming.
Het was nog te vroeg voor de bendes om zich op het plein te verzamelen. Hij zou een paar uur wachten, hij kon ondertussen de hond uitlaten.

Op dit moment leek dat hem een goed idee. Hij zou met Jana naar het eiland gaan, goed idee. Daar was het mooi, overal zee.

Gerda Hoffner klopte op Winters deur. Hij stond op van zijn stoel. Hij had twee minuten alleen maar aan het huis aan de Amundövik zitten denken. Hij had gedacht dat niemand daar nu wilde wonen. Hij had tegen Halders kunnen zeggen dat het misschien een goed idee was om Mars te vragen of hij daar met de baby wilde wonen. Halders zou hebben geweigerd. Hij zou hebben geweigerd een bevel op te volgen. Mars was de Romeinse god van de oorlog, dacht hij toen hij opstond. Mars is het symbool voor ijzer, het symbool voor het mannelijk geslacht. De baby heet Greta. Zo hadden zijn eigen dochters kunnen heten, het was een mooie naam. Hij wist niet wat de naam betekende, hij wist niet wat Gerda betekende. Hij wist dat Erik 'enig heerser' betekende.

Hoffner stapte de kamer binnen. De deur had opengestaan.

'Weet jij wat de naam Greta betekent?'

'Nee,' antwoordde ze.

'Wat betekent jouw naam? Gerda?'

'Ik geloof dat het "bemind" betekent,' zei ze. Ze leek niet verbaasd. Ze bleef bij de deur staan. De afstand tot Winters bureau was maar een paar meter. Achter haar zag hij een kantoortuin. Die zag er eenzaam uit, verlaten.

'Erik betekent enig, alleen,' zei hij.

'Dat wist ik niet.'

'Wat kan ik voor je doen, Gerda?'

Hij gebaarde naar de fauteuil voor het bureau. Die was niet echt comfortabel, maar het was een fauteuil, geen stoel.

'Ik heb de advertentie gevonden.'

'Mooi.'

'Wat gaan we nu doen?'

'Heb je zelf een voorstel?'

'Ik zou de koper van de pup gaan zoeken. Alle media inschakelen. Vandaag al.'

'Dan doen we dat,' zei Winter.

'Wil jij de oproep formuleren?'

'Nee, dat mag je zelf doen, Gerda. Ik wil er wel even naar kijken voordat hij de deur uit gaat. Over een halfuur, lukt dat?'

Ze stond nog steeds bij de deur. En nu was ze alweer bijna weg, het was niet de moeite geweest om in de fauteuil te gaan zitten.

'Ik ben er nog niet geweest,' zei ze. 'In het huis.'

'We kunnen erheen gaan,' zei Winter. 'Ik was toch van plan weer een kijkje te nemen. We kunnen gaan als je klaar bent met het opsporings-bericht.'

'Is het nodig?' vroeg ze. 'Dat ik daar naartoe ga?'

'Volgens mij wel,' zei hij.

Ik kan daar niet altijd alleen zijn, dacht hij. Ik hoef niet de hele tijd alleen te zijn.

7

Hij parkeerde helemaal aan het eind, op de grens zou je kunnen zeggen. Het zag er misschien vreemd uit omdat er verder geen auto's stonden. Hij moest de hele parkeerplaats oversteken om bij de brug te komen, terwijl hij zijn auto honderd meter dichterbij had kunnen parkeren, maar niemand zou iets vragen, er was niemand, en als iemand iets vroeg kon hij zeggen dat de parkeerplaats een goede plek was om de pup te trainen.

Hij gooide een stok door de lucht en Jana begreep het, ze rende op kromme poten achter het ding aan. Nou ja, rende, ze waggelde eerder, als een kind dat net leert lopen. Niet dat hij daar verstand van had, maar dat stelde hij zich zo voor.

Er hingen een paar mededelingen op een bord bij de wc's: B.S. Svets repareerde propellers. Iemand verkocht zeejachten tegen goede prijzen. De stad Göteborg maakte bekend dat honden aangelijnd moesten zijn. Gold dat ook voor pups, ha ha. Hij zag Jana zonder lijn over de brug rennen. Ze kon geen vlieg kwaad doen, niet eens een mug. Jana en hij op het Opalplein tegen de bende! Misschien zou hij haar later op de dag meenemen, vanavond, alleen maar om te zien hoe die eikels reageerden.

De hond rende over het veld, holde in de volledige vrijheid stuntelend alle kanten op en hij volgde haar, hoorde hoe het knisperde toen hij over de dode bladeren liep die onder de sneeuw verborgen lagen, de wind had de bovenste lagen sneeuw weggeveegd, maar de bladeren waren toch niet te zien. Hij draaide zich om; er was nog steeds niemand op de parkeerplaats, niemand op de brug, er was niemand te zien op het fietspad, niemand bij de huizen, alleen hij en de pup waren hier, het was alsof zij de enigen waren die leefden. De wind floot over de velden, het was een onmenselijk geluid.

De baai Kungsviken doemde onder hen op. De wind verjoeg de wolken in een paar tellen. Winter kreeg een brandend gevoel achter zijn ogen. Hij had geen zonnebril bij zich. De kapotte zenuwen in zijn achterhoofd prikten. Hij hoorde het geruis van de zee tussen zijn oren.

'Ik ben hier in geen jaren geweest,' zei Gerda Hoffner. 'Ik herken het hier helemaal niet.'

'Er is de afgelopen jaren veel gebouwd,' zei Winter. 'Vroeger had je hier alleen maar velden en klippen.'

'Ik heb hier vaak gefietst,' zei ze.

'Ik ook. En daarna ging ik zwemmen bij Järkholmen.'

'Dat durfde ik nooit. Dat is toch waar die strandhuisjes staan? Is dat geen privéstrand?'

'Ik heb het nooit gevraagd,' zei Winter.

'Dat is waarschijnlijk het beste,' zei ze. 'Je moet niet te veel vragen.'

'Soms niet,' zei hij en hij parkeerde de auto naast een KABE-caravan die midden in de jachthaven stond. Hij draaide zich naar haar om.

'We kunnen naar het strand gaan,' zei hij. 'Dat had ik vandaag toch al willen doen.'

'Waarom?'

'Alles hier betekent iets,' zei hij. 'Alles wat je kunt zien, en wat je je misschien herinnert.'

De pup vond het leuk op de klippen. Ze bleef uit de buurt van het water. Ze leek een aangeboren respect te hebben voor de klippen, die de zee in helden. Als een wolvenjong dat besloten heeft om op de spoorrails te blijven tot het plotseling kilometers verderop een trein hoort, lang voordat een mens iets hoort, iets voelt, en er spoorslags vandoor gaat.

'Jana, hier!'

Ze trok zich niets van hem aan. Ze was op weg naar de hoogste klip, die zich als een bergtop verhief. Hij volgde haar.

Toen hij boven was, zag hij het lokkende open water. Dat trok alles naar zich toe. De lagergelegen klippen waar de mensen 's zomers lagen te zonnen, waren gevormd door het landijs. Dat had hij gelezen op het mededelingenbord bij de brug. Het was ongetwijfeld waar. Dat was voor zijn tijd. Niet veel mensen die nu leefden, waren er toen bij geweest. Niet veel zouden het volhouden tot de volgende ijstijd. En voordat die kwam, zou het zo warm worden dat al het ijs op aarde zou smelten. Die mooie huizen daarginds zouden onder water komen te liggen. Dat was pas rechtvaardig. Maar hierboven zou het droog zijn. Hij moest misschien hier blijven, alle gebeurtenissen afwachten.

'Zullen we hier blijven, Jana?' vroeg hij, maar ze liep alweer weg.

Hij volgde haar, een andere klip op. De zee lag nu grotendeels achter hen. Hij kon alles op het vasteland zien. Daar reed een eenzame auto, die nu bij de jachthaven parkeerde.

Ze liepen over het fietspad naar Järkholmen. De golven aan hun linkerhand waren midden in hun beweging richting het strand bevroren, als een foto die zou oplossen als het leven in het voorjaar verderging. De zee was een levend organisme. Winter wilde de zee elke dag zien, haar elke dag aanraken. De dag waarop hij het symbolische lint op zijn stuk grond vijftien kilometer verderop zou doorknippen en de eerste symbolische spade in de grond zou steken om te gaan graven, kwam steeds dichterbij. Symbolisch waarvoor, dacht hij toen de strandhuisjes voor hen door het plotselinge zonlicht in een gele, rode, blauwe kleurenpracht explodeerden.

Op dit moment voelde het als het graven van een graf; gegraaf begint altijd als een graf. De wind had de sneeuw van het zand geveegd. Hij boog zich voorover en wreef over het dunne ijs. Dat was vlak als zand, zag eruit als zand. Even verderop zag hij de ruïnes van een zandkasteel. Eén toren stond nog overeind, en een groot deel van de muur. De kou zou de ruïnes nog een maandje bewaren. Misschien hadden twee kinderen die Erik en Anna heetten het kasteel gebouwd en het achtergelaten voor het nageslacht. Misschien hadden ze in het voorjaar terug willen komen om het te repareren en uit te bouwen. Dan werd het een eeuwig kasteel. Hij zou hier van de zomer met Elsa en Lilly naartoe fietsen om te bewaren en te bouwen. Dat duurde nog lang. Dat was een andere wereld, misschien een betere.

'Nu ben ik hier dan toch,' zei ze.

'Niemand zal ons wegsturen,' zei hij.

'Ik kan me voorstellen hoe het hier 's zomers moet zijn,' zei ze.

Hij draaide zich om, naar het land. De berg aan de andere kant van de weg leek een gebalde vuist naar de hemel. Wat heb je nu gedaan, God? Kon je ons zelfs hier in het paradijs bij de zee niet met rust laten? Mogen er dan nergens paradijzen bestaan?

Hij hoorde haar iets zeggen.

'Sorry, wat zei je?' vroeg hij en hij liep dichter naar haar toe. Hij wist dat hij de woorden had moeten horen. Het gezoem in zijn oren kapte de hoge tonen af voordat die hem bereikten. Maar zij had geen hoge stem.

'Dit was misschien wel het strand waar de familie Mars naartoe ging,' zei ze. 'Mensen die hier kwamen, hebben het gezin gekend.'

'Ja.'

'We zouden met ze kunnen gaan praten.'

'Ja.'

'Ze lijken niet naar ons toe te willen komen.'

'Nee.'

'Luister je wel naar wat ik zeg?'

'Natuurlijk.'

'Je lijkt ergens anders te zijn met je gedachten. Je kijkt me niet aan.'

'Ik kijk naar de palen die in de zee-engte tussen de eilanden uit het ijs omhoogsteken. Het zijn net soldaten.'

'Soldaten?'

'Laten we naar het huis gaan,' zei hij. Hij draaide zich om en liep de klippen op. Een achtergebleven speelgoedemmer van blauw plastic rolde in de wind heen en weer. Hij had zojuist ook een schep in dezelfde kleur gezien, van hetzelfde plastic. Hij wilde niet meer zien.

Toen ze weer op het fietspad waren, zag hij dat de geul met stromend water in de zee-engte in het afgelopen halfuur door het ijs was gedicht. Straks kon je van het Ågrenska Gehandicaptencentrum op Lilla Amundö naar het vasteland lopen. Al konden natuurlijk lang niet alle bewoners van het centrum lopen.

Ze passeerden een verkeersbord waarop een volwassen silhouet de hand van een kindersilhouet vasthield, 0-1 kilometer tot aan de jachthaven moesten ze elkaar bij de hand vasthouden. Overal kinderen, kinderen, kinderen, op afbeeldingen, in gedachten, herinneringen. Dit is mijn eerste zaak, dacht hij. Hiervoor heb ik niets gedaan. Dit heeft mij teruggelokt. Mijn gebed is verhoord. Ik had me niets groters kunnen wensen.

Iemand had het woord VREDE op een klip geschreven, wit op zwart, letters van een meter hoog die niet op gewone graffiti leken. De zon scheen op hun gezicht. Die verwarmde hen bijna. Gerda had een zonnebril op. Zij was professioneel. Ze waren terug bij de auto. Daarnaast lag de Kiki II, voor de winter aan land getrokken, een middelgrote zeilboot waarvan hij het merk niet wist. Sinds hij als tiener in de zuidelijke scherenkust had rondgevaren, was er veel veranderd in de branche.

Hij zag dat ze naar iets in de verte keek, haar hoofd opgeheven, de zonnebril in de zon.

'Daar staat iemand,' zei ze zonder te wijzen.

Op een hoogte op Stora Amundö stond een gestalte. Die zag er ook uit als een soldaat.

'Hij staat daar al een poosje,' zei ze. 'Hij heeft zich al die tijd niet verroerd.'

'Stap in,' zei hij en hij opende het portier.

De auto begon te rollen, laveerde tussen de boten op het land, ha. Hij had twee personen op het fietspad zien lopen, daarna waren ze in de auto gestapt. Nu reed die weer, hij had alles gezien wat bewoog, hij hoefde niet meer te zien.

Jana huppelde naar beneden, ze daalden af, bereikten het pad, af en toe zag je wat grind door de sneeuw. De pup leek de weg terug naar de brug en de parkeerplaats te weten, een aangeboren vermogen. Hij hoefde alleen maar te volgen. Hij bevond zich nu op het veld. Jana draaide zich om en keek naar hem. Ren jij maar, fikkie. Dit is echte vrijheid.

Winter zette de auto vlak bij de brug neer. Er stond maar één andere auto op de parkeerplaats, een witte Toyota uit de tijd dat de eeuw nog jong was.

Ze liepen de brug op. De gestalte was weg, Winter had hem zien verdwijnen toen ze in de auto zaten. Hij voelde steken in zijn achterhoofd alsof hij door naalden werd geprikt en hij wist wat dat betekende.

'Waar is hij gebleven?'

Iets in zijn stem deed haar schrikken.

'Daarginds beweegt wat,' zei ze na een poosje en ze wees naar het pad, in de richting van de bosrand.

'Waar dan?'

'Wacht... Het is een hond die over de weg rent!'

'Ik zie het,' zei hij.

'Het is een pup.'

'Hij draait zich nu om,' zei Winter. 'Hij heeft ons gezien. Hebben pups goede ogen?'

'Ik weet het niet,' zei ze.

De hond was honderd meter van hen verwijderd. Ze waren de brug overgestoken en liepen nu op de met ijs bedekte weg. De pup rende terug naar de plek waar ze tevoorschijn was gekomen.

'Volgens mij is het een collie,' zei Gerda.

'Labrador en collie,' zei hij en hij keek haar aan. 'Je zei dat je een foto had gezien.'

'Ik weet het niet. Het was een slechte foto, en bovendien alleen van de kop. Ik heb niet echt veel verstand van honden. Het is trouwens veel te ver weg.'

Je kunt niet overal goed in zijn, dacht Winter. Toen rende hij al, snelde over het ijs, en viel na tien meter. Chaplin had het niet beter kunnen doen, of Bambi. Hij bezeerde zijn heup en zijn hoofd. Ze lachte niet. Er was te weinig publiek. Hij kwam langzaam overeind. De volgende keer zou hij snowsteps omdoen, maar kon je wel rennen met snowsteps onder je schoenen? Hij holde weer, nu over vast grind.

'Blijf bij de brug,' schreeuwde hij en hij draaide zijn hoofd om, 'laat versterking komen!'

Hij wist het. Het was nu, het was hier. Hij wist het, zoals alleen dwazen en kinderen iets weten.

Jana had rechtsomkeert gemaakt en was bij hem teruggekomen, hij hield zijn hand voor haar snuit en nu was een van de mensen in de verte, de man, gaan rennen alsof hij plotseling had besloten te trainen, en toen viel die idioot, hij kwam weer overeind en rende verder in zijn richting, in hun richting, alsof hij iets wilde. Voor zover hij kon zien droeg de man een lange jas, een deftige jas.

Ze hadden zijn auto op de parkeerplaats aan de andere kant van het ijs gezien.

Iemand moest hem zijn gevolgd toen hij die bendeleden op het plein had neergestoken. Iemand moest de aanval hebben gemeld. Het was gebeurd. Het was geen droom. Hij was niet gek.

Hij stond in de bosrand tussen de bomen en hield Jana onder zijn jack. De hond was stil, ze had het daar natuurlijk lekker warm. Misschien viel ze wel in slaap. De takken waren bedekt met een dikke laag sneeuw, de hollende man kon hem niet zien, maar hij kon de ander wel zien. Nu had die klootzak de bosrand bereikt. Een smeris. Hij holde nog steeds, er wapperde iets om hem heen, een stropdas, hij zag eruit alsof hij ergens naartoe zou, niemand wist waarheen, de smeris zelf sowieso niet. Laat hem maar over het hele eiland rennen, te pletter vallen op de klippen, op het ijs.

De smeris hield halt. Misschien ging hij voor de bomen met zijn legitimatie zwaaien. Hebben jullie iets gezien? Het is jullie plicht om te getuigen! Wat hebben jullie gezien?!

Jana bewoog onder zijn jack en plotseling sprong ze weg. Hij probeerde haar achterpoten beet te pakken, maar ze verdween als een haas tussen de bomen. Recht op de weg af. Een afstand van hoogstens dertig meter. De hond was inmiddels het bos uit, rende over de weg langs de smeris die haar met zijn blik volgde en vervolgens zijn blik op hem richtte, alsof hij door sneeuw en ijs en hout heen kon kijken. De man kwam een paar passen dichterbij. Hij zag natuurlijk de sporen, het was logisch dat er sporen waren.

'Kom tevoorschijn,' riep hij nu. 'Politie.'

Ik geef geen antwoord. Waarom zou ik antwoord geven, hij kan Jana meenemen, ik heb haar niet nodig, ze is toch waardeloos.

'Ik wil alleen een paar vragen stellen,' hoorde hij de klootzak roepen.

Een paar vragen. De eerste vraag: waarom hebt u de jongens neergestoken? Tweede vraag: hoeveel hebt u er neergestoken? Zoiets. Hij was niet van plan dat soort vragen te beantwoorden. Hij kon op een andere manier antwoorden – als hij de smeris maar meekreeg naar zijn auto, dan kon hij het staal pakken en echt een goed antwoord geven. Dat was misschien helemaal geen slecht idee. Gewoon naar voren stappen en net doen alsof hij meewerkte, tot ze bij de auto waren. De vrouw die de smeris bij zich had gehad, was misschien een juut, maar ze was vast waardeloos, alleen maar aangesteld om aan een quotum te voldoen.

Nu rende de hond terug, vlak voor de voeten van de detective! De klootzak had geen tijd om te bewegen. Jana had pas tijdens dit uitstapje leren rennen. Ze sprong weer in zijn armen. Ze wist waar ze thuishoorde.

Hij hoorde het geloei van sirenes aan de andere kant van de baai. Ze speelden voor hem. Wat een eer. Het was inmiddels gaan schemeren, hij zag de blauwe zwaailichten langs de hemel razen. Dat was mooi, maar het werd tijd om hier weg te gaan. Hij draaide zich om en begon door de sneeuw te hollen, tussen de bomen door. De takken raakten hem, hij hield Jana met beide handen vast, waardoor hij geen handen meer vrij had die de takken konden wegduwen en hij voelde de scherpe, natte klappen in zijn gezicht, zijn ogen begonnen te tranen, hij knipperde een paar keer en bleef maar rennen, het bosje werd dunner en hij kwam op een open plek, verderop zag hij klippen glinsteren in het licht, het was de maan, die stond al aan de hemel, jezus wat ging dat snel, hij merkte dat hij nu nog harder holde, naar het badstrand en zo meteen het ijs op, en dan eroverheen en terug naar het vasteland. Hij herinnerde zich dat hij toch een wapen bij zich had, het mes zat in zijn jaszak, hij voelde het op en neer bewegen, op alles voorbereid, stiletto, biletto weg van hier, wat er ook gebeurde.

Winter had een voet naar de pup kunnen uitsteken, dat was alles, en het had niet veel gescheeld of hij had zijn evenwicht opnieuw verloren. Lange poten en een puntige snuit en in een flits langs hem heen. In een paar tellen verdwenen, tussen de bomen en hij hoorde de stappen en een blaf en toen andere voetstappen, zwaarder, op weg daarvandaan, ze waren niet ver weg maar het klonk alsof iemand als een waanzinnige door het bos rende, iemand die niet met hem wilde praten, die zich niet kenbaar wilde maken, geen vragen wilde beantwoorden.

Winter holde weer, nu over het met ijs bedekte wandelpad. Als hij steeds zijn hele voet op de grond zette, kon hij de ondergrond pareren. Bij elke pas die hij zette, deed zijn hiel zeer. Aan de andere kant van het eiland gilde een sirene in de schemering. Als hij het zich goed herinnerde maakte de weg vlak na de heuvel een bocht en ging dan steil links naar beneden, naar het badstrand, het was nog maar een paar honderd meter, als hij die richting door het bos aanhield, kwamen ze elkaar misschien tegen.

Hij rende verder de heuvel op, zijn kuit kon het elk moment begeven, de pees in zijn hiel; hij had een goede conditie omdat hij in Spanje vier keer in de week had hardgelopen, van Marbella naar Puerto Banús en weer terug. Maar een man van boven de vijftig had een warming-up en stretching nodig die bijna even lang duurde als het hardlopen zelf en nu was hij zonder dat alles weggesneld.

Maar zijn voeten en benen hielden het. Hij had nu de top bereikt, hoorde zijn eigen ademhaling, trok tijdens het lopen met een wilde ruk de stropdas van zijn hals, rukte de kraag van zijn overhemd open en voelde de knopen als uitgeslagen tanden in zijn hand, wurmde zich uit zijn jas, veegde het haar uit zijn ogen, trok de knoop van zijn colbertje los. De elegantste hardloper ooit op Stora Amundö. Als hij deze wedloop won, moesten de fabrikanten van hardloopkleding zich maar eens herbezinnen.

Voor hem rezen klippen op in een dof gloeiend schijnsel. De maan stond aan de hemel, hij wierp er een blik op, de hemel werd zwart en de maan was zo vol als die maar kon worden, dit werd een nacht voor weerwolven, die was al begonnen. Hij voelde zijn mobieltje bonken in zijn borstzak, het bonkte in zijn oren, het ruiste, de adrenaline stroomde terug zijn hoofd in, de adrenaline had hem twee jaar geleden bijna de das om gedaan en hij hoopte maar dat die hem nu zou helpen, hem nog een eindje verder zou helpen. Hij was al bij de baai, stond op het strandje waar hij drijfhout had verzameld met Elsa en Lilly, het maanlicht werd elke seconde feller en het ijs glom als zilver en er bewoog niets, het was als een verlaten zeevloer. Winter draaide zich om, naar het bos, maar daar bewoog ook niets, hij draaide zich weer om naar de ijsvloer en nu zag hij in de verte een silhouet, zwart tegen al het wit en zilver, over het ijs op weg naar Lilla Amundö.

Winter glibberde het ijs op, gleed naar voren. Als hij deze wedloop won, moesten de fabrikanten van ijshockeyuitrusting zich ook maar eens herbezinnen. Het was honderd meter naar de gestalte die op dezelfde manier bewoog als Winter: twee passen naar voren, een pas terug, een naar opzij. De wind had het ijs gepolijst als voor een schaatswedstrijd. De ander had een voorsprong, als hij aan land kwam, zou hij kunnen verdwijnen terwijl Winter naar het strand glibberde. Ze hadden misschien zijn auto gevonden, maar die kon net zo goed gestolen zijn.

Nu stopte de ander. Iets anders bewoog op het ijs. De hond! Die had zich kennelijk losgemaakt, holde heen en weer alsof het een spelletje was, maar dat was het niet. Winter gleed verder, duwde zich vooruit als een schaatser, hij had zijn techniek gevonden en het silhouet voor hem veranderde in een man die naar het eiland bewoog. Het was niet ver meer en de man bekommerde zich niet langer om de hond, maar liep nu iets te stevig door om te ontsnappen aan het gevaar dat hem achtervolgde, hij gleed met één been te ver door en viel op zijn rug en Winter was nu niet meer ver van hem verwijderd, dertig meter, twintig meter, hij zag de man overeind krabbelen en verder gaan en zich omdraaien, tien meter nu, hij was nu definitief gestopt en hield iets in zijn hand wat in het maanlicht ook glom als zilver. Winter wist wat het was en stopte toen hij een paar meter van de ander verwijderd was, hij greep naar het pistool onder zijn oksel en de man wierp zich naar voren, alsof hij door de wind werd weggeslingerd; Winter wist zijn wapen te pakken en toen het lemmet van het mes met een fluitend geluid op hem af kwam, gebruikte hij zijn pistool als een ijshockeystick en sloeg ermee op de arm van de man. De smeerlap liet het mes met een schreeuw los en Winter sloeg nog een keer, hij hoorde iets in de arm breken, een heerlijk geluid, hij sloeg de man op zijn achterhoofd toen hij omviel, deed een pas naar achteren, trapte hem in zijn zij, trapte, trapte, hoorde een geluid dat hem deed denken aan lucht die uit een luchtbed wordt geperst op een late zomerdag, wanneer het tijd is om naar huis te gaan en het hele gezin op het luchtbed zit te lachen en winden te laten, vader, moeder, grote zus, middelste broer en kleine, kleine zusje.

Jovan Mars was blind voor de wereld waarin hij had geleefd en blind voor alles wat hem in de toekomst wachtte. Daar leek het op. Maar Halders wist het niet zeker, hij wist nooit iets zeker.

Hij had naar datums gevraagd. Ze moesten uitgaan van een datum.

'Wat deed je die avond?'

'Niets.'

'Was je alleen?'

'Ja.'

Mars accepteerde alles. Hij wilde misschien weg. Hij had niet gevraagd waarom hij nog op de Skånegatan was. Misschien wist hij nog steeds niet goed waar hij was. Er waren allerlei verklaringen mogelijk.

'Heb je die avond met iemand gepraat?'

'Nee.'

'Die nacht?'
'Nee.'
'Wat deed je die nacht?'
'Ik sliep.'
'Alleen?'
'Ja.'
'Hoe laat op de avond heb je iemand gesproken?'
'Ik heb niemand gesproken.'
'En overdag?'
'Weet ik niet meer.'
'Laat in de middag?'
'Weet ik niet meer.'
'Wanneer heb je Sandra gesproken?'
'Weet ik niet meer.'
'In de loop van die avond?'
'Nee.'
'In de nacht?'
'Nee.'
'Wanneer sprak je haar voor het laatst?'
'Weet ik niet meer.'
'Probeer het je te herinneren.'

Daar antwoordde Mars niet op. Tijdens het verhoor had hij zijn hoofd geen enkele keer opgeheven.

'Wanneer sprak je je kinderen voor het laatst?'

Dat was geen leuke vraag. Verhoren afnemen was geen leuk werk. Halders was niet de beste ondervrager, maar ook niet de slechtste. Hij had moeite met het gepraat eromheen, de beste ondervragers konden goed in cirkeltjes praten, kleiner en kleiner, tot het gesprek bij de kern kwam, als er een kern was. Soms was er slechts een schil, als bij een ui.

'Weet ik niet meer,' zei Mars.

Allemachtig, werd de man soms psychotisch?

'Vorige week?'

Mars antwoordde niet.

'Waarom heb je Sandra niet gesproken?'

'Weet ik niet meer.'

'Hadden jullie ruzie gehad?'

'Ja.'

'Waar hadden jullie ruzie over?'

'Weet ik niet meer.'

'Ging het over je werk?'

'Ja.'

'Wat was het probleem?'

'Weet ik niet meer.'

'Was je te vaak van huis?'

'Ja.'

'Was dit nieuw voor jullie?'

'Nee.'

'Waar hadden jullie deze keer ruzie over?'

'Weet ik niet meer.'

'Wat was er gebeurd?'

'Weet ik niet meer.'

'Wat was er deze keer gebeurd?'

'Weet ik niet meer.'

'Had Sandra iets gedaan?'

'Nee.'

'Had jij iets gedaan?'

'Nee.'

'Wat was het dan?'

'Weet ik niet meer.'

'Had iemand anders jullie iets aangedaan?'

'Weet ik niet meer.'

'Wie was het?'

Mars gaf daar geen antwoord op.

Hij hief nu zijn hoofd op. Zijn ogen waren terug. Het moment is voorbij, dacht Halders.

'Wanneer mag ik naar huis?' vroeg Mars.

'Na dit gesprek,' zei Halders.

'Dank je.'

'Maar je kunt nog niet naar huis, niet voorgoed. Het is een plaats delict.'

'Dat weet ik. Ik ga naar mijn zus. Ik ga nooit meer naar dat huis.'

'We willen dat je met ons meegaat voor een snel bezoek.'

'Waarom?'

'Misschien zie jij wat er ontbreekt.'

'Wat er ontbreekt?'

Halders knikte.

'Wat zou dat moeten zijn?' vroeg Mars.

'We hopen dat jij ons dat kunt vertellen.'

'Hoe zou ik dat moeten weten?'

Jij bent de enige, dacht Halders, jij bent de enige die nog kan praten.

'Is Greta bij mijn zus?' vroeg Mars.
'Ik weet het niet. Binnenkort.'
Mars zei niets meer. Zijn blik was elders.
'Heb jij het gedaan?' vroeg Halders.
'Nee.'

8

Christian Runstigs pols was niet gebroken. Waarschijnlijk had Winter een laagje ijs horen verbrijzelen toen hij Runstig per ongeluk met de loop van zijn pistool had geraakt. De man had geklaagd over pijn in zijn zij, maar de arts in de ambulance had geen diepe verwondingen ontdekt, alleen een paar blauwe plekken die waren ontstaan toen Runstig was uitgegleden en Winter tegen hem aan was gebotst.

De man kon worden verhoord.

'Wat doen we nu met de advertentie?' had Gerda Hoffner gevraagd toen ze terugreden naar de stad.

'Met dat spoor gaan we gewoon verder,' had Winter gezegd.

Het was kennelijk een domme vraag, had Hoffner gedacht. Maar misschien begrijp ik het later.

Runstig zat tegenover Winter in het dode licht van de allerergste verhoorkamer. Die was in de nieuwe wereld gespaard gebleven, dezelfde kamer in dezelfde kelder. Een uitdaging voor iedereen.

De videocamera stond aan. De recorder liep.

Winter nam zachtjes de formaliteiten door. Runstigs identiteit was geen probleem, hoewel hij in de ambulance niets over zichzelf had gezegd. Hij had niet over pijn geklaagd. Hij had niets gevraagd. Alsof hij al wist waarom hij was aangehouden.

Zoals wanneer alles voorbij is, dacht Winter terwijl hij Runstig gadesloeg, het is al voorbij voordat het is begonnen. Mijn ergste zaak, mijn snelste zaak.

Runstig had een normaal Scandinavisch uiterlijk met blond haar en blauwe ogen, hij was ongeveer 1,85 meter lang, droeg verstandige winterkleding, stevige schoenen, beter winterschoeisel dan Winter. Zijn ogen waren ongefocust, maar dat gold voor iedereen op die stoel. Iedereen die daar zat, leek weg te dromen bij deze plek. Hoe beter de antwoorden die ze gaven, des te sneller hun droom werkelijkheid werd. Het kon vijf minuten duren, vijf uur, tien uur, tien dagen.

Winter voelde niets voor de man die tegenover hem zat. Runstig was waarschijnlijk geestesziek, heel gevaarlijk, maar dat wisten ze nog niet.

Ze wisten dat zijn naam niet in het strafregister voorkwam, niet één keer. Ze wisten dat hij werkloos was, een verleden had als verkoper, huis aan huis, maar ook telefonisch, het ergste van het ergste. Ze wisten dat hij getrouwd was. Waar hij woonde. Dat hij een hond had. Hij had die hond ergens gekocht. Er was geen verkoper meer die de verkoop of de koop kon bevestigen, die zou er nooit meer zijn.

'Waar hebt u de pup gekocht?' vroeg Winter.

'Waar is ze? Waar is Jana?'

'Beantwoord de vraag,' zei Winter.

'Wat heeft Jana hiermee te maken?'

'Waarmee?' vroeg Winter.

'Hiermee. Met dat ik hier zit.'

'Waar hebt u haar gekocht?' herhaalde Winter.

'Waar?'

'Ja. Waar ergens?'

'Ik ben de naam van de straat vergeten.'

'Welk deel van de stad?'

'Het was in... het zuiden. Bij het eiland.'

'Welk eiland?'

'Amundö.'

'Hebt u de pup bij Amundö gekocht?'

'Dat zei ik net. Een huis vlak bij Amundö. Stora Amundö heet het geloof ik.'

'Waar ligt dat huis?'

'Heb ik dat net niet gezegd?'

'Zou u het kunnen aanwijzen?'

'Dat weet ik niet zeker. Het was een houten huis te midden van andere houten huizen. Ik weet niet eens zeker of het wel van hout was.'

'Hoe ver lag het van het eiland?'

'Niet ver.'

'Hoe ver?'

'Tja, honderd meter misschien.'

Runstig was kalm. Hij had geen problemen met de vragen. Winters enige probleem was dat Runstig geen idee leek te hebben waarom deze vragen aan hem werden gesteld.

Misschien was hij alles vergeten. Misschien was hij het al vergeten op het moment dat hij het huis had verlaten. Dat kwam wel vaker voor.

'Zou u het huis terug kunnen vinden?'

'Dat hebt u toch al gevraagd?'

'Ik vraag het nog eens,' zei Winter. 'Zou u het terug kunnen vinden?'

'Ik denk het wel.'

'Waarom ging u ernaartoe?'

'Hè?'

'Waarom ging u naar het huis?'

'Welk huis?'

'Het huis bij Stora Amundö. Het huis waar we het hier over hebben.'

'U hebt het erover.'

'Waarom ging u naar dat huis?'

'Is dat niet afgehandeld? Om de pup te kopen, natuurlijk!'

'Van wie hebt u die gekocht?'

'Van de persoon die in het huis woonde.'

Runstig bewoog geen spieren in zijn gezicht, geen lachspieren, niets. Winter herkende het type, ze interpreteerden de vragen letterlijk, in elk geval soms, en gaven in hetzelfde verhoor antwoorden in verschillende richtingen. Net als een voetbaltrainer aan wie voor de wedstrijd werd gevraagd hoe zijn ploeg zou gaan winnen en antwoordde: 'Door meer doelpunten te maken dan de tegenstander.'

'Wie woonde er in het huis?'

'Ik ben haar naam vergeten.'

'Was het een vrouw?'

'Ik zei toch háár naam, is het niet?'

'Was het een vrouw die de pup aan u verkocht?'

'Dat zei ik net.'

'Waren er de keer dat u de pup kocht nog meer mensen in het huis?'

'Ik ben er maar één keer geweest.'

'Dat vroeg ik niet.'

'Wat vroeg u dan?'

'Waren er meer mensen?'

'Wanneer?'

'Kiest u zelf maar,' zei Winter.

'Ik ben er maar één keer geweest.'

'Wanneer was dat?'

'Toen ik Jana kocht.'

'Heette ze Jana toen u haar kocht?'

'Nee.'

'Hoe komt ze aan die naam?'

'Ik heb haar die naam gegeven. Misschien was het trouwens mijn vrouw. Dat weet ik niet meer.'

'Hoe heette de hond eerst?'

'Ze had geen naam.'

'Hoe weet u dat?'

'Dat zei de vrouw die de hond verkocht.'

'Hoe komt het dat u zich dat herinnert?'

'Geen idee.'

'Waarom vertelde ze dat aan u?'

'Geen idee.'

'Probeer het u te herinneren.'

'Het had met een allergie te maken,' antwoordde Runstig meteen.

'Op welke manier?'

'Allergie, allergie, zijn er meer manieren? Wat heeft een "manier" ermee te maken?'

'Waarom noemde ze de allergie?'

'Ik denk... Ze hadden de hond nog niet zo lang. Ze was allergisch. Ze hadden de hond nog geen naam gegeven.'

'Wie zijn ze?'

'Hè?'

'Wie zijn die andere "ze"?'

'Ik heb ze niet allemaal gezien.'

Winter voelde de bekende koude rilling op zijn achterhoofd. Een koude schok plantte zich voort tussen zijn benen, hij wist nooit waarom, had het waarom nooit nader onderzocht; het gebeurde wanneer hij een stap verder in de duisternis zette, alsof zijn geslachtsorgaan contact hield met de afgrond, alsof het altijd over seksualiteit ging. Hij hoorde nu niets in zijn oren, het was te donker, zijn oren waren blind geworden, hij was nu niet meer dan een jager, de klootzak voor hem was een jager.

'Wie zijn de anderen?'

'Hè?'

'Wie zijn de anderen die u niet zag?'

'Geen idee.'

'Waarom noemde u ze?'

'Ik zei maar wat. Ik neem toch aan dat ze een man heeft. Ik heb geen flauw idee, misschien is ze wel gescheiden, ik heb geen idee. Ik neem het terug.'

'U had het over meer mensen.'

'Dat was een vergissing, oké? Mea culpa, oké? Mea maxima culpa.'

'Wie hebt u gezien?'

'Ik heb niemand gezien. Ik kocht een hond van die vrouw en ben weer weggegaan. Waar gaat dit allemaal over?'

Runstig keek naar de camera, naar de recorder, alsof die hem antwoord zouden geven, maar de enige antwoorden die er waren, waren die van hemzelf en die zouden mogelijk waardeloos blijken. Winter wist het nog niet, dat wist hij meestal pas als hij vele malen naar de opnamen had geluisterd en gekeken. Het ging niet alleen om de woorden, de woorden waren niet meer dan de buitenste laag.

'Welke anderen zag u in het huis?'

'Haar kinderen. Een paar kinderen.'

'Hoeveel kinderen zag u?'

'Een paar, zeg ik toch. Dat betekent twee.'

'Waar bevonden die zich?'

'In het huis natuurlijk.'

'Waar in het huis?'

'Ik weet het niet, eerst in de hal, dat was toen ik had aangebeld, en daarna in de woonkamer, geloof ik.'

'U bent in de woonkamer geweest?'

'Ik weet niet hoe zij het noemen.'

'Welke "zij" bedoelt u nu?'

'Wat is dit voor gekloot? De mensen die in het huis wonen, natuurlijk! Ik weet niet wie ze zijn. Ik weet geen moer over dat gezin. Ik heb een pup van ze gekocht en dat is verdomme alles. Is het tegenwoordig soms een misdrijf om een pup te kopen? Anders snap ik niet waarom ik hier zit. Mogen Zweedse staatsburgers misschien geen huisdieren meer kopen?'

Winter zag iets oplichten in Runstigs ogen. Hij was niet van plan het licht te volgen. Dat zou hen heel ver van het huis voeren. Runstig was vloekwoorden gaan gebruiken, dat had hij eerder niet gedaan; hij had zich geëngageerd getoond, dat was hij eerder niet geweest.

'In welke kamers bent u geweest?'

Runstig antwoordde niet.

'Bent u in meerdere kamers geweest?'

'Nee, slechts in één. En niet lang. Als iemand daar heeft ingebroken, kan ik u zeggen dat ik het niet was.'

'Welke kamer was dat?' vroeg Winter.

'Meteen na de hal. Ik liep door de hal en daar was de kamer, een vrij grote kamer. Daar was de pup.'

'Had u de pup niet in de hal gezien?'

'Dat weet ik niet meer. Ik geloof het niet. Is dat belangrijk?'

Het licht in Runstigs ogen was weer gedoofd. Winter wist niet zeker of dat goed was. Hij had misschien een fout gemaakt. Dit was een interessant verhoor. Runstig praatte meer dan nodig was. Wat wilde hij verdomme bereiken?

'Waarom ging u naar dat huis?'

'Ik zou toch een pup kopen? Is dat inmiddels niet duidelijk geworden in dit verhoor, of hoe ik dit gesprek ook maar moet noemen?'

'Hoe wist u dat de pup te koop was?'

'Een advertentie.'

'Waar zag u de advertentie?'

'In de *Göteborgs-Posten*.'

'Welke dag was dat?'

'Geen idee. Zijn er mensen die dat soort datums onthouden?'

'Wat bedoelt u met "dat soort datums"?'

'Datum, gewoon datum, mensen die zich datums herinneren. Wat voor datums dan ook.'

'Wat deed u toen?'

'Wat deed ik wanneer?'

'Wat deed u toen u de advertentie had gezien?'

'Ik heb gebeld.'

'Wie nam de telefoon op?'

'De vrouw die de hond te koop had aangeboden.'

'De vrouw die u hebt gezien?'

'Ja.'

'Wat zei u?'

'Ik zei dat ik de pup uit de advertentie wilde kopen.'

'Hebt u de advertentie nog?'

'Nee, natuurlijk niet.'

'Wat zei ze?'

'Helemaal precies weet ik het niet meer, maar ze zei in elk geval dat ik de hond kon komen bekijken.'

'Wanneer was dat?'

'Wat?'

'Wanneer kon u komen nadat u de advertentie had gezien?'

'Diezelfde dag nog. Ik wilde geen risico nemen.'

'Wat bedoelt u met risico's nemen?'

'Ik zei dat ik geen risico wilde nemen.'

'Wat bedoelt u daarmee?'

'Dat iemand anders me voor zou zijn, natuurlijk. Dat risico bestond namelijk.'

'Hadden er meer mensen gebeld?'

'Geen idee.'

'Zei ze dat?'

'Ze zei er niets over, geen boe of bah.'

'Waarom had u haast?'

'Ik had geen haast.'

'Maar u dacht dat anderen naar het huis zouden gaan?'

'Ik had geen flauw idee. Dat nam ik aan.'

'Waarvandaan belde u?'

'Maakt dat wat uit?'

'Beantwoord de vraag gewoon.'

'Vanuit huis, denk ik. Het moet wel vanuit huis zijn geweest.'

'Wat voor telefoon gebruikte u?'

'Hè?'

Je hebt de vraag wel degelijk gehoord, dacht Winter. Dit is een klassieke truc om drie tellen bedenktijd te winnen. Dat is te weinig, het is altijd te weinig, je hebt jezelf verraden.

'Welke telefoon gebruikte u?'

'De telefoon thuis.'

'Het vaste abonnement?'

'Ja.'

'Nee,' zei Winter.

'Hè?'

'U hebt niet met uw vaste telefoon gebeld.'

'Hoe weet u dat, verdomme?'

'Met welke telefoon belde u?'

'Tja... Dan moet het met mijn mobieltje zijn geweest.'

'Die u bij u had toen wij elkaar tegenkwamen?'

'Tegenkwamen?'

'Toen u en ik elkaar tegenkwamen. De mobiele telefoon waar wij ons tijdelijk over hebben ontfermd.'

'Is er nog een andere?'

'Waarom gebruikt u een prepaidkaart?'

'Hè?'

'Waarom gebruikt u een prepaidkaart?' herhaalde Winter.

'Omdat niemand er iets mee te maken heeft met wie of waarheen ik bel,' zei Runstig.

'Waarom niet?'

'U hebt kennelijk geen bezwaar tegen de controlesamenleving,' zei Runstig, 'maar daarom kan ik dat nog wel hebben.'

De controlesamenleving kan zowel door rechts als door links worden aangevallen, dacht Winter, zo moet het zijn als we niet in terreur willen leven, voor altijd, in de terreur van de dictator.

'Zullen we de bullshit nu maar laten voor wat het is?' zei Runstig.

Winter knikte. 'Graag. Bullshit is nooit goed.'

'Ik heb het gedaan,' zei Runstig. 'Ik heb ze neergestoken. Maar dat weten jullie al. Dit is allemaal flauwekul.'

Hij gebaarde naar de tafel, de muren, de stoelen, de camera, de recorder, Winter. Flauwekul.

'Vertel,' zei Winter. Het was tijd voor open vragen, alles opende zich nu voor hen. Ze hadden het punt waarop alles zich opende al bereikt.

'Er valt niets te vertellen. Ik heb ze neergestoken. De rest weten jullie.'

'We weten bijna niets,' zei Winter. 'Begin bij het begin. Wanneer zag u de advertentie?'

'De advertentie?'

'We zouden de bullshit toch laten voor wat het was? De advertentie in de GP.'

'Wat heeft dat met die jongens te maken?' vroeg Runstig.

'De jongens?'

'De jongens die ik heb neergestoken. Of de jongen. Dat weten jullie beter dan ik.'

'Welke jongen bedoelt u?'

'Wat is dit verdomme? Waarom kan ik niet gewoon bekennen zodat ik weg kan uit deze klotekamer?! Weg van u!'

'Wat wil je bekennen, Christian?'

Dit was de eerste keer dat Winter Runstigs voornaam gebruikte, het voelde ongewoon, ongewoner zelfs dan de bizarre naam Runstig.

'Dat ik het uitschot op het Opalplein heb neergestoken, natuurlijk!'

Winter keek naar de recorder. Ook die zag er verbaasd uit. Er waren geen andere mensen in de kamer, niet bij dit verhoor, ze waren alleen.

Runstig boog zich naar voren. Het licht dat in zijn blik was gaan branden zocht Winters ogen.

'Dat is toch waarom ik hier ben?' vroeg Runstig.

'Volg je het nieuws, Christian?'

'Dat heb ik voortdurend gedaan! Maar geen woord hierover!'

'Geen woord waarover?'

'Over wat er op het Opalplein is gebeurd.'

'We zitten hier niet vanwege het Opalplein,' antwoordde Winter. Hij zou dit niet moeten zeggen, maar hij voelde zich genoodzaakt, op dit moment. 'We zitten hier vanwege Amundö.'

'Ik weet niet...' zei Runstig en hij stopte midden in de zin.

Winter knikte, misschien kon dat als een aanmoediging worden opgevat.

'Godallemachtig,' zei Runstig.

Winter knikte opnieuw.

'Nee, nee, nee,' zei Runstig.

Winter knikte nogmaals.

'Ik heb het nooit met elkaar in verband gebracht,' zei Runstig. Er was nog steeds licht in zijn ogen, een glinstering van een soort intelligentie.

'Wat heb je nooit met elkaar in verband gebracht?' vroeg Winter.

'Amundö... Het huis... De pup. Hoe... kunnen jullie iets over een pup weten?'

'Waarom zouden we dat niet weten?' vroeg Winter.

'Ik wist het niet. Ik had geen flauw idee, ik zweer het. Ik heb geen oproep gezien dat... dat de koper zich moest melden. Dat... dat ik me moest melden.'

'Die verschijnt vanmiddag,' zei Winter.

9

Runstig lag in zijn 'kamer' te rusten, een nieuwe naam die in zwang was geraakt nadat het politiebureau was vernieuwd. Iemand had het een keer zo genoemd, het personeel had het overgenomen, niemand wist waarom. Maar de cellen in het huis van bewaring waren nog net als vroeger, niet aangepakt bij de renovatie, gevuld met dof klinkende vrijheidsberoving voor bezinning en spijt. Als, als, als ik in een liefdevol gezin was geboren, als ik betere genen had gehad, als ik nooit was gaan roken.

Halders sloeg Runstig door het kijkgaatje gade. Runstig zat op de brits en keek recht voor zich uit, naar de muur. Zo zaten ze meestal. Dat hoefde niets te betekenen. Maar Halders zag de man overeind komen en om zich heen kijken alsof hij slechts op doorreis was. Hij droeg geen schuld. Halders draaide weg van de deur. Winter stond achter hem.

'Is hij gestoord?' vroeg Halders.

'Waarschijnlijk,' antwoordde Winter.

'Misschien volstaat een klein onderzoek naar zijn toerekeningsvatbaarheid,' zei Halders. 'Al heeft hij natuurlijk wel een agent aangevallen.'

'Dat is misschien zijn enige misdrijf,' zei Winter.

'Het ergste dat er bestaat.'

'Maar het enige.'

'En het Opalplein dan?' zei Halders.

'Heb jij iets gehoord over een steekincident dat daar zou hebben plaatsgevonden?'

'Nee.'

'Heeft een bende voor zijn eigen gewonden gezorgd?' zei Winter.

'Nee, nee. Er zijn altijd getuigen. Het zou toch 's middags zijn gebeurd? De winkels waren open.'

'Dat zegt hij.'

'Runstig heeft gedroomd,' zei Halders. 'Fascisten dagdromen voortdurend.'

'Heeft hij zich ook door het huis aan de Amundövik gedroomd?'

'Dat is de grote vraag, baas.'

Ze hadden uiteraard wangslijm bij Runstig afgenomen. Het eerste resultaat was negatief. Maar dat betekende op dit moment niets. Het zoeken naar een match zou doorgaan. Er waren nu zes dagen verstreken.

'Je kunt iemand doden zonder het slachtoffer eerst te neuken,' zei Halders.

'Dat is niet gebruikelijk,' zei Ringmar.

'Ik weet het, ik weet het. De seksuele drift is het ergste wat er is.'

Aneta Djanali was niet aanwezig. Dat verklaarde misschien waarom Halders in zijn oude manier van praten was teruggevallen. In zekere zin had Winter het gemist, kleine doses ervan had hij gemist.

'Het is dus iemand anders,' zei Ringmar.

'Het is niet Jovan Mars,' zei Halders.

Het DNA van Mars kwam nog niet overeen met het sperma dat bij Sandra Mars was aangetroffen. Tijdens het vooronderzoek betekende dat ook niets, mocht dat niets betekenen. Iedereen was schuldig tot het tegendeel was bewezen, zo werkten Winter en zijn mensen binnen de AED in elk geval. Dat was in strijd met de wet. Maar het was de enige manier waarop ze konden werken.

'Mars heeft het gedaan, Runstig heeft het gedaan, X heeft het gedaan,' zei Winter. 'Ik heb Runstig nog maar amper gesproken.'

'Is er nieuws van de technische afdeling?' vroeg Halders.

'Torsten is bezig met de sleutels,' zei Winter. 'Ze hebben een sleutelbos gevonden die misschien van Sandra is. Er zijn diverse sleutels van de voordeur, er is een tweede sleutelbos, misschien van de kinderen. Mogelijk ontbreken er sleutels, dat moeten we Jovan Mars vragen.'

'Voetsporen in de sneeuw?'

'Alleen die van jou,' zei Winter.

'Ha ha.'

'Het sneeuwde,' zei Ringmar.

'Dat was helaas erna pas,' zei Winter. 'Als er al sporen waren, dan zijn die in de dagen tussen de moorden en de ontdekking van de lichamen bedekt.'

'Er waren sporen toen wij kwamen,' zei Halders.

'Torsten werkt met wat hij heeft. De getuige was daar immers ook, Robert Krol.'

'De buren hebben geen verdachte auto gezien, daar kunnen ze zich in elk geval niets van herinneren,' zei Ringmar.

'De buren hebben überhaupt geen reet gezien,' zei Halders.

'We hebben een heleboel vingerafdrukken, maar geen enkele voert naar iemand buiten het gezin.'

'Het ex-gezin,' zei Halders.

'Het is nog steeds een gezin. Twee mensen vormen nog steeds een kerngezin.'

Halders knikte. Hij maakte zelf deel uit van een ex-gezin. Zijn ex-vrouw Margareta was zeven jaar geleden doodgereden door iemand die met drank op achter het stuur had gezeten. Zijn kinderen waren destijds heel klein geweest. Zo klein dat ze bijna niet te zien waren geweest, dacht hij soms.

'Hoe is het met de baby?' vroeg Ringmar.

'Die gaat naar Mars' zus in Hagen,' zei Winter. 'Misschien is ze daar inmiddels al.'

'Wanneer had ze voor het laatst iets te drinken gekregen?' vroeg Halders. 'Melk? Heeft het Sahlgrenska-ziekenhuis daar wat meer over kunnen zeggen?'

'Nee, eigenlijk niet,' antwoordde Winter. 'Misschien heeft ze twee dagen niets te drinken gehad, in dat geval heeft het maar weinig gescheeld of ze had het niet overleefd, bijna een sensatie, het kan niet langer zijn geweest. Als we afgaan op de kranten in de brievenbus, zou het om drie dagen gaan.'

'De moordenaar heeft haar te drinken gegeven,' zei Halders.

'Ik denk ook dat hij terug is gekomen,' zei Hoffner.

'Dat is vreselijk ziek,' zei Halders.

'Hij heeft een leven gered,' zei Hoffner.

'Zo kun je het natuurlijk ook zien!'

'Je hoeft niet te lachen.'

'Lachte ik? Wanneer lachte ik?'

'Als we weten waarom hij terugkwam, weten we wat we moeten weten,' zei Hoffner.

'Als we dat weten, zit hij in de cel,' zei Halders.

'Misschien zit hij daar al,' zei Ringmar.

'Waarschijnlijk,' zei Halders.

'We hebben maar één set duidelijke vingerafdrukken op de kranten gevonden,' zei Winter.

'Van wie?' vroeg Halders.

'Van de krantenbezorger.'

Halders begon te lachen, schudde even zijn hoofd om zijn eigen onnozelheid.

'Aneta heeft met hem gepraat,' zei hij éven later. 'Hij had gezien dat er oude kranten in de bus lagen.'

'Als de moorden langer dan drie dagen vóór de ontdekking werden

101

gepleegd, dan betekent dat ook dat iemand kranten uit de brievenbus heeft gehaald, zei Winter.

'De moordenaar,' zei Halders. 'Ze liggen bij hem thuis.'

'Wist hij dat we zouden begrijpen dat de baby het zonder hulp niet zou overleven?'

Niemand antwoordde.

Winter reed naar het westen, passeerde het Slottsbos, reed de Margretebergsgatan in en daarna de Kungsladugårdsgatan. Hij zag dat Robert Maglia een nieuw restaurant had geopend aan het Mariaplein, Enoteca Maglia. Robert had Bistro 1965 op Kungshöjd gerund, het favoriete restaurant van Winter en Angela, het had recht tegenover Angela's appartement gelegen en ze hadden destijds geen kinderen gehad en Winter was nog een jonge man geweest.

Hij parkeerde zijn auto voor het huis in de Fullriggaregatan. Hij zag het speelhuisje waar hij zijn beslissende jaren had doorgebracht. De eerste keer dat hij alleen in een eenzaam huis sliep dat vrij stond. De eerste keer in een slaapzak. De eerste keer dat hij masturbeerde was daarbinnen geweest, op een zomeravond, een scherpe, heerlijke en directe pijn tussen zijn benen, het sperma op zijn hand. Hij had nog niet geleerd zijn hand tegen de uitbarsting te beschermen. Was hij elf geweest? Twaalf? Was dat laat of vroeg in het leven?

De seksuele drift is het ergste wat er is, had Halders een uur geleden gezegd. Dat was waar en niet waar. De eerste keer dat hij de borsten van een meisje had aangeraakt, was in het speelhuisje geweest. Ze hadden vadertje en moedertje gespeeld, maar er waren geen kinderen geweest. Ze had bijna geen borsten gehad. Hij had bijna geen haar op zijn peniswortel gehad.

Lotta had de voordeur al geopend. Ze had hem vanuit het keukenraam zien aankomen, je zag bijna alles vanuit het keukenraam. Ze had het ouderlijk huis overgenomen en nu was zij de enige die daar nog woonde, haar dochters Bim en Kristina woonden niet eens meer in Göteborg. Haar ex-man, Benny Vennerhag, leefde nog. Helaas.

Zijn zusje.

Hij stapte uit de auto en duwde het tuinhek open.

Ze liep hem tegemoet en ze omhelsden elkaar halverwege het flagstonepad, het pad dat er altijd was geweest, miljoenen jaren.

'Ik heb geen tijd gehad om eerder langs te komen,' zei hij.

Ze zaten in de keuken. Alles rook zoals het altijd had geroken. Het waren geuren die hem meteen terugbrachten naar het verleden, alleen geuren konden dat.

'Ik heb erover gelezen,' zei ze. 'Afschuwelijk. Verschrikkelijk.'

Hij knikte.

'En jij bent er middenin beland.'

'Ik weet niet of ik erin ben "beland".'

'Je weet wat ik bedoel. Je zit er middenin.'

'Ja.'

'Was dit waarnaar je terugverlangde, Erik?'

'Ja.'

'Je bent een klootzak,' zei ze met een glimlachje.

'Ik weet het. Maar ik had er alles voor overgehad dat ze niet dood waren. Het is een cliché, maar ik meen het.'

'Sorry, Erik.'

'Ik meen het,' herhaalde hij.

'Sorry dat ik het zeg, maar je ziet er moe uit.'

'Ik slaap slecht.'

'Dat heb je altijd al gedaan.'

'De dromen zijn terug.'

'Welke dromen bedoel je?'

'De ergste nachtmerries. Ze waren in Marbella verdwenen, na verloop van tijd.'

'Was dat niet de reden om daarheen te verhuizen?'

'Het was een van de redenen.'

'In het algemeen, bedoel ik.'

'Het hielp om daar te zijn.'

'En nu ben je weer hier.'

'Ik ben nog maar vijftig. Ruim.'

'Des te meer reden om zuinig te zijn op je leven.'

'Dit is mijn leven.'

Ze liepen door de tuin. Er hingen bevroren appels aan een paar takken, vijf appels, drie takken. Het leek wel een kunstwerk. Er lag veertig centimeter sneeuw, die op de meeste plekken ongerept was. Toen hij klein was, was hier niets ongerept geweest. En toen Lotta's kinderen hier woonden, hadden ze overal engelen gemaakt als er sneeuw lag. Hij had zelf engelen gemaakt, en Elsa en Lilly en Angela, overal hadden ze engelen gemaakt. Als het koud werd bevroor de ziel van de engelen in de afdruk, bleef achter in het winterland. Dat had hij een keer gedacht toen Elsa naar de engelen had gevraagd. Hij had haar niet verteld wat hij vlak daarvoor had gedacht. Hij had zich gegeneerd, alsof hij iets had gedacht wat niemand zou begrijpen. Wat met de ziel te maken had, viel niet te begrijpen. De ziel had een naam, maar verder was er niets waar iemand iets van wist.

Hij zag het huis waar Greta Mars haar leven zou voortzetten. Het was rood geverfd, een houten huis, er stonden niet veel rode huizen in de straat. Hij wist niets over het huis, over de mensen die er woonden. Hij vroeg het aan Lotta.

'Een gezin. Ze wonen hier nog niet zo lang, Lagerberg geloof ik. Zij heet Louise, ik weet nu even niet meer hoe hij heet, of de kinderen, twee kinderen. De familie Lagerberg. Is dat belangrijk?'

'Er komt nog een kind. Misschien een gezin. Een gezin dat uit twee personen bestaat.'

'Waar heb je het over, Erik?'

Lotta Winter bleef voor het speelhuisje staan. Op het dak lag een dikke laag sneeuw, vastgevroren als een witte huid. Ze deed de deur open.

'Het komt dichterbij,' zei ze. 'Alles komt dichterbij.'

'Ik hoop niet dat je het over het kwaad hebt.'

'Ik weet niet hoe ik het moet noemen.'

'Het wordt het kwaad genoemd, maar ik weet niet wat dat is,' zei hij. 'Ik heb mijn hele leven geprobeerd het te begrijpen, maar het lukt me niet. Hier een stukje, daar een stukje, maar dat is alles.'

'Begrijpen? Moet je het begrijpen, Erik? Het is bovenmenselijk.'

'Daar werk ik mee, met bovenmenselijkheid. Maar misschien is ondermenselijkheid wel een beter woord.'

'Maar doe dan wat je moet doen, en probeer het andere weg te houden. Het werk is voldoende. Het volstaat als je dit monster te pakken krijgt.'

'Het monster?'

'Hoe wou je hem verdomme anders noemen?'

Ze hadden zich gebukt en waren het speelhuisje binnengegaan en vervolgens waren ze er ook weer gebukt uit gekomen. Het had er naar vocht en hout geroken, en naar een droge lucht die bij een andere tijd hoorde, misschien een restje zomer dat altijd in de balken bleef hangen, als een geur uit hun jeugd die nooit zou verdwijnen, wat er ook gebeurde in het vreselijke leven als volwassene.

'We hebben iemand opgepakt,' zei Winter.

'Maar?'

'Er is geen gerede verdenking. We moeten hem laten gaan.'

'Wat vind jij daarvan?'

'Ik weet het eerlijk gezegd niet.'

'Waarom twijfel je?'

'Om dezelfde reden als altijd,' antwoordde hij. 'Mijn gevoel.'

'Je intuïtie.'

'Of mijn fantasie,' zei hij. 'Of mijn gebrek daaraan.'

'Jij hebt in elk geval genoeg fantasie, Erik.'

'In elk geval,' zei hij haar na en hij glimlachte.

'Wanneer ga je hem weer verhoren?'

'Over een uur,' zei Winter en hij liep in zijn eigen voetsporen terug door de tuin. *Een vluchteling kruist zijn spoor*, de beste boektitel ooit. De schrijver Sandemose schijnt een echte klootzak te zijn geweest.

Angela belde toen hij op de Långedragsvägen de Hagenschool passeerde, die er een gebouw bij had gekregen. Dat was even belangrijk als de upgrade van het politiebureau, waarschijnlijk belangrijker. De kinderen hadden speelkwartier, het leken wel duizend kinderen. Hun geschreeuw en gelach drongen door zijn tinnitus heen. Hij hoorde zijn mobieltje niet rinkelen, maar voelde de trillingen in de borstzak van zijn colbert, als een rechts kloppend hart. Maar je kon verdomme maar één hart hebben.

'Dag, schat.'

'Waar ben je, Erik? Kun je praten?'

'Ik zit in de auto. Volgens de Zweedse wetgeving de beste plek om een mobiel gesprek te voeren. Ik ben net bij Lotta op bezoek geweest.'

'Kun je ergens parkeren?'

Hij hoorde aan haar stem dat er iets aan de hand was. Hij voelde zijn hart tekeergaan, midden in zijn borst.

'Wacht even,' zei hij. Hij kruiste de Hästeviksgatan en parkeerde voor de Ica-supermarkt.

'Is er iets gebeurd, Angela? Met de meisjes?'

'Nee. Ik bel vanwege Siv...'

Winter hoorde dat ze aarzelde.

'Wat heeft ze nu weer gedaan?'

'Je zei dat je Lotta hebt gesproken.'

'Wat is er met Siv?'

'Ze had toch steeds van die vage rugklachten...'

'Je hoeft me niet voor te bereiden, Angela. Hoe luidt de diagnose?'

'Longkanker.'

'O, shit.'

'We komen net bij Radiologie vandaan. Maar er zijn al uitslagen.'

'Waarom hebben jullie niet eerder wat gezegd?'

'Het speelt pas een paar dagen, Erik. Blijf alsjeblieft kalm.'

'Ik ben kalm. Hoe is het met ma?'

'Zij is ook kalm.'

'Hoeveel tijd heeft ze nog?'

'Dat valt niet te zeggen.'

'Jij bent arts. Je hebt toch zeker wel een idee?'

'Nee.'

'O.'

'Er is nog niet eens een behandelplan. Ik weet niet of de tumor operabel is. Chemo... ik weet het nog niet, er moeten veel beslissingen worden genomen, nu, op korte termijn.'

'Is ze zich ervan bewust dat het afgelopen is met de T&T's als ze aan de chemo moet?'

'Ze is zich overal van bewust,' zei Angela.

Hij hoorde haar stem weer breken, een vermoeidheid en een stille wanhoop.

'Ik kom morgen,' zei hij.

'Kan dat wel?'

'Ze kan longontsteking krijgen en overmorgen doodgaan,' zei hij. 'Je weet het nooit met haar. Waarom heeft ze ook niet geprobeerd te stoppen met roken?'

'Toen we na het onderzoek de trap af liepen, stak ze een sigaret op.'

'Dat verbaast me niks.'

'Om de zenuwen te kalmeren, zei ze.'

'Het mens lijkt wel een heroïneverslaafde.'

'Noem haar niet het mens, Erik.'

'Jij bent de enige die me hoort,' zei hij. 'Ik probeer morgen het vliegtuig van acht uur van Norwegian te nemen. Er gaat er ook een op zondag, om twintig voor zeven.'

'Dat zou heel fijn zijn, Erik.'

'Ik was toch al van plan om volgende week te komen,' zei hij.

'Kun je er zomaar tussenuit knijpen?'

'We hebben een verdachte aangehouden,' zei hij.

10

Een ijszeiljacht gleed over de Ganlebukten. Ringmar volgde de haven-route, het zeil in de verte was rood in de zonsondergang, de zon zakte als vuur door het ijs, het dampte boven de horizon.

Het ijszeiljacht maakte een draai en verdween achter een paar eiland-jes in de bocht. Die hadden een naam, maar Ringmar kon er niet opko-men en op dit moment ergerde hem dat, hij dacht dat hij de scherenkust bij Göteborg even goed kende als een ervaren taxichauffeur de straten op het vasteland.

Hij verliet de rotonde, reed door de straten en parkeerde bij een voet-balveld waar de sneeuw gedeeltelijk was weggewaaid. Het gravel had een rode gloed, als de aarde in een land in het verre zuiden van de wereld. Zoals Maleisië. Zijn zoon Martin werkte als chef-kok in Hotel Shangri-La in Kuala Lumpur. Ze hadden geen contact met elkaar.

Toen hij bij zijn auto wegliep, kwam hij een jongen van een jaar of tien, elf met een voetbal onder zijn arm tegen. De jongen knikte naar hem, een welopgevoede jongen.

'Pas maar op dat je niet uitglijdt,' zei Ringmar en hij bleef staan.

'Ik ga alleen maar op doel schieten,' zei de jongen en hij liep verder.

'Er zijn geen netten,' zei Ringmar.

'Die zijn er nooit geweest,' zei de jongen en hij draaide zich om.

'Wat waardeloos,' zei Ringmar.

De jongen liep zonder nog iets te zeggen het veld op. Ringmar bedacht dat hij de dienst Ruimtelijke Ordening of hoe de verantwoordelijke in-stantie ook maar mocht heten zou bellen. Zweden was toch zeker geen ontwikkelingsland? Was dit soms Maleisië? Maar Maleisië was trouwens rijker dan Zweden. Martin verdiende twee keer zoveel als hij, daar was hij van overtuigd. Hij zou zelf een net voor dit voetbalveld regelen. Hij zou het uit het Ullevi-stadion jatten. Twee netten.

Hij stopte voor het huis. Daar stonden twee burgerpolitieauto's. De mensen van de afdeling Onderzoek waren er nog, samen met twee tech-nisch rechercheurs. Ze hadden inmiddels klaar moeten zijn. Een zoge-heten communicatiestoring. Liv Runstig was zojuist naar huis gebracht, na het verhoor op het politiebureau, of het gesprek. Aneta had met haar gesproken. Ringmar had in de auto naar de opname van het gesprek geluisterd; er viel niet veel te horen, vooral stilte, een ademhaling die als stil gehuil klonk.

Het was een van de kleinere huizen in de straat, en het enige dat nog eternieten golfplaten had. De buren hadden hun platen vervangen, dom genoeg. Niets beschermt beter dan eterniet, het gif doet geen kwaad zolang je de boel maar niet afbreekt. Runstig was misschien toch een verstandige man. Ben benieuwd hoe verstandig zijn wijf is. Dat is jargon, Bertil. Zijn vrouw, je moet haar zien als zijn vrouw, zijn echtgenote, zijn eega, voor God in de echt verbonden.

Ringmar beklom een gemetseld trapje, dat aan de zijkanten afbrokkelde.

Hij belde twee keer voordat ze opendeed, ze moest hem al op straat hebben gezien; er had een gordijn bewogen en hij had een schaduw gezien.

Hij stelde zich voor en liet haar zijn legitimatie zien.

'Ik heb u zonet gebeld,' zei hij. 'Het spijt me dat we u nog een keer moeten lastigvallen.'

'Kom dan maar verder,' zei ze. 'Liv Runstig,' zei ze, maar toen had ze zich al omgedraaid.

Hij volgde haar door een hal die smaller en korter was dan die in het huis aan de Amundövik. Het was een vergelijking die nergens op sloeg, maar toch onvermijdelijk was.

Hij knikte naar een van de technici in de hal. Hij was haar naam vergeten. Dat ergerde hem. Liv Runstig leek zijn collega niet te zien.

Ze stonden in de zitkamer. Hij had altijd moeite gehad met dat woord, net als met het woord pronkkamer. Er zouden nieuwe woorden voor deze kamers moeten worden geschapen. *Living room* zeiden ze in Engeland, dat was beter, een levende kamer, of een kamer voor de levenden. Liv Runstig gebaarde naar een van de twee fauteuils. Hij ging zitten. Hij kon nog steeds door het lage raam naar buiten kijken. De jongen schoot op het naakte doel. Hij had een vriendje mee moeten nemen dat de bal teruggooide. Nu duurde het ophalen van de bal achter het doel langer dan het schieten zelf. Het deed Bertil denken aan zijn eigen kinderjaren, toen hij in Bräcke van de helling was geskied; het had elke keer langer geduurd om naar boven te sjouwen dan om naar beneden te glijden, veel langer.

'Hij heeft niet gedaan wat jullie denken dat hij heeft gedaan,' zei Liv Runstig.

'We denken momenteel nog helemaal niets,' zei Ringmar.

'Waarom is hij dan niet thuis?'

'We moeten hem eerst wat vragen stellen,' zei Ringmar.

Ik klink als iemand die tegen een kind praat, dacht hij. Of als de samenvatting van het nieuws om zes uur voor mensen die traag van begrip zijn. Of als iemand die het tegen mensen heeft die geen Zweeds kunnen.

'Daarom ben ik hier,' zei hij. 'Ik wil wat vragen stellen.'

'Ja, dat zei u al door de telefoon. Vanuit de auto. Maar ik heb toch net vragen zitten beantwoorden?'

De jongen op het voetbalveld haalde de bal weer op. Hij zou misschien iets worden, prof wellicht. Alleen kinderen die zelf hun bal ophaalden, werden profvoetballer.

'Wanneer komt Jana terug?' vroeg ze. 'Zij wordt toch zeker nergens van verdacht?'

Ringmar zag geen glimlach op haar gezicht toen ze dat zei. Het was een grap die geen grap was.

'Dat weet ik eerlijk gezegd niet,' antwoordde hij.

'Wordt er wel goed voor haar gezorgd?'

'Natuurlijk. Ze kan elk moment thuiskomen.'

'Wat betekent dat? Elk moment?'

'Heel gauw.'

'Jullie willen antwoorden van mij, maar wanneer ik jullie iets vraag, krijg ik geen echte antwoorden.'

'Ik zal uitzoeken wanneer Jana thuiskomt.'

'Wanneer mag ik Christian zien?'

'Daar kan ik op dit moment nog geen antwoord op geven. Maar binnenkort.'

'Ik zou hem moeten mogen zien.'

Ze draaide zich om, keek door het raam naar de hard schietende jongen, hij moest ver rennen om de bal te halen. Het leek alsof ze naar iemand keek die ze niet kende. Ringmar wist dat ze zelf geen kinderen had.

'Wanneer kregen u en uw man het idee om een hond te kopen?' vroeg hij.

'We hebben het er nooit over gehad,' zei ze.

'Waarom niet?'

Ze haalde heel licht haar schouders op, een bijna onzichtbare beweging. Ze was zelf... onzichtbaar, als een schaduw. Bijna doorschijnend. Hij meende de jongen en het veld door haar heen te kunnen zien, terwijl ze op de bank voor het raam zat.

'Wist u dat Christian een hond ging kopen?'

Ze schudde haar hoofd.

'Had u gezegd dat u een hond wilde?' vroeg Ringmar.

'Misschien ooit een keer,' zei ze. 'Dat doet iedereen toch weleens?'

De beste vriend van de mens, dacht Ringmar. Wie wil geen beste vriend krijgen? Voor een paar honderdjes, dat is goedkoop.

'Wat gebeurde er?'

Ze keek hem nu aan met een blik die scherp leek maar niet echt zag, alsof ze bijziend was, maar haar bril niet ophad.

'Wat bedoelt u?'

'Wanneer kwam u erachter dat hij de hond had gekocht?'

'Toen hij met haar thuiskwam.'

'Welke dag was dat?'

'Dezelfde... dag dat de advertentie in de krant had gestaan.'

'Zei hij dat?'

'Ja.'

'Hoeveel heeft hij ervoor betaald?'

'Niet veel, zei hij. Hij zei dat het een symbolisch bedrag was.'

Symbolisch voor wie, voor wat? Ringmar voelde zich misselijk worden, alsof hij ziek werd. Of te oud.

'Hebt u de krant nog?' vroeg hij. 'Of de advertentie?'

'Nee, ik heb de advertentie nooit gezien. En Christian gooit 's ochtends altijd de oude krant weg.'

'Altijd?'

'Hij wil niet dat er troep ligt te... troepen.'

'Was ik maar zo,' zei Ringmar.

'Hij houdt van orde.'

'Dat is een deugd.'

'Het is in elk geval heel makkelijk voor jullie om ons huis te doorzoeken.'

'We volgen gewoon onze procedures,' zei Ringmar. Daar viel niet meer over te zeggen.

'Ik zou het nooit kunnen,' zei ze.

'Waarom wilde Christian eigenlijk plotseling een hond kopen?' vroeg Ringmar.

Ze antwoordde niet. Ze keek ook naar de jongen die op een naakt veld voor een naakt doel strafschoppen nam. Het Zweedse model. Hij had zijn muts afgedaan en gebruikte die om de penaltystip te markeren. Ringmar wenste dat hij kon opstaan, de waanzin achter zich kon laten en in het doel kon gaan staan waar hij bij de paal een strafschop zou redden. De jongen schoot weer en raakte een paal, het zag er heftig uit, maar het was geen doelpunt; hij had net zo goed tien meter naast kunnen schieten, in die zin waren schoten op de paal bedrieglijk. Ringmar had meestal naast het doel geschoten, soms erin, Erik had meestal langs de paal in geschoten, Lars had altijd mis geschoten, Aneta draaide de meeste ballen erin, Fredrik schoot tegen de lat, altijd tegen de lat.

'Uw man lijkt een gewelddadig persoon te zijn.'

Ze antwoordde niet. Ze keek weer naar de jongen, Ringmar keek naar hem, alles ging via de jongen.

'Kent u die jongen?'

'Ik herken hem,' zei ze. 'Ik weet niet hoe hij heet.'

'Christian lijkt een gewelddadig persoon te zijn,' herhaalde Ringmar.

'Daar weet ik niets van,' antwoordde ze.

'U hebt hem nooit gewelddadig gezien?'

'Nee.'

'Is hij nooit gewelddadig tegen u geweest?'

'Nee.'

'Nooit?'

'Nee.'

Ze keek niet naar hem, ze keek nergens naar, het leek alsof ze probeerde nergens aan te denken. Hij kon haar vragen haar mouwen op te stropen, haar hals te laten zien, haar borsten, haar dijen, de sporen te ontbloten, blauwe en gele herinneringen, zoals het een ware Zweedse racistische geweldenaar en vrouwenhater betaamt. Want dat was hij, Christian Runstig, er was geen reden om hem als iets anders te beschouwen tot het tegendeel was bewezen.

'Waarom wilde Christian plotseling een hond hebben?' vroeg hij nog een keer.

'Hij dacht aan mij,' antwoordde ze.

'In welke zin?'

'Hij wilde dat ik wat vaker buiten kwam.'

'Dat was attent van hem,' zei Ringmar.

'Hij denkt altijd aan mij,' zei ze.

Deze keer was Christian Runstig er vanaf het begin van het verhoor meer bij. Hij wilde echt helpen.

'Je begrijpt toch zeker wel dat ik het niet heb gedaan,' zei hij nog voordat Winter klaar was met de apparatuur.

'Vind je dat je genoeg tijd hebt gehad om erover na te denken?' vroeg Winter toen ze in de verhoorkamer hadden plaatsgenomen.

'Ik hoef nergens over na te denken,' zei Runstig. 'Ik heb het niet gedaan.'

'Vertel wat er gebeurde.'

'Wanneer wat gebeurde?'

'Begin maar met het moment dat je op de advertentie belde.'

'Wat moet ik daarover zeggen?'

'Vertel gewoon wat er werd gezegd.'

'Tja... Ze zei dat ik de eerste was die belde. En wie het eerst komt, wie het eerst maalt, zei ze.'

'Gebruikte ze die uitdrukking?'

'Wie het eerst komt? Ja.'

'Waar hadden jullie het nog meer over?'

'Ze zei dat de pup een mengras was. Dat er daarom nog niemand had gebeld. Ik zei dat het mij niet uitmaakte.'

'Is dat zo?'

'Wat bedoel je?'

'Dat mengrassen voor jou niet uitmaken?'

'Niet als het om honden gaat.'

'Wanneer maakt het je wel uit?'

'Wat heeft dat ermee te maken?'

'Waarmee, Christian?'

'Met... deze koop. Daar hebben we het toch over?'

'Op dit moment hebben we het over mengrassen,' zei Winter.

'Ik wil het er niet over hebben' zei Runstig.

'Waar wil je het niet over hebben?'

'Je begrijpt me dondersgoed. Denk je soms dat ik je niet doorheb? Denk je soms dat ik gek ben? Ik wil nu niet over rassen praten. We hebben genoeg gespreksstof. We kunnen het een andere keer over rassen hebben. Het klopt toch dat jullie je handen vol hebben aan alle nieuwe rassen die de stadsgrenzen overspoelen en onze auto's in brand steken?'

'Op dit moment heb ik mijn handen vol aan jou, Christian.'

'Laat het daar dan ook bij!'

Een andere keer. Winter voelde een spier in zijn bovenarm trillen, misschien een lichte verwonding toen hij de man op het ijs had tegengehouden.

'Je wilt me misschien nog een pak slaag geven?' ging Runstig verder. 'Met die recorder daar, bijvoorbeeld.' Hij knikte naar de tafel. 'Het doet nog steeds pijn, voor het geval je dat interesseert.'

'Het spijt me dat te horen,' zei Winter. 'Wanneer was je daar?'

'Hè?'

'Wanneer was je bij het huis aan de Amundövik?'

'Ergens in de middag. Het werd al donker. Ik heb niet op mijn horloge gekeken.'

'Welke dag was het?'

'Heb ik dat niet al gezegd?'

'Beantwoord de vraag nu maar.'

'Het was de dag waarop ik de advertentie had gezien. Ik weet niet meer welke datum dat was.'

'Wat gebeurde er?'

'Er gebeurde helemaal niks! Jezus. Ik belde aan en zij deed open, er liepen een paar kinderen om haar heen, we sloten de deal en ik vertrok met de hond.'

'Had ze een naam?'

'Hè?'

'Had de pup een naam toen je haar kocht?'

'Niet dat ik weet. Ik heb er wel naar gevraagd, maar ik kreeg geen antwoord.'

Winter knikte, ga verder, ga verder, de hond had al een naam, Luna.

'Ze zei dat ze de pup nog maar een week hadden,' zei Runstig. 'Ze was ineens allergisch geworden, zei dat ze uitslag had gekregen.'

'Zag je daar iets van?'

'Nee. In elk geval kan ik me daar niks van herinneren. Ze had niet gedacht dat je allergisch kon worden voor collies, zei ze.'

'Jullie hebben lang met elkaar gepraat.'

'Heel kort.'

'Wat deden de kinderen?'

'Die renden weg. We stonden buiten op het trapje te praten, ik was toen nog niet binnen geweest.'

'Wanneer ging je naar binnen?'

'Toen ze me vroeg binnen te komen. Toen ik naar de hond zou kijken. Maar dat had ik al gedaan. Ze waggelde heen en weer op het trapje.'

'Waggelde?'

'Ja, waggelde. Het was verdomme een pup!'

Winter knikte.

'Ze zei dat ze hoopte dat ik de pup lief zou vinden.'

'Je hebt een goed geheugen, Christian.'

'Ik kan me vrijwel alles herinneren.'

'Alleen maar vrijwel?'

'Ik weet nog dat ik een groep lummels op het Opalplein heb terechtgewezen, maar kennelijk klopt dat niet.'

'Daar hebben we het later over,' zei Winter.

'We hoeven het er helemaal niet over te hebben,' zei Runstig.

'Hoeveel kinderen zag je in het huis?'

'Volgens mij twee. Ja, twee. Ze renden later weg.'

'Waarom renden ze weg?'

'Ze zei dat de kinderen verdrietig waren omdat ze de hond niet konden houden.'

Winter knikte.

'Toen hoorde ik een kind huilen, een baby. En toen zei ze dat de kleine wakker was geworden.'

Runstig boog zich over de tafel naar voren. Hij keek naar de recorder, en vervolgens naar Winter.

'Luister nu eens goed, verdomme! Het is verschrikkelijk dat dat gezin is vermoord. Ik werd enorm... nijdig toen ik het las. Ik zou de daders dood kunnen slaan! Zonder pardon! Hebben jullie de allo's in de omgeving gecontroleerd, nou? Daar zou ik gaan zoeken. Het maakt niet uit hoe het eruitziet, er zit altijd een allo achter. Controleer je eigen statistieken maar, meneer de hoofdinspecteur!'

Het probleem is dat er in het zuiden van Göteborg geen allochtonen wonen, dacht Winter, terwijl hij het vuur in Runstigs ogen aan en uit zag gaan, de waanzin zag komen en weer verdwijnen.

'Jouw naam, is die aangenomen? De naam Runstig?'

'Die is aangenomen, door mij, maar het is sinds het begin der tijden mijn naam geweest. Die heeft op me gewacht. Een erfenis van de Vikingen.'

'Hoe heette je vroeger?'

'Dat ben ik vergeten. In elk geval niet Allochovitch. Ik kan zien dat je aangenomen namen maar belachelijk vindt, dat klopt hè? Zo denken mensen met mooie en gesofistikeerde familienamen er altijd over. Arrogante superioriteit. Maar de naam Winter is verdomme ook aangenomen, daar kun je donder op zeggen.'

Ja, dacht Winter, we heetten eerst Zomer, maar op een goede dag verdween de zon achter de wolken, ha ha ha.

'Er reed een auto langs het huis toen ik op het trapje stond,' zei Runstig. 'Dat weet ik ook nog. Daar heb je een getuige.'

'Getuige waarvan?' vroeg Winter.

Hij liep via de markthal naar huis, kocht een mooie schelvisfilet, cherrytomaten, citroenen en bladpeterselie. De markthal had een grondige renovatie ondergaan, zoals alles tegenwoordig. Het deed hem deugd, zonder de markthal zou het leven in Göteborg zinloos zijn.

Thuis schonk hij een Dallas Dhu in een tumblerglas, anderhalve vinger, de laatste fles. Hij deed de lampen in de woonkamer, de slaapkamer en de keuken aan.

Hij ging in de fauteuil zitten en dacht aan zijn moeder. Hij dronk te snel van de whisky, die was te lekker, als mild gerookte chocola. Dallas Dhu betekende zwart dal, of zwart water.

Hij stond op, liep naar de keuken en pakte de vis, sneed een halve citroen in parten, haalde de filet even door de bloem, bakte hem in olijfolie, legde hem op een warm bord en deed er een velletje vetvrij papier overheen, goot nog wat olijfolie in de pan, fruitte fijn gesneden knoflook drie minuten met tien cherrytomaatjes, deed er de partjes citroen en kappertjes uit Pantelleria bij en liet alles nog twee minuten op het vuur staan, voegde fijngehakte bladpeterselie en een snufje Maldonzout toe, strooide er wat versgemalen zwarte peper over en goot alles op de vis. Hij ging aan de keukentafel zitten en at zijn diner met een snee licht geroosterd Bretons boerenbrood van de vorige dag en dronk er Pellegrino bij. Zijn whiskyglas stond ernaast. Hij dronk de whisky toen hij het laatste restje jus met het laatste stukje brood had opgezogen, ging daarna van tafel en liep naar de woonkamer, waar hij de cd-speler aanzette en naar John Coltrane luisterde, die overal in de kamer *a love supreme, a love supreme, a love supreme* galmde.

Hij schonk nog een glas whisky in.

De volgende ochtend zou hij naar de Costa del Sol vliegen.

Hij dacht nu niet aan zijn moeder. Hij dacht aan het huis bij de zee en de dode mensen die daar hadden gelegen, groot en klein, en aan de kleinste, die nog leefde.

Hij boog zich naar voren en sloeg het boek op de salontafel open en las:

Coltrane had naar Los Angeles willen gaan om bij Shankar te studeren, maar hij overleed in juli 1967. Ik wou dat Coltrane zelf als eerste A Love Supreme *aan de meester van de sitar had gepresenteerd, en zijn reactie had gehoord.*

Studeren bij Ravi Shankar. In 1967. Toen was ik zeven.

Winter stond op, liep naar de balkondeuren en zette die open. De avondlucht droeg iets anders dan winter in zich. Nog een maand en het kon voor iemand die nog steeds op een hogere, superieure liefde hoopte, voorjaar zijn.

11

Gerda Hoffner was nog op het politiebureau toen de laatste hamerslagen van de dag hadden weerklonken en het akelige geluid van de pneumatische boren was weggestorven. Ze kwamen steeds dichterbij, hadden inmiddels de verdieping onder hen bereikt, werkten zich van de lichte misdrijven omhoog naar de zware misdrijven. Heavy Metal, dacht ze en ze nam de telefoon op toen die begon te rinkelen.

'Het gaat over Amundö,' hoorde ze de wachtcommandant zeggen, 'kun jij het gesprek aannemen?'

'Ja, natuurlijk.'

Het kraakte en floot in de hoorn, ze hoorde wind en golven, alsof iemand in een ander jaargetijde op een strand stond en een telefoontje pleegde dat gepleegd moest worden.

'Ja, hallo?'

'Hallo? Met Gerda Hoffner, inspecteur bij de recherche.'

'Dag... Met Robin...'

Ze hoorde de wind achter zijn stem, om zijn stem, de branding, alsof hij omringd was door water. Ze moest denken aan een film die ze jaren geleden had gezien, een Amerikaanse samenzweringsfilm met Russell Crowe. Hij speelde een onderzoeker in de tabaksindustrie die een klokkenluider was, Al Pacino speelde een televisiejournalist en belde mobiel met Crowe, terwijl hij in het water stond omdat ze dan een betere verbinding hadden. Het was een prachtige scène, de lichten van Manhattan glommen op de achtergrond, de maan scheen als een neonballon.

Ik speel een hoofdinspecteur bij de recherche. De lichten van Lunden glimmen in de verte op de heuvels, dezelfde maan hoog aan de hemel.

'Wat kan ik voor je doen, Robin?'

'Ja, ik zag de oproep...'

'Welke oproep?'

'Over... Over de moorden aan de Amundövik.'

'Ja?'

Ze vroeg niet wie hij was, hoe hij nog meer heette behalve Robin, als dat al zijn naam was. Soms hingen mensen op als ze begrepen dat ze echt hadden gebeld, dat ze het hadden gedurfd.

'Ik denk dat ik... iemand heb gezien.'

'Wanneer, Robin?'

'Een van de ochtenden.'

'Welke ochtenden?'

'Toen ik... de krant bezorgde.'

'Breng jij daar de krant rond?' vroeg ze.

'Ja...'

Het antwoord kwam aarzelend, alsof hij het niet wist. Ze wist dat de krantenbezorger door de politie was verhoord. Ze was zijn naam vergeten, ze had over hem gelezen, maar ze kon zich niet herinneren dat hij Robin heette. Ze had het geweten als het wel zo was. Ze moest het later maar nakijken. Nu ging het over iets anders, over iemand anders.

'Wie zag je?'

'Er kwam iemand uit het huis.'

'Welk huis?' vroeg ze. Ze voelde een huivering over haar hals en schouderbladen lopen, ja, een huivering. Een winter in haar hele lichaam.

'Het huis bij Amundö... Waar die... moord... die moorden zijn gepleegd.'

'Wat zag je?'

'Wat ik net zei... Er kwam iemand uit het huis.'

'Wanneer was dat?'

'Toen ik de krant bezorgde. Voordat ik hem in de brievenbus had gelegd.'

'Welke dag was dat? Welke ochtend?'

'Het was de derde dag dat ik...'

'De derde dag dat je wat?'

'Nee, niets...'

'Wat bedoel je?'

Ze kreeg geen antwoord. Ze hoorde alleen de wind en de zee in de hoorn, die ze als een schelp tegen haar oor hield.

'Hoe heet je nog meer behalve Robin?'

'Robin Bengtsson.'

'Ik denk dat je maar beter naar het bureau kunt komen, Robin Bengtsson,' zei ze.

'Wanneer?'

'Nu.'

Het geruis in zijn oren was heviger geworden toen hij aan zijn derde whisky begon. Hij zette het glas neer, liep naar de keuken, deed het bestek, het bord en de schaal in de afwasmachine en zette die aan. Dat was een goed geluid, het sloot de sferische storingen in zijn oren buiten, het fantoomgeluid was als het luisteren naar de statische elektriciteit in een oude telefoonhoorn wanneer het gesprek door de ruimte werd geleid, of als het zoeken naar de lange golf op de radio. Hij wist dat de geluiden die je dan hoorde van de andere kant van de zonnestelsels afkomstig konden zijn, dat ze miljarden jaren oud konden zijn, hij had een fantoomgeluid in zijn hoofd dat miljarden jaren oud was, het geluid van de afwasmachine was jonger, het was een contrast, misschien zelfs rustgevend.

Toen hij terugkwam, stond zijn glas nog op tafel, nog steeds halfleeg, of halfvol zoals het optimistische deel van de bevolking zou zeggen. Hij nam weer een slok van de sterkedrank. Die smaakte nu als honing, het derde glas whisky smaakte op een gegeven moment altijd naar honing. Het was als een chemische verandering, vergelijkbaar met de rode wijn in de coq au vin die ergens tussen het eerste en tweede uur op het vuur van een waterige, zure troep in een dikke, donkere complexe saus veranderde. Je wist nooit wanneer dat zou gebeuren, het was hem nooit gelukt het exacte moment in te klokken. Hij pakte zijn iPhone, toetste het snelkeuzenummer naar Bertil in en wachtte terwijl de telefoon overging, keer na keer. Bertil wilde misschien niet opnemen. Hij was boos omdat Winter was teruggekomen. Nee.

'Ja?'

Ringmar nam eindelijk op, buiten adem.

'Stoor ik, Bertil?'

'Ja. Ik lag in bad.'

'Neem jij je telefoon niet mee als je in bad gaat?'

'Kennelijk niet.'

'Heb je nog naar die mishandeling op het Opalplein gekeken?'

'Ja. Die heeft niet plaatsgevonden.'

'Is hij geestesziek?'

'Wie is dat niet?'

'De volgende keer blijft het misschien niet bij een droom.'

'Er komt geen volgende keer,' zei Ringmar.

'Jij denkt dat hij onze man is?'

'Dat hoop ik in elk geval. Het is nog vroeg. Wat denk je zelf?'

'Er zullen nog veel gesprekken volgen.'

'Hij stort in. Uiteindelijk doet iedereen dat.'

'Zijn paranoia is heel speciaal,' zei Winter.

'Hij is energiek.'

'Hm... Ja, energiek.'

'Misschien gedraagt hij zich als een Amerikaan,' zei Ringmar. 'Amerikanen zien neuroses voor energie aan.'

'Is dat zo?'

'Heel vaak wel. De energie in New York City bijvoorbeeld is alleen maar nervositeit. Ben je ooit in New York geweest, Erik?'

'Je weet dat het antwoord nee is.'

'Ga erheen en ervaar het zelf. Ik ben een keer bij Martin op bezoek geweest toen hij daar werkte, ja, dat weet je natuurlijk.'

'Ben je van plan om naar Kuala Lumpur te gaan?'

'Ik ga niet naar Kuala Lumpur.'

'Weet je wat Kuala Lumpur betekent, Bertil? Wat de naam betekent?'

'Niet zo een-twee-drie.'

'Smerig water. Zwart water.'

'Natuurlijk, hoofdinspecteur Wisserbesser.'

'Besserwisser.'

'Zie je wel.'

'Ik maakte een grapje.'

'Ha ha.'

'Ga naar Maleisië, Bertil.'

'Zodra dit achter de rug is. Tevreden?'

'Ik vertrek morgenvroeg naar Marbella. Twee dagen, niet langer, hoop ik. Siv heeft kanker, de gemeenste vorm.'

'Wat erg, het spijt me dat te horen.'

'Dank je.'

'Doe iedereen mijn hartelijke groeten.'

'Dat zal ik doen. Gaat Fredrik Runstig morgen verhoren?'

'Ja. Heb je gedronken, Erik?'

'Waarom vraag je dat?'

'Het klinkt zo.'

'Meen je dat echt?'

'Laat maar. Ja, Runstig. En Aneta gaat morgen verder met de achtergrond van de vrouw, Sandra. Ik ga weer met de man praten, Jovan. In de stad. Tot nog toe geen schandalen in zijn verleden. Misschien zijn die er wel niet. Wat een schandaal dan ook maar mag zijn.'

'Dat is algemene verontwaardiging, opzien, ergernis, een schandelijke gebeurtenis, ruzie, schaamte, sensatie, een aanstootgevend voorval.'

'Het is geen moord,' zei Ringmar.

'Ik bel vanaf Landvetter,' zei Winter en hij verbrak de verbinding.

Hij huilde die avond. Een paar minuten nadat hij het gesprek met Bertil had beëindigd. Het huilen deed geen pijn. Het was snel voorbij. Hij luisterde naar muziek, die overstemde de treinfluit tussen zijn oren. Hij liep weer naar de keuken. Zijn moeder kookte niet, het enige wat ze in de keuken deed was cocktails bereiden. Ze was dol geweest op ingemaakte kersen, cocktailkersen – hij was nog niet zo oud geweest toen hij bij het aanrecht zijn eerste ingemaakte kers had geproefd. Die zou anders in een manhattan hebben gedreven, een sterk drankje dat in de jaren zestig populair was: bourbon, martini rosso, angostura, ijs, kersen, koud geserveerd in gekoelde cocktailglazen, het was een cocktail die bij een andere tijd hoorde, een andere elegantie.

Zijn mobiel ging.

'Ja?'

'Met Gerda Hoffner. Er is een getuige onderweg naar het bureau.'

Ze zaten in Winters kamer. Robin Bengtsson was sneller gekomen dan ze hadden verwacht, hij was al in het gebouw toen Winter uit de taxi stapte. Winter kauwde op een keelpastille, de eerste van vele deze nacht. Het was precies twee weken geleden dat ze de lichamen hadden gevonden.

Robin Bengtsson zag er bang uit. Redelijkerwijs betekende dat dat hij normaal was. De jongen had lang haar, als een hardrocker. In zijn halsopening was een tatoeage zichtbaar, een paar andere kwamen uit de mouwen van zijn leren jack naar buiten gekronkeld; een gewone jongeman van deze tijd, tegenwoordig had je reden om jongemannen zonder tatoeages te wantrouwen. De beste voetballers hadden tatoeages. De Portugees Meireles had de trend gezet – vijf jaar geleden was hij een freak op het veld geweest, tegenwoordig was zijn lichaamsversiering relatief bescheiden te noemen. Robin Bengtsson had de attributen, maar hij zag er niet uit als een echte stoere bink. Hij hield zijn blik strak op de vloer gericht, op Winters Panasonic. Die dateerde uit de tijd dat Robin nog op de kleuterschool zat.

'Vertel maar, Robin.'

'Waar... moet ik beginnen?'

'Waar je zelf wilt.'

Robin keek op. Zijn ogen leken bruin in het milde licht.

'Ik zag een vent uit dat huis komen,' zei hij.

'Een vent?'

'Ja... Een man.'

Winter knikte. 'Vertel verder, Robin. Neem rustig de tijd.'

'Ja... Ik had een krant in de vorige bus gestopt... Ik bedoel in de brievenbus van het huis ervoor... en toen ik op weg was naar het huis, kwam er een man naar buiten.'

'Zag hij jou?'

'Ik... denk van niet.'

'Waarom denk je dat?'

'Hij leek niet... Ik weet het niet... Hij liep gewoon recht vooruit, door het hek of hoe je het maar moet noemen en ging toen weg.'

'Weg waarheen?'

'De straat... de weg... in de richting van de zee.'

'Van de speeltuin?'

'Ja.'

'Hoe laat was het toen?'

'Het moet iets na vijven zijn geweest.'

'Hoe weet je dat?'

'Ik begin om kwart voor. Het duurt ongeveer een kwartier om bij... dat huis te komen.'

'Zag je nog andere mensen?'

'Nee. Het was overal donker.'

'En in het huis waar we het nu over hebben?'

'Daar brandde ook geen licht.'

'Had hij een auto?'

'De man die naar buiten kwam? Nee, ik heb in elk geval geen auto gezien.'

'Heb je een auto horen starten?'

'Nee...'

'Weet je het zeker?'

'Nee.'

'Zou je de man herkennen?'

'Ik... weet het niet.'

'Had je hem eerder gezien?'

'Nee. Ik... nam aan dat hij daar woonde. Dat denk je dan toch?' Robin bewoog nu meer, toonde zich meer betrokken. 'Ik stond er dus niet echt bij stil. Gewoon iemand die vroeg naar zijn werk ging.'

'Maar je had hem niet eerder gezien?'

'Nee...'

'Je lijkt niet zeker.'

'Het is niet echt mijn wijk.'

'O?'

Winter keek naar Hoffner. Ze knikte lichtjes.

'Ja... eigenlijk bezorg ik daar geen kranten.'

'Ga door.'

'Ik... ik val soms in voor degene die dat baantje officieel heeft. Ik weet dat het niet mag, maar soms moet je iemand helpen.'

'Je doet het dus zwart?'

'Ja.' Winter dacht dat hij een glimlach in Bengtssons ogen zag, maar het waren waarschijnlijk de schaduwen in de kamer. 'Stom hè?'

'Doe je dat ook elders in de stad?'

'Ja.'

Winter pakte een vel papier van de tafel, las, keek weer op.

'De man voor wie je aan de Amundövik inviel, Bert Robertsson heet hij, heeft ons niet verteld dat er iemand voor hem was ingevallen.'

'Nee.'

'Waarom heeft hij dat niet gedaan?'

'Hij wilde waarschijnlijk niet dat het... bekend zou worden.'

'Dat wat niet bekend zou worden?'

'Dat ik voor hem inviel.'

'Wat een idioot ben jij,' zei Winter.

Bengtsson deinsde terug.

'En hij ook. Dat mensen zo stom kunnen zijn.'

'Ik heb me toch gemeld?' zei Bengtsson.

'We hebben de krantenbezorger Bert Robertsson verhoord! Hij heeft tegen ons gezegd dat hij niets verdachts heeft gezien toen hij de krant bezorgde. Waarom heeft hij niets verdachts gezien?'

Bengtsson zei iets wat Winter niet verstond.

'Wat zei je?'

'Omdat... hij daar niet was,' zei Bengtsson.

'Godallemachtig,' zei Winter. 'Maar die maat van jou is misschien hele-maal niet zo dom. Was hij soms degene die je uit het huis van de familie Mars zag komen?'

'Nee, natuurlijk niet, hij was het echt niet!'

'Hoe weet je dat zo zeker? Zonet twijfelde je nog.'

'Hij was het niet!'

'Waar is hij nu?'

'Ik weet het niet... Ik neem aan thuis. Het is laat.'

'Bereidt hij zich voor op het werk van morgenochtend?'

'Ik zou morgen zijn wijk lopen.'

Winter zei niets. Hij keek naar Hoffner. Ze zei niets. Winter hoorde een sirene. Aan de andere kant van het riviertje de Fattighusån zat ie-mand in de problemen.

'Wat moet ik nu doen?' zei Bengtsson.

'Weet Robertsson dat je hier bent?' vroeg Winter.

'Nee.'

'Heb je tegen hem gezegd dat je misschien iets hebt gezien?'

'Nee.'

'Waarom niet?'

'Dat zei ik net al... Ik dacht dat het iemand was die daar woonde. In dat huis.'

'Ook na de moorden? Zelfs toen je las wat er was gebeurd? Toen je las dat het om het huis ging waar jij iemand had gezien die misschien een moordenaar is?'

Bengtsson antwoordde niet.

'Ben je een gekwalificeerde idioot, Robin? Of is het nog erger met je gesteld?'

'Pas toen ik de oproep in de krant zag, ging ik nadenken.'

'Wat dacht je toen?'

'Dat... dat ik het moest vertellen.' Hij keek op. 'Ik ben toch gekomen? Ik wist dat ik over... het werk moest vertellen. Dat het vreemd was...'

'Het is vreemd, Robin, alles is vreemd. We zullen zien of we het minder vreemd kunnen maken. Om te beginnen ga je proberen alles te beschrijven wat je je kunt herinneren van de man die uit het huis kwam. Dat doe je samen met inspecteur Hoffner. En daarna gaan we kijken of je een goede getuige bent.'

'Wat betekent dat?'

Winter stond op. Hij verstapte zich licht. Hoffner stond op. Bengtsson wilde overeind komen.

'Wat gebeurt er morgen?' zei hij. 'Ik zou immers kranten bezorgen...'

'Natuurlijk,' zei Winter, 'mensen vinden het verschrikkelijk als ze 's ochtends hun krant niet krijgen.'

Hij keek op zijn horloge. Het was na middernacht.

'Heb je Robertssons adres, Robin?' vroeg hij. 'Dan gaat het wat sneller.'

Hij kreeg het adres.

'Wat gaat u met hem doen?' vroeg Bengtsson.

'Ik ga hem spietsen,' zei Winter en hij liep de kamer uit.

'Wat is spietsen?' vroeg Bengtsson aan Hoffner.

Bij de ingang stond een surveillancewagen te wachten. Winter kauwde op een Fisherman's Friend. Die smaakte als jonge Ardbeg.

Hij nam plaats op de achterbank. Ze passeerden het verkeersknooppunt Korsvägen en reden verder naar het zuiden. De nacht buiten was zwart en geel. Het was gaan sneeuwen. De chauffeur had de ruitenwissers aangezet.

De ochtend waarop Robin de man had gezien, is misschien de ochtend waarop de moorden zijn gepleegd, dacht Winter. Het is een dag waarop we ons moeten richten. Als het waar is. In dit werk is maar heel weinig waar, iedereen liegt, en bijna niemand is aardig.

Het gaat verder, maar dit is nog niet eens het begin. Hoe zijn we als we er aan de andere kant uit komen? Hoe zien we er dan uit?

Ik had gisteravond mijn koffer moeten pakken.

12

Robertsson woonde in Södra Brottkärr, op de grens met Bäckebo. Op de grens met het einde van de wereld, dacht Winter toen hij voor het rijtjeshuis uit de auto stapte. Er brandde licht achter een raam. Hij had Bert gebeld en hem gevraagd op te staan, koffie te zetten en koekjes op een schaal te leggen. Nee, dat van de koekjes was niet waar, en dat van de koffie ook niet. Hij moest alleen maar opstaan en thuisblijven. De voordeur stond al open toen Winter de kleine veranda op stapte. Een beschaamd licht scheen over de planken.

'Het spijt me,' zei Bert.

'Je kunt de pot op met je excuses,' zei Winter.

'Het zal nooit weer gebeuren,' zei Robertsson.

'Dan moet je Robin tegenhouden. Hij gaat ervan uit dat hij vandaag kranten moet rondbrengen, voor jou.'

Het was na enen. Ze zaten aan de keukentafel. Het was inmiddels een nieuwe dag. Winter was niet moe. Hij had geen dranksmaak meer in zijn mond. Hij had minder vingers gedronken dan hij had gedacht. Hij had inzicht getoond.

'Mag... mag hij dat doen?'

Winter antwoordde niet. Robertsson had een spijkerbroek en een overhemd aan. Hij was jonger dan Winter had gedacht. Hij wist niet waarom hij een oudere klootzak had verwacht.

'Heeft Robin je verteld dat hij iemand heeft gezien?'

'Nee, nee.'

'Waarom niet, denk je?'

'Hè? Waarom niet? Ik weet niet...'

'Misschien omdat hij jou zag?' zei Winter.

'Nee, nee!'

'Wat deed jij die ochtend?'

'Ik was thuis... Ik lag te slapen.'

'Kan iemand dat bevestigen?'

'Nee...'

'Dat ziet er niet best uit,' zei Winter. 'Het is minstens zo erg als dat je ons hebt voorgelogen toen we je in verband met een driedubbele moord verhoorden en jij net deed alsof je de echte krantenbezorger was.'

'Ik weet niet wat ik moet zeggen,' zei Robertsson.

'Was het het waard?' vroeg Winter.

Robertsson antwoordde niet.

'Ik geef je een eerlijke en beschaafde kans om het uit te leggen,' zei Winter. 'Normaal gesproken zou je vannacht meteen de cel in zijn gegaan.'

'Waarom is dat niet gebeurd?'

Winter antwoordde niet. Er was geen antwoord. Bovendien was hij niet van plan om hier vragen te beantwoorden. Het was makkelijk om vragen te stellen die als echo's terugkwamen, dat was niet goed.

'Het kan nog steeds,' zei hij.

'Ik dacht dat het niets uitmaakte,' zei Robertsson.

'Dat wat niet uitmaakte?'

'Dat ik niets zei omdat ik niets had gezien.'

'Wie is de persoon die Robin heeft gezien?'

'Ik weet het niet. Ik hoor het nu voor het eerst.'

'Heb jij ooit iemand uit het huis zien komen toen je daar zelf 's ochtends de krant rondbracht?'

'Nee, nooit.'

'Heb je de mensen die in het huis woonden weleens gezien?'

'Nee.'

'Nooit?'

'Nee, volgens mij niet. Als ik daar kom, ligt iedereen nog te slapen. Verder kom ik daar nooit.'

'Weet je hoe ze eruitzien?'

'Alleen van foto's in de krant. Een paar foto's van... haar. Ik ben haar voornaam vergeten. Heeft die in de krant gestaan?'

'Heb je haar man gezien?'

'Heeft zijn foto in de krant gestaan?'

'Nee.'

'Dan weet ik niet of ik hem heb gezien.'

'Waarom besteedde je het werk uit aan Robin?'

'Soms heb ik een vrije ochtend nodig.'

'Waarom?'

'Ik ben een zogeheten kwartaaldrinker.'

'Nu lijk je nuchter.'

'Alleen omdat ik zo vreselijk bang ben.'

'Waar ben je bang voor?'

'De gevangenis.'

'Heb je al eens vastgezeten?'

'Ja.'

'Voor wat?'

'Hebt u dat niet gecontroleerd?'

'Ik ben direct hierheen gegaan. Vertel.'

'Oplichting. Een paar kleine veroordelingen. Onnodige kleine vergrijpen.'

'Hou je je alleen met kleine zaken bezig?'

'Ja.'

'Dit is niet klein, Bert.'

'Ik heb er... niets mee te maken.'

'Waarom Robin?'

'Hè?'

'Waarom helpt Robin je als je aan de zuip bent?'

'We hebben elkaar bij de Länkarna leren kennen.'

'Bestaat die hulpgroep voor alcoholisten nog steeds?'

'Ja, in elk geval in Göteborg.'

'Dus Robin is alcoholist?'

'Een heel nuchtere,' zei Robertsson.

'Mooi zo,' zei Winter.

'Ik vond dat u naar drank rook toen u binnenkwam,' zei Robertsson.

'Robin meldde zich bij de politie toen ik thuis een glas whisky had gedronken,' zei Winter. 'Een goed merk, de geur blijft uren hangen.'

Robertsson knikte. Hij accepteerde het. Waarom leg ik het uit, dacht Winter. Ik hoef helemaal niets uit te leggen.

Winter stond op.

'Wat gaat er nu gebeuren?' vroeg Robertsson.

'Ga maar weer slapen. We nemen contact met je op. Je mag voorlopig de stad niet verlaten.'

'Zo dom ben ik echt niet,' zei Robertsson.

Hij liep met Winter mee naar de deur.

'Morgen ga ik weer werken,' zei Robertsson. 'En daarna een maand lang alle diensten die ik heb.'

'We zullen zien,' zei Winter.

De afzetlinten schitterden als guirlandes in het schijnsel van de straatverlichting boven de smalle weg voor het huis, alsof niemand fit genoeg was geweest om na het feest alles op te ruimen, alsof iedereen nog lag te slapen. Het sneeuwde niet langer. Winter was alleen in deze wereld. Er waren op dit moment geen mensen van Securitas. Geen enkele beweging bij de hoeken van het huis. Er brandde geen licht in de woningen langs de weg. Hier was hij naar op weg geweest toen hij op het ijs tussen de twee eilanden was beland. Hij was hier nu. Hij stond in de hal. Het rook er naar stilte en kou. Alle contouren bevonden zich op hun plek, alsof er niets was gebeurd.

Hij stond in Greta's kamer. De technische afdeling had haar bed weer terug laten brengen. Hij begreep niet waarom, maar hij was blij dat het er stond, was blij dat het nog steeds leven betekende, dat er leven in had gelegen dat er nog steeds was. Hij keek nog een keer en het bed was weg. Het zou nooit meer terugkomen.

Hij stond in Eriks kamer, die lag boven. Hij probeerde te horen wat de kamer hem kon vertellen, wilde vertellen, maar het was overal vreselijk stil. De vloer was leeg, het raam ook. Iemand anders zou hier misschien naartoe komen, iemand die hier niet moest zijn, die hier nooit had moeten zijn. Het verhaal zou verdergaan.

Hij stond in de slaapkamer. Het licht van de winternacht scheen door het raam naar binnen. De jaloezieën waren opgetrokken, dat waren ze die eerste, verschrikkelijke dag dat hij hier was gekomen ook geweest. Het licht in de kamer was blauw, blauw. Waarom had ze de jaloezieën omhooggetrokken? Waren de moorden 's ochtends gepleegd, toen het buiten al licht was? Nee, het was in het donker gebeurd. Het moest in het donker zijn gebeurd. Wie had de jaloezieën omhooggetrokken? Torsten had geen bruikbare afdrukken op de knopjes van de koorden gevonden. De moordenaar had dit licht binnengelaten. Hij wilde dat dit licht over zijn daad zou schijnen. Winter deed zijn ogen dicht en keek naar buiten. Daar bewoog nog niets, hij was alleen, hij voelde zich oneindig alleen, zonder kennis, zonder hoop. Iemand wist dat hij hier was, dat hij hier zou staan. Iemand wist alles.

Het Vasaplein sliep toen hij voor zijn portiek uit de surveillancewagen stapte. Alles was bedekt met nachtelijke sneeuw, een dun laagje dat alles mooi maakte, ongerept zolang er geen mensen rondliepen. Het was halfvier toen hij in bed kroop en de lamp op het nachtkastje uitdeed. In een goede wereld zou hij twee uur kunnen slapen voordat hij moest opstaan voor zijn reis naar Spanje.

Hij liep van de ene kamer naar de andere en deed alle lampen in het huis aan. Dit moest een droom zijn. Hij werd kennelijk door iemand gevolgd die alle lichten uitdeed en hij moest weer opnieuw beginnen, hij moest voortdurend opnieuw beginnen. Er waren dingen in het huis die hij herkende. Er zat iemand in een stoel. Er lag iemand in een bed. Toen hij terugkwam, was het donker in de kamer, maar ze zaten er nog steeds. Hij zag geen gezichten. Er kwam geen licht van buiten. Alles was zwart achter de ramen. Hij bevond zich in een kist die niet open kon, het huis was een kist. Ergens kwam muziek vandaan, iets gruwelijks dat steeds werd herhaald, barbershop, operette, het verschrikkelijke geluid van volksdansen, voetstappen die alsmaar dichterbij kwamen, een harde wind in zijn oren, die was al in de kist.

Hij werd wakker toen hij probeerde om eruit te komen.

Hij keek op de wekker op het nachtkastje: hij had tien minuten geslapen. Hij stond op, dronk een glas melk, ging in de fauteuil in de woonkamer zitten en haalde adem, haalde alleen maar adem, en wachtte op de echte ochtend.

13

Robin Bengtsson bracht de kranten rond in een wit landschap. Het was opgehouden met sneeuwen en het was niet koud. Hij voelde zich bezweet onder zijn muts, deed hem af, zette hem weer op. Hij begreep niet waarom hij dit deed, waarom hij weer kranten bezorgde. Was het een test? Wat zouden ze met hem doen? Die hoofdinspecteur, wat zou die met hem doen? De man zag eruit alsof hij willekeurig wat kon doen, wat hij maar wilde. Alsof hij eigen spelregels hanteerde.

Voor zover Robin wist was het abonnement op dit adres niet stopgezet. Hij had er nog steeds een krant voor, zo leek het. Hij had de kranten geteld en het waren er evenveel als altijd. Wie zou de krant nu lezen? Hij moest hem maar mee terug nemen. Dit was de laatste keer, hij zou dit nooit meer doen. Het was van het begin af aan verkeerd geweest, dat had hij aldoor geweten. Het was het niet waard, zelfs niet voor al het geld in de wereld, en hij kreeg er trouwens maar weinig voor.

Plastic linten hingen in het donker om het huis. Het zag er zinloos uit, alsof de politieafzetting diende om te benadrukken hoe zinloos het misdrijf was. Nu keek hij op naar het huis, dat boven op een heuvel leek te liggen, hoewel het hoogteverschil niet meer dan een halve meter was. De ramen leken grijs tegen al het zwart. Een van de ramen op de eerste verdieping was groter dan de andere. Daarachter bewoog iets.

Winter dronk een café au lait in de vertrekhal, de koffie was heet, hij blies erop. Hij had een cappuccino moeten bestellen, hij had niet de rust om te wachten tot de koffie was afgekoeld, wilde niet wachten.

Er waren deze zaterdagochtend niet veel mensen, geen aktetassen – in het weekend geen zakenreizen. Hij herkende een paar gezichten, Zweden die aan de zonnekust woonden, Zweden die gingen golfen, hij was de enige die aan de zonnekust woonde en geen golf speelde; dat was een persoonlijk en moreel standpunt.

Hij stond op en liep naar de grote ramen. Het begon buiten licht te worden, maar heel zwak, alsof de ochtend nog steeds slaapdronken was. Zelf had hij tien minuten geslapen, tien minuten gedroomd, en daarna niets meer. Een halfuur na de droom had Angela gebeld.

'Longontsteking,' had ze gezegd, 'het ziet er niet zo goed uit.'

'Mijn god. Wat betekent dat, longkanker en longontsteking tegelijk?'

'Het is goed dat je komt.'

'Wat kan er gebeuren, Angela? Hoe snel kan het gaan?'

'Dat kan niemand zeggen.'

'Maar wat zeg jij?'

'Het kan omslaan.'

'Is dat positief of negatief?'

'Ik bedoel het positief, Erik.'

'Is ze bij kennis?'

'Ja.'

'Ligt ze aan de zuurstof?'

'Nog niet.'

Nog niet. Ze zou misschien aan de zuurstof liggen als hij kwam, had hij gedacht toen hij thuis in de fauteuil zat en de schaduw van de winter over het centrum van Göteborg had gezien, de daken buiten.

Ze hadden het gesprek beëindigd en hij had het telefoonnummer gebeld dat hij van Angela had gekregen.

Het was bijna dezelfde stem als anders. Er was bijna geen verschil.

'O, Erik.'

'Het komt allemaal goed.'

'Het is zo snel gegaan,' zei ze. 'Ik begrijp het niet.'

'Het zal even snel weer overgaan.'

'Je luistert te veel naar alle leugenaars die je verhoort,' zei ze.

'Ze liegen niet allemaal,' zei hij.

'Nee, nee,' zei ze. Hij hoorde dat ze moe was. Het was niet haar stem die hij hoorde. Het was de stem van iemand anders, van iets heel anders.

'Ik lig op Bengts kamer,' zei ze.

Eerst begreep hij niet wat ze bedoelde. Toen had hij het door. Hij zag het nummer van de kamer op een bordje aan de deur, hij herinnerde het zich: 1108. Hij was in het Hospital Costa del Sol even buiten Marbella door een gang gelopen, hij had een vreselijke hoofdpijn gehad, hij had zijn vader al jaren niet gesproken, waanzin, had hij gedacht, hij had de kamernummers gevolgd, de deur van Bengts kamer had opengestaan, eerst een halletje en daarna de kamer, door een raam had hij een tuin met veel grind gezien. Het licht in de kamer was heel fel geweest. Geen geluiden vanuit de tuin. Winter had de lucht van chloor en van iets anders geroken, waarschijnlijk groene zeep. Alles was glimmend schoongeboend, de muren hadden een gelige kleur gehad. De vloer was van steen geweest. Er hadden twee bedden in de kamer gestaan; het ene was leeg geweest en in het andere had een gestalte gelegen die aan slangen en glazen flessen rond het bed was gekoppeld. Op een stoel ernaast had een vrouw gezeten, zijn moeder.

'Ik zie de Sierra Blanca,' hoorde hij haar nu zeggen, door de telefoon, in de nieuwe tijd.

Winter had in de gele kamer gestaan en buiten palmen en pijnbomen gezien, voorbij het grindveld en het parkeerterrein, en achter de bomen verrees het landschap met bruine geaccidenteerde velden en een wit dorpje dat op de steile helling balanceerde, en op de voorgrond verhief zich een bergmassief met een top die bijna tot aan de dunne wolken reikte. Hij was lang naar de bergtop blijven kijken.

'Het is dezelfde berg die we thuis kunnen zien,' had zijn moeder gezegd. Ze was van de stoel bij het bed naast hem komen staan. 'De Sierra Blanca.'

Toen ze hadden opgehangen, was hij in de stilte en in de winter blijven zitten tot hij zich had klaargemaakt voor de reis. Nu hoorde hij de oproepen in de luidsprekers, hij stond op en liet de onaangeroerde café au lait staan, die was nog steeds heet.

Robin Bengtsson stond stil. Wat achter het raam had bewogen bewoog niet langer. Had hij een licht gezien? Nee, dat kon het niet zijn. Misschien een reflectie van de maan. Hij keek omhoog, er was geen maan, hij zag geen sterren, de hemel was leeg. Er was niemand in het huis. Er bewoog weer iets. Shit. Hij wilde niet dat er binnen iets zou bewegen. Was het de man die hij eerder had gezien? Nee, nee, nee, nee, nee, het was niemand. Robin liep door naar het volgende huis, dat twintig meter verder lag, veertig misschien. Hij draaide zich weer om en de grijze rechthoek op de eerste verdieping was leeg, niet eens grijs, die was even zwart als al het andere, hij zag niets meer, dat was goed, het zou nu niet te zien zijn, dat was niet de reden dat hij hier liep, dit was de laatste keer, nooit meer, en hij hoorde geen voetstappen, hij wilde niets horen, niets zien, ergens waren voetstappen en ze kwamen dichterbij en hij hoorde niets.

Gerda Hoffner en Aneta Djanali stapten voor het kantoor van Manpower uit. De politiewagen reed verder. Het blauw en geel van de auto waren de enige kleuren die deze februariochtend te zien waren.

Hoffner begon te hoesten, kort. Vervolgens hoestte ze een paar keer achter elkaar. Ze probeerde het tegen te houden, maar dat lukte niet.

'Hoe is het met je, Gerda?'

'Het is niets.'

'Zo klinkt het niet.'

Hoffner hoestte weer.

'Dat klinkt als bronchitis,' zei Djanali.

'Het is weleens erger geweest.'

'Bedoel je longontsteking?'

'Het gaat zo weer,' zei Hoffner en ze liep naar de ingang. Djanali volgde haar en zag Gerda's rug: die rug zou in bed moeten liggen, er waren grenzen in dit werk, alle anderen konden ziek worden enzovoort, enzovoort. Ik kan ziek worden. Het is niet leuk om ziek te zijn, een toestand die niets is, het is alleen maar wachten.

Ze namen de lift naar boven. Hoffner hoestte weer, met haar arm voor haar mond.

'Heb je koorts?'

'Een beetje maar, denk ik.'

'Dénk je? Een béétje maar?'

Hoffner antwoordde niet.

'Ik wil vandaag niet met je werken,' zei Djanali.

'Wat moet ik dan doen?'

'Je moet naar huis en naar bed.'

Ze stapten uit op de tweede verdieping.

Een paar mensen verderop in de gang keken naar hen. Aneta Djanali knikte. Wij zijn vreemden hier. We zijn op een andere manier gekleed, hoewel we in burger zijn. We mogen niet uitdagen. Het is te zien dat we agenten zijn. Misschien is het iets in onze ogen. Djanali's ogen ontmoetten die van Hoffner. Haar oogwit is rood, dat van mij is wit, mijn ogen zijn wit en bruin, die van haar zijn rood en blauw.

'Ik stuur je naar huis, Gerda. Dat is een bevel.'

Hoffner knikte zonder iets te zeggen. Ze was opgelucht, stapte de lift weer in en verdween. Djanali hoorde haar hoesten toen de liftdeur dichtging. Ze dacht aan tuberculose. Dat had ze van thuis, van haar ouders. Een Afrikaan denkt altijd aan tuberculose als hij iemand hoort hoesten.

'Het enige waar ik me druk over maak is wat er met de hond gebeurt,' zei Christian Runstig.

'Je bent een dierenvriend,' zei Fredrik Halders.

'Altijd al geweest,' zei Runstig. 'Ik hou van dieren.'

'Meer dan van mensen?'

'Je zou kunnen zeggen dat ik mensen haat.'

'Zeg dat dan als je het meent.'

'Ik haat mensen.'

'Waarom?'

'Omdat ze zo ongelooflijk dom zijn.'

'Geldt dat voor iedereen?'

'Ja, en in het bijzonder voor jou.'

'Geldt het ook voor jezelf?'

'Kennelijk,' zei Runstig, 'anders had ik hier nu niet gezeten, is het wel?'

'Waarom zit je hier, Christian?'

'Dat is toch overduidelijk?'

'Ik ben zo ongelooflijk dom, dus ik weet het niet.'

'Ik heb kennelijk je collega aangevallen. Een smeris aanvallen, daar staat zo ongeveer de doodstraf op. Het maakt geen bal uit wat ik zeg.'

'Wat zeg je dan? Ik luister.'

'Hij viel mij aan.'

'Ik luister.'

'Ik laat mijn hond uit en dan komt er een of andere gek aangestormd. Hij kwam achter me aan! Wat moest ik doen?'

'Je rende weg, Christian.'

'Wat had ik dan moeten doen? Ik ben gewoon aan het wandelen en dan komt er iemand op me afgestormd. Een vreemde! Wat zou jij hebben gedaan?'

'Ik zou me niet als een lafaard hebben gedragen,' zei Halders.

'Beweer je dat ik me als een lafaard gedroeg?'

'Je rende weg.'

'Ik bleef staan! Ik sprong boven op hem!'

Halders knikte.

'Hij gedroeg zich als een lafaard. Begon met zijn pistool te slaan. De godvergeten angsthaas. Een snob, dat is hij. Een snob! Hij is zelfs te bang om mij nog verder te verhoren. Ha.'

'Mijn collega had zich bekendgemaakt. Je wist wie hij was.'

'Hij had weet ik veel wie kunnen zijn. Iedere gek kan zeggen dat hij weet ik veel wie is.'

Hij heeft een punt, dacht Halders. Steeds meer mensen zeggen dat ze God zijn, of Satan, of iets daartussenin. Steeds meer mensen lopen op straat voor zich uit te praten, te huilen, te lachen, te schreeuwen. Ze praten niet altijd in hun mobieltje.

'Dat is het enige wat ik heb gedaan,' zei Runstig. 'Dat is mijn enige misdrijf,' vervolgde hij met een eigenaardig gevoel voor formaliteiten.

Racisten zijn heel formeel, dacht Halders, dat heb ik vaker gezien, ze moeten een protocol volgen, anders worden die klootzakken nerveus.

'Wat deed je op het eiland?'

'Ik liet de hond uit, dat heb ik al zo vaak gezegd.'

Runstig was nu rustiger, het ging op en neer. Dat had Halders ook vaker gezien bij extremisten.

'Waarom net daar?'

'Het is een mooie plek. Geen mensen in deze tijd van het jaar.'

'Voelde het niet raar?'

'Wat?'

'Om zo dicht bij het huis te zijn waar de moorden waren gepleegd.'

'Daar stond ik niet bij stil. Ik zag het verband niet.'

'Waarom niet?'

'Wat is dat voor vraag?'

'Waarom bracht je die plek niet in verband met de moorden?'

'Omdat ik net zo dom ben als jij.'

'Geldt dat ook voor kinderen?'

'Wat?'

'Dat ze dom zijn. Zijn kinderen altijd dom?'

Runstig gaf daar geen antwoord op. Hij verzonk weer in zichzelf, verzonk in zijn eigen schaduw, die binnen in hem zat, die hem troostte,
ophitste. Halders had een paar keer iemands innerlijke schaduw naar
buiten zien treden en het had hem telkens jaren gekost om daar overheen te komen. Hij hield zijn eigen schaduw kort.

'Haat je kinderen, Christian?'

'Nee.'

'Waarom niet?'

'Waarom, waarom niet, niet alle vragen kunnen worden beantwoord.'

'Wie zijn het ergst?' vroeg Halders. 'Welke groepen mensen vind jij
het ergst?'

'De meeste.'

'Noem een van de ergste.'

'Allo's.'

'Waar herken je die aan?'

'Ha ha.'

'Stoor je je aan hun namen?'

'Nee, nee, dat is het enige mooie aan ze. Ik ben gek op allo-namen,
vooral als ik naar voetbal kijk.'

'Wat vind je van de naam Jovan?'

'Die is wel oké.'

'Herken je die naam?'

'Waarvan?'

135

Halders zei niets. Runstig leek na te denken. Hij keek in het rond, alsof de kale muren antwoord konden geven. Hij keek weer naar Halders.

'Er gaat geen belletje rinkelen,' zei hij.

'De man in het huis,' zei Halders. 'Echtgenoot, en vader van twee vermoorde kinderen.'

'Aha.'

'Ken je hem?'

'Hoe zou ik hem in godsnaam moeten kennen?'

'Je hebt een hond van hem gekocht.'

'Ik heb een hond van zijn vróúw gekocht!'

'Hoe kwam je aan het adres?'

'Ik heb toch gezegd dat ik dat in de advertentie had gelezen!'

'Welke dag was dat?'

'Dat heb ik al gezegd.'

'Nee.'

'Op dezelfde dag dat ik de advertentie had gezien.'

Halders keek in zijn aantekeningen. Ze wisten welke dag dat was, in elk geval volgens Runstig.

Hij keek weer op.

'Wat betekent terreur voor jou, Christian?'

'Hè? Terr... Hebben we het nu opeens over terreur?'

'Daar hebben we het de hele tijd al over. Ik kan je een definitie van terreur geven. Dat is iemand straffen voor iets wat de persoon in kwestie niet heeft gedaan.'

'Klinkt goed. Maar het klopt niet.'

'Waarom niet?'

'Iedereen heeft altijd wel iets gedaan. Iedereen is ergens schuldig aan.'

'Waaraan heb jij je schuldig gemaakt, Christian?'

'Ik heb een pak slaag van een smeris gekregen. Wou je verder nog wat?'

Toen Halders langzaam achteroverleunde, voelde hij hoe gespannen zijn nek was. Hij had tijdens het hele verhoor in een verkeerde houding gezeten. Hij leerde het ook nooit.

Winter landde in Málaga. Angela stond op hem te wachten toen hij met zijn koffer naar buiten kwam. Ze omhelsden elkaar. Voor de aankomsthal scheen een felle zon. Hij was al vergeten hoe die er hier uitzag. De zon was hier overal.

'Het gaat beter,' zei ze.

'Godzijdank.'

'Maar ze ligt nog wel in het ziekenhuis.'

'Op dezelfde kamer?' vroeg hij.

Mensen wachtten op hun krant, maar die kwam niet. Iedereen belde naar de *Göteborgs-Posten* om te horen wat er aan de hand was. Toen was het nog steeds vroeg in de ochtend. Diverse mensen op die route hebben vandaag geen krant gekregen, luidde het antwoord. Wie hem niet had gekregen, had niet veel aan die informatie. Waarom niet iedereen een krant had gekregen, kon niemand die vroege ochtend zeggen. Het was nog steeds donker, waarschijnlijk zou het de hele dag zo blijven.

14

'De meisjes hadden best mee kunnen komen,' zei hij toen ze in de auto naar het westen reden.

'Maria is bij ze,' zei ze. 'Ik heb gezegd dat we meteen na het ziekenhuis thuiskomen. Ze sliepen trouwens nog toen ik wegging.'

'Lilly ook?'

'Lilly ook.'

'Wat heb je tegen ze gezegd over Siv?'

'Dat ze ziek is.'

Hij zag de gevels van het Hospital Costa del Sol opdoemen, wit en groen tegen de hemel.

Angela verliet de snelweg en parkeerde de auto.

Ze volgden het bord *Entrada Principal*, al wisten ze beiden de weg, hij herinnerde het zich. Het gras om hen heen was groen en de bloemperken waren rood. De pijnbomen rondom het enorme gebouw waren hoger dan de vorige keer dat hij hier was, cactussen stonden in het gelid, en overal hing bougainvillea.

Hij herkende het informatiebord in de hal: *Ciudados Intensivos, Cirurgía, Traumatología*. Alles klonk mooier in het Spaans, ook het lelijke, het zieke, alsof de woorden in een andere taal een hogere betekenis kregen.

De muren in Sivs kamer hadden nog steeds een gelige kleur.

Hij zag meteen het bergmassief, de bergtop, die was niet veranderd. Siv zat rechtop in bed, ze was helemaal niet veranderd, er was niets gebeurd, ze glimlachte toen ze hem zag.

'Hoe gaat het, ma?' zei hij en hij omhelsde haar. Hij rook geen sigarettenlucht. Dat was voor het eerst in zijn leven.

'Goed, Erik.'

'Dan is er toch geen reden om hier te blijven?'

'Nee, inderdaad. Iemand moet zich hebben vergist.'

'Kom je vandaag thuis?'

'Ik hoop het. Zelfs in Spanje kunnen ze het zich niet veroorloven om kwistig te zijn met ziekenhuisbedden.'

'Vooral niet in Spanje,' zei hij.

'De economie is er niet op vooruitgegaan sinds jij naar Zweden bent verhuisd,' zei ze.

'Ik ben niet naar Zweden verhuisd.'

'Wat heb je dan gedaan?'

'Ik oefen alleen maar mijn oude vak uit.'

'Ik heb over de nieuwe zaak gehoord.'

'Daar hebben we het nu niet over.'

Ze zei niets meer. Ze keek door het raam.

'De Sierra Blanca,' zei ze, 'het is dezelfde berg die we thuis ook zien. Maar van een andere kant, natuurlijk.'

Mattias Hägg was Sandra's chef geweest. Hij wist niet goed wie hij tegenover zich had. Was ze boos of professioneel? Ze zag er boos uit, misschien kwam het door haar ogen, het oogwit was erg wit.

'Sandra kon goed opschieten met de andere werknemers,' zei hij.

'Is dat gewoon?' vroeg Djanali.

'Wat bedoelt u?'

'Zeg maar je. Wat ik bedoel? Is het gewoon dat mensen het op hun werk goed met elkaar kunnen vinden?'

'Ik weet het niet. Ik weet alleen hoe het hier is.'

'Wie waren haar beste vrienden op het werk?'

'Dat... weet ik eerlijk gezegd niet.'

'Niet?'

'Zó goed kende ik Sandra nou ook weer niet.'

'Hoe goed kende je haar?'

'Ze was mijn secretaresse. Of liever gezegd mijn ex-secretaresse. Ze had een andere functie gekregen.'

'Gingen jullie privé met elkaar om?'

'Nee... ja... ik ben een keer bij haar thuis geweest. Bij Amundö... samen met mijn vrouw. Een etentje, alweer een paar jaar geleden.'

'En daarna?'

'Nee.'

'Geen etentje bij jou thuis?'

'Nee... Dat... is er niet van gekomen.' Hij keek haar aan. 'Het klinkt raar, ik weet het. En nu is het te laat.'

Hij zag er verdrietig uit. Het was een expressie die ze herkende, dat hoorde bij haar werk, net zoals het bij het werk van een begrafenisondernemer hoorde.

Dat was een bijzonder woord, begrafenisondernemer, maar in het

Frans klonk het nog vreemder, nog formeler, *entrepreneur des pompes funèbres*. Op dit moment wist ze even niet hoe het in het Dioula heette, of in het Mòoré.

Hoe goed had hij Sandra gekend? Hoe goed had hij haar niet gekend? Hägg benadrukte duidelijk hoe goed hij haar niet had gekend, dat voelde en hoorde ze, daar had hij op geoefend.

'Wat kun je over Sandra vertellen?' vroeg ze.

'Wat wil je weten?'

'Alles. Had ze het hier naar haar zin?'

'Ja, absoluut.'

'Hoe weet je dat?'

'Dat zei ze. Zoiets zie je.'

Dat hoort bij het werk. Aneta Djanali zag de kamer en de glazen wand naar de gang, die overging in een langwerpige kantoortuin; het hoort bij het werk om je liefde voor je werk uit te spreken, het Zweedse model.

'Was ze opgewekt?'

'Sorry?'

'Sandra. Zou je kunnen zeggen dat ze opgewekt was op haar werk? Dat ze iets positiefs uitstraalde, plezier?'

'Ja, dat deed ze.'

'Op welke manier?'

'Wat je zelf net zei. Ze straalde iets uit... Plezier, denk ik.'

'Kwam ze weleens langs? Tijdens haar ouderschapsverlof?'

'Een enkele keer, misschien.'

'Wanneer was de laatste keer?'

'Dat kan ik me eerlijk gezegd niet herinneren.'

'Hoe was ze toen?'

'Gewoon.'

'Hoe lang bleef ze?'

'Even maar. Ik heb niets ongewoons opgemerkt.'

'Hoezo iets ongewoons?'

'Dat ze... anders was. Daar heb ik niets van gemerkt.'

Daar heb ik helemaal niet naar gevraagd, dacht Djanali.

'Waarom zou ze anders zijn geweest?'

'Ik weet het niet. Je vroeg ernaar.'

'Nee hoor.'

'Dan heb ik je kennelijk verkeerd begrepen.'

'Was er iets gebeurd waardoor ze misschien was veranderd?'

'Wat zou dat moeten zijn?'

'Iets wat je niet van haar herkende?'

'Nee.'

Hij stond op, bleef staan, zag eruit alsof hij niet wist waarom hij was opgestaan. Misschien was dat hier de gewoonte, als iemand vond dat het gesprek was afgelopen, stond hij op. Maar ik ben degene die zou moeten opstaan. En ik zit nog. Ze wilde opstaan. Ze wilde naar de grote open lucht die ze door het raam zag. In de verte zag ze de Älvsborgsbrug, die leek groter in de nevel.

Ze stond op. Ze zouden elkaar waarschijnlijk snel weer spreken.

'Bedankt,' zei ze.

'Ik wil de politie graag helpen. Dit moet worden opgelost. Het is zo verschrikkelijk.'

Hij keek opgelucht. Nu zag ze het zweet bij zijn haargrens.

Gerda Hoffner ging niet meteen naar huis. Ze pakte een auto uit de politiegarage en reed naar het zuiden. Er was nu niemand in de buurt die ze kon aansteken. En ze voelde zich een stuk beter, ze had al een halfuur niet gehoest. Daar heeft Aneta voor gezorgd, zij heeft vast magische krachten. Hoffner glimlachte bij zichzelf en dacht aan de maskers uit Burkina Faso die bij Aneta thuis aan de muur hingen. Hoffner had ze gezien toen ze met een paar collega's in de villa in Lunden Walpurgisnacht had gevierd. Het was haar eerste feestje met Fredrik en Aneta en Bertil en Torsten geweest, de oude garde die over het laatste wiel had gepraat, het vijfde zoals Fredrik had gezegd, over Erik die waarschijnlijk nooit zou terugkeren van zijn ballingschap. Fredrik was net hoofdinspecteur geworden, de oudste recent benoemde hoofdinspecteur van Zweden had hij gezegd en iedereen had gelachen, maar ze had gezien dat zijn lach nooit zijn ogen had bereikt, en ze had begrepen dat Fredrik altijd een gecompliceerde verhouding met Erik had gehad en dat was er niet beter op geworden toen de baas plotseling zonder waarschuwing was teruggekeerd, midden in deze zaak. Erik had niet zoveel gezegd, maar hij wilde terug in het team, weer aan het werk, dat begreep ze, ze begreep het elke dag beter en soms beangstigde het haar.

Ze belde. Niemand nam op. Robin Bengtsson was al uren klaar met zijn zwarte krantenwijk en hij had beloofd haar te bellen, ongeacht of hij iets had gezien of dat hem iets te binnen was geschoten. Ze had het kunnen weten, hij was natuurlijk zo'n onbetrouwbaar type. Ze had niets gezegd toen Winter hem had laten gaan om gewoon weer kranten rond te brengen, want Winter wist natuurlijk heel goed wat hij deed. Maar nu was Robin er waarschijnlijk vandoor gegaan zonder aan de gevolgen te denken, hij was vast op weg naar Christiania als dat nog bestond, of naar een drugshol in Gårda. Al zag hij er niet uit als een drugsgebruiker. Hij zag er niet uit als een jonge alcoholist. Hij zag er gewoon uit als een krantenbezorger die zwart werkte.

Ze belde nog een keer, er werd niet opgenomen. Er was een alternatief, maar daar wilde ze niet aan denken, nog niet. Ze dacht aan het huis, het verdoemde huis. Ze wilde daar rondlopen, daar staan, daar nadenken. Ze was er bang voor. Het kan iets met me doen wat me voor altijd verandert, dacht ze, en dat is wat ik wil en dat beangstigt me. Meer dan wat dan ook.

Vanaf de top van Bäckebo zag ze het ijs blauw blinken tot aan de open zee. Het zag er hiervandaan dun uit, broos, dat kwam door het grotere perspectief. Beneden zou het ijs veilig voelen, maar dat was een schijnveiligheid, het ijs was niet meer dan een bedrieglijke toplaag die onzichtbaar was voor iemand die niet vanuit de verte kon kijken, van een hogere hoogte. Zo eenvoudig was het.

De parkeerplaats was verlaten. De technische afdeling had de auto van Christian Runstig meegenomen. Ze hadden geen bloed gevonden, in elk geval nog niet. Ze hadden hét bloed niet gevonden, dacht ze toen ze langs de speeltuin liep, die ook verlaten was, alsof alles in deze omgeving na het misdrijf was verlaten. Misdrijven hadden dat effect: verlatenheid, leegte en terreur, een straf voor alle onschuldige mensen.

De Amundövik was een weg, maar ze dacht dat het vroeger niet meer dan een pad was geweest. Nu was het een straat voor mensen die het geluk hadden gehad hier grond en een huis te bemachtigen, die zich een huis in het paradijs hadden kunnen veroorloven.

Aan een boom hing een geplastificeerd vel papier. HALLO. AARDIG EN KEURIG STEL ZOEKT WOONRUIMTE IN DE OMGEVING, EEN DEEL VAN EEN VILLA OF EEN APPARTEMENT. WE HELPEN GRAAG MEE IN DE TUIN. KLEINE MAAR LIEVE ZOON. PRACHTIGE VIERKAMERFLAT IN OLSKROKEN. FINANCIËN OP ORDE. En daaronder kleine briefjes met het telefoonnummer. Een paar waren er afgescheurd. Iemand had zich misschien erbarmd. Het aardige, keurige stel woonde hier misschien al. Er stond geen datum bij. Ze noteerde het telefoonnummer en nam een foto van de advertentie. Ze stond even stil bij de formulering 'kleine maar lieve zoon'.

Langs het fietspad achter zich zag ze diverse borden waar PRIVÉ op stond, die waren geplaatst bij de huizen die een stuk grond aan het water hadden, sommige leken op een kasteel, andere op een bunker, afhankelijk van de persoonlijkheid van de eigenaar. Ze stond nu voor het mooie houten huis, het lege huis. Ze had een akelig gevoel in haar buik, alsof binnen iets gemeens bewoog, niet iets liefs. Ze moest opeens aan *Alien* denken. Was het in de eerste film dat er iets in de buik van een ruimtevaarder groeide, iets heel gemeens wat naar buiten kwam? Bij het zien van de scène had ze haar buik beetgepakt, het was de naarste scène die ze ooit had gezien.

Ze voelde iets trillen in de binnenzak van haar jack. Ze pakte haar mobiel.

'Ja, met Gerda. Waar ben je?'

Ze hoorde geen stem, alleen elektronisch geruis.

'Hallo?' Ze keek weer naar het display. Daar stond ROBIN BENGTSSON, zoals het ook moest als alles goed werkte. 'Waarom heb je niet gebeld, Robin?'

'Ik bel nu toch,' hoorde ze. Zijn stem klonk ver weg, alsof hij uit Christiania, uit Goa, of van een strand in Cambodja belde.

'Je zou bellen zodra je klaar was! Waar ben je?'

'Thuis.'

'Waarom bel je nu pas, Robin?'

'Ik... werd bang.'

'Wie maakte je bang?'

'Weet ik niet.'

'In welk opzicht werd je bang, Robin?'

'Er was iemand.'

'Waar bedoel je?'

'In het huis.'

'In het huis? Welk huis?'

'Er is maar één huis.'

'Zag je iemand in het huis?'

'Ja...'

'Waar precies?'

'Achter het raam. Op de eerste verdieping.'

Ze keek naar het raam op de eerste verdieping. Dat was groter dan de andere ramen. Er bewoog niets. Het was zwart.

'Ben je naar binnen gegaan?'

'Nee, nee. Ik ben weggelopen... en toen hoorde ik iets. Vlakbij.'

'Wat hoorde je?'

'Het klonk als een... dier.'

'Waarom werd je bang?'

'Jij zou ook bang zijn geworden als je daar was geweest,' zei Robin.

Bertil Ringmar had een afspraak met Jovan Mars in Kafé Kardemumma aan de Mariagatan in het stadsdeel Kungsladugård. Het was Mars' keuze.

'Ben je hier al eens eerder geweest?' vroeg Mars toen ze in een hoekje hadden plaatsgenomen. Ringmar keek om zich heen.

'Vreemd genoeg niet. Ik ben hier wel vaak voorbijgereden.'

Mars knikte. Hij had besteld. Hij wilde zelf betalen. Het was alsof hij het leven voelde terugkeren. Of wat het ook maar was.

'Ik woon hier vlakbij,' zei Ringmar.

'Ik ook.'

Ringmar knikte.

'Ik weet niet voor hoe lang,' zei Mars.

'Nee.'

'Ik weet niet of ik er ooit weer kan wonen... in het huis.'

'Nee.'

'Wat vind jij?'

'Daarin kan ik je niet adviseren,' zei Ringmar.

'Nee, dat begrijp ik, ik bedoel in het algemeen. Daar kun je toch zeker wel iets over zeggen?'

'Weer in je oude huis gaan wonen na een misdrijf?'

Wat klonk dat armzalig. Ze hadden het hier over meer dan een misdrijf. Iets groters.

'Na...' zei Mars.

'Het is jouw beslissing,' zei Ringmar.

'Een klotebeslissing.'

'Dat ben ik met je eens.'

'Hoe kun je daar nou leven?'

'Wil je daar leven?'

'Dat weet ik dus niet.'

'Hoe gaat het met je dochtertje?'

'Goed. Ze weet niets.'

Ringmar antwoordde niet.

'Hoe zou ze iets kunnen weten?' zei Mars.

'Nee, hoe zou ze iets kunnen weten,' zei Ringmar en hij zag twee jonge vrouwen binnenkomen, allebei met een kinderwagen. Er waren veel kinderwagens in Kungsladugård, dat was altijd al zo geweest. De vrouwen leken zelf nog niet volwassen. Sinds zijn vijftigste vond Ringmar dat alle jonge vrouwen nog tieners leken, vooral als ze een kinderwagen voor zich uit duwden.

'Dat is het nou net... Hoe zullen we daar ooit kunnen leven? Als ze het begrijpt. Als Greta het begrijpt. Als ik moet uitleggen... in die kamer... in die kamer...'

'Je hoeft nu niet te beslissen,' zei Ringmar.

'Misschien kan ik het wel nooit,' zei Mars.

'Hoe is het met je baan?'

'Die heb ik nog wel. Ik weet niet of ik... of ik ermee door wil gaan. Ik ga in elk geval niet terug naar Stockholm.'

'Nee. Je moet even rustig de tijd nemen.'

'Is dat voldoende? Is tijd voldoende?'

Nee, dacht Ringmar, tijd is niet toereikend, al had je alle tijd van de wereld, dan was het nog niet toereikend, de eonen zijn niet toereikend. De tijd heelt geen wonden, dat is flauwekul, het wordt in de loop van de jaren alleen maar erger, dat weet iedereen.

'Ik begrijp dat jullie daar geen verantwoordelijkheid voor kunnen nemen,' hoorde hij Mars zeggen. 'Hoe zouden jullie daar verdomme verantwoordelijkheid voor kunnen nemen?'

De vrouwen deden hun bestelling bij het buffet. Ze lachten allebei. Het meisje dat hen hielp lachte. Het waren stamgasten, net zoals Erik en hij dat bij Alströms waren. Waren geweest. Ze hadden er deze winter nog geen koffie met gebak gedronken.

Mars zei weer iets.

'Sorry?'

'Waar nemen jullie verantwoordelijkheid voor?' vroeg hij. 'Waar neem jij verantwoordelijkheid voor?'

'Voor zoveel ik kan,' zei Ringmar.

'De moorden,' zei Mars, 'daar nemen jullie verantwoordelijkheid voor. Jullie nemen de verantwoordelijkheid om de klootzak te vinden die het heeft gedaan. Dat is jullie verantwoordelijkheid. Hoor je me?'

Mars was harder gaan praten. Ringmar hoorde hem toch wel.

'Ik hoor je,' zei hij.

Hoffner opende de deur, liep de hal in, de trap op. Het huis weerklonk van leegte en eenzaamheid. Zo zou het misschien altijd blijven. Ze wist niet of de man hier weer zou gaan wonen met zijn kind, niemand wist het. Het was wellicht het beste om het niet te doen. Hij moest misschien naar een cel verhuizen.

Niemand wist het op dit moment. De bovenverdieping was ook geleegd van alles wat kon worden verplaatst en wat een verhaal kon vertellen. Dat was een uitdrukking die een van de technisch rechercheurs, Barbara, niet zo lang geleden had gebruikt. Een verhaal vertellen. Alles had een verhaal te vertellen.

Hier was niets wat vernield kon worden.

Wat had er ontbroken toen Winter en Ringmar hier de eerste keer waren? Meer dan het leven van drie mensen? Ze wist nog niet alles. Ze had gehoord over de ontbrekende speen.

De houten vloer in de kamer met het grote raam was glad als gepolijst ijs. Het was licht hout, zag er duur uit. Ze kon in de moordbijbel kijken als ze wilde weten welke houtsoort het was, alles wat een mens moest weten stond in een moordbijbel. Met dat woord werd vroeger een handleiding bij een moordonderzoek bedoeld, maar Winter had er iets anders van gemaakt, nu betekende het het complete onderzoek, het vooronderzoek, waar alles in stond.

Had iemand hier gestaan, gelopen? Na de moorden? Was dat mogelijk? Het huis werd nog steeds bewaakt, maar dat zou binnenkort eindigen.

Ze zag de zee door het raam, de weg beneden, de brievenbussen, de huizen, het fietspad, de bunkers, de kastelen, de eilandjes en de scheren, de brug naar het grote eiland, het ijs tussen de twee eilanden; er waren geen sporen meer te zien van Winters jacht op het ijs.

Met haar blik nog steeds op de bevroren zee pakte ze haar mobieltje.

Torsten Öberg nam al op toen de telefoon nog maar twee keer was overgegaan. Ze vertelde waar ze was.

'Kun je iemand laten komen?' zei ze. 'Het gaat om de vloer. Of misschien het raam.'

'Natuurlijk,' zei hij.

Ze keek in het rond, alsof de tijd hier nog ergens zou zijn, die minuten, alsof de tijd zich kenbaar zou maken, misschien door de slagen van een wandklok, of op een andere manier, maar ze hoorde alleen de stilte en geruis, misschien van de bevroren zee, van het water onder het ijs, dat nog steeds moest bewegen, want het kon toch niet stilstaan alleen omdat het door ijs was gevangen.

Toen ze weer buiten kwam, zag ze het hoger gelegen tuinhuisje van de buren. Het was net of het op een stuk eigen grond stond, alsof het een huis op zich was. Daarboven was het perspectief ongetwijfeld nog beter, daarvandaan kon je waarschijnlijk alles zien.

Het hek van de buren piepte toen ze het openduwde.

Er deed niemand open toen ze aanbelde, ze drukte een paar keer op de bel. Er was geen hond in de buurt, geen waarschuwing, geen hondenhok, geen waanzinnig geblaf binnen, ik wil je opeten, ik wil je kauwen. Ze liep om het huis heen en begon aan de klim naar het tuinhuisje, dat op een heuvel lag. Het was behoorlijk steil; toen ze boven was, haalde ze stotend adem en ze herinnerde zich nu dat ze waarschijnlijk bronchitis had, misschien iets ergers. Ze stond naast het tuinhuisje en zag Mars' huis beneden liggen, ze kon zo door het raam naar binnen kijken, had vrij zicht over de tuin en de weg en al het andere, een nieuwe en sterk verbeterde versie van het toneel. Ze opende de deur. Het licht van buiten viel naar binnen omdat het huisje zo dicht bij de hemel lag. Er lagen spullen op de grond. Ze knipperde met haar ogen, het prikte in haar ene oog, ze knipperde nog een keer. Ze toetste het snelkeuzenummer van de technische afdeling in.

'Ja?'

'Het gaat niet alleen om de vloer in Mars' huis,' zei ze.

15

Winter liep over het viaduct van de snelweg. De vorige keer had hier een enorm bord boven alles uitgestoken: *Urbanizacíon Bahia de Marbella*. Sindsdien was er veel gebeurd, de stad was in de breedte gegroeid en de renovatie van het in verval geraakte Hotel los Monteros aan de andere kant van het viaduct was inmiddels voltooid. Achter het hotel, aan de Avenida del Tenis tot aan de zee, lagen nog steeds de mooie villa's.

Hij liep hier voor de tweede keer. De eerste keer had zijn vader op sterven gelegen. Nu wist hij niet wat er ging gebeuren. Misschien was het nu ook zo, het moest een bedoeling hebben dat hij hiernaartoe was gegaan, de urbanisatie hing samen met het leven van zijn ouders, die hing samen met alles aan deze kust.

Dit was de wereld waar ze voor hadden gekozen, en binnenkort zouden ze allebei dood zijn en al het andere zou blijven, het verschrikkelijk lelijke en het fantastisch mooie, en hij zou binnenkort gewoon nóg een wees in de zon zijn.

Midden op een tennisbaan lagen allemaal stoelen dwars door elkaar, alsof er plotseling iets was gebeurd waardoor een samenzijn in het verleden was afgebroken, of een feest. Het was de naderende oorlog.

In de auto naar de stad dacht hij aan de eerste keer dat hij zijn moeder had gezien. Aan zijn eerste herinnering aan haar, hoe klein hij toen moest zijn geweest. Het was een gedachte die hij nooit eerder had gehad. Misschien was het iets waar mensen aan dachten in de seconde voordat ze doodgingen. Maar hij zou niet doodgaan.

'Ben je moe, Erik?' vroeg Angela.

'Nee, nee.'

'Wil je iets speciaals doen?'

'Voor mij is het genoeg om de meisjes te zien. En jou.'

'We kunnen naar Timonel gaan om te lunchen. Ik had vanochtend geen tijd om boodschappen te doen.'

'Timonel is perfect. Ik heb hun *adobo* gemist.'

Ze liepen langs het Fontanillastrand, ze bleven maar lopen, Lilly zat op zijn schouders, ze wilde er niet af. Het was alsof hij jaren was weggeweest; de afgelopen twee jaar had hij hen nog geen dag alleen gelaten, het contrast was duizelingwekkend groot en alleen kinderen begrepen zoiets.

Angela was teruggegaan naar hun appartement. Zij begreep het ook.

'Hoe lang blijf je thuis?' vroeg Elsa. Ze vroeg het nu pas. Ze weet dat ik weer zal vertrekken, dacht hij. Ze weet waarom ik hier nu ben.

'Ik weet het niet precies, meiske,' zei hij en hij pakte haar hand. Ze had net steentjes gekeild, dat had hij haar geleerd, het was heel moeilijk om steentjes in de branding te keilen.

'Wordt oma weer beter?'

'Ik denk het wel, meiske.'

'Waarom ligt ze dan in het ziekenhuis?'

'Dat is op dit moment beter voor haar,' zei hij en hij liet de hand van zijn dochter los, pakte een steen en wierp die ver weg, terwijl Lilly nog steeds op zijn schouders zat.

'O!' zei Lilly.

'Met wat voor zaak ben je nu bezig, papa?' vroeg Elsa en ze keek hem turend aan. De zon scheen in haar ogen. De voorjaarszon aan de Costa del Sol was krachtiger dan op de meeste andere plekken op aarde. 'Is het een moord?'

'Doe je zonnebril op, meiske.'

'Wat is het, papa? Wat is het voor zaak?'

'Je vraagt te veel. Ik heb je toch gezegd dat je je vader niet moet vragen waar hij precies mee bezig is als je vader rechercheur bij de politie is.'

'Ik dacht dat je was gestopt,' zei ze. 'Daarom vraag ik het.'

'Probeer me niet te slim af te zijn,' zei hij.

'Moet je aan deze zaak werken?'

Ik heb in de loop van de jaren te veel verteld, dacht hij. Ze heeft te veel geluisterd. Lilly luistert.

'Ja, het is niet anders' zei hij. 'Maar ik kom terug.'

'Gaat het lang duren?'

'Nee,' zei hij.

'Je probeert me te slim af te zijn, papa!'

'Jullie komen binnenkort ook naar huis. We gaan met z'n allen terug naar Zweden.'

'En als ik dat niet wil?'

'Wil je niet terug naar Zweden, meiske?'

'Nee,' zei ze, 'ik wil hier wonen, met jou en mama en Lilly en oma.'

Gerda Hoffner stond bij het weggetje te wachten. Ze zag een auto achteruit een hoek om komen, en ze zag ook waar die vandaan kwam. Verder naar het zuiden zag ze een vrouw uit een huis komen en diezelfde kant op lopen. Onvaste zonnestralen dansten door de wolken heen. Geen ervan trof haar. Op dit moment voelde ze zich heel beroerd. Het hoesten was teruggekomen en telkens als ze hoestte deed haar borst pijn. Ze had misschien kanker, net als Eriks moeder. Al sinds mijn kinderjaren ga ik uit van het ergste, dacht ze, sinds ik weet dat je ziek kunt worden, beeld ik me in dat ik ziek ben. In het Duits heet dat *Hypochondrie*, net als in het Zweeds trouwens. Toch ben ik nooit bang geweest voor mijn bezorgdheid, dat is best raar. Een overcompensatie voor iets wat ik niet weet.

Vanuit het noorden, uit de richting van de speeltuin, kwam een man aangelopen. Hij was wat ouder, misschien gepensioneerd, en hij liep een beetje mank. Hij leek haar kant op te komen, alsof hij wist wie ze was.

Hij bleef staan en stak een hand uit.

'Robert Krol,' zei hij.

'Ik kan u maar beter geen hand geven,' zei ze. 'Volgens mij ben ik flink verkouden aan het worden.'

'Wat vervelend,' zei hij.

Krol keek naar het huis.

'Wat een tragedie,' zei hij en hij keek weer naar haar. 'Ik heb het allemaal... ontdekt.'

'Ik herken uw naam,' zei ze.

'O ja?'

'Natuurlijk,' zei ze.

'Aha,' zei hij, 'u bent ook politieagent.'

'Ik dacht dat u dat had begrepen.'

Hij antwoordde niet. Natuurlijk heb je dat wel begrepen, kapitein weetgraag.

De man keek weer naar het huis.

'De kinderen,' zei hij. 'Dat het kon gebeuren. Dat zoiets mag gebeuren.'

'Kende u de krantenbezorger?' vroeg ze.

'Of ik de krantenbezorger kende? Waarom zou ik?' Ze dacht dat hij glimlachte. 'Zijn er mensen die hun krantenbezorger kennen?'

'Hebt u hem 's ochtends weleens gezien?'

'Nee, zo'n vroege vogel ben ik niet.'

Vanuit het noorden kwam een auto aangereden. Ze herkende zowel de chauffeur als de bijrijder.

Torsten Öberg stapte uit, samen met nog twee mensen.

'Het leek me wel goed om zelf ook te komen,' zei hij.

'Prima,' zei Hoffner. 'Als ik me niet vergis heb je Robert Krol al eerder ontmoet.'

Öberg knikte.

'We moeten aan het werk,' zei hij met zijn gezicht naar Krol toe.

'Natuurlijk,' zei Krol en hij begon weer te lopen, terug naar het fietspad.

'Waar zullen we beginnen?' zei Öberg.

'Het gaat om de grote kamer boven, en het tuinhuisje daarginds,' zei ze en ze wees met haar ene hand naar de berg, terwijl ze de andere voor haar mond hield toen ze weer moest hoesten.

'Dat klinkt helemaal niet goed,' zei Öberg. 'Ga naar huis en kruip lekker onder de wol, anders moet ik jou straks ook nog onderzoeken.'

'Sectie op me plegen, bedoel je zeker? Je wordt bedankt.'

'Wat is er met het tuinhuisje? Daar hebben we al een keer gekeken.'

'Er heeft iemand gezeten, bij het raam. Alsof de persoon in kwestie... naar Mars' huis heeft zitten kijken. Ik kan het niet uitleggen. Ik kreeg een bepaald gevoel. Heel sterk. Er lag een peuk op de grond. Er stond een stoel bij het raam. Weggetrokken van de tafel en de andere stoelen. Het zag er onnatuurlijk uit.'

Toen hij weer in zijn moeders kamer kwam, was Siv Winter aangesloten op de zuurstof. De hemel boven de bergen was donkerder geworden, misschien waren het regenwolken. De lucht was zwaarder toen hij van de parkeerplaats naar de ingang van het ziekenhuis liep, als om hem eraan te herinneren dat het hier nog geen zomer was, misschien niet eens echt voorjaar. Soms stelde het voorjaar zelfs aan de Costa del Sol teleur.

Hij hielp haar de twee plastic slangetjes uit haar neusgaten te halen.

Ze zag er bang uit, klein en dun en bang. Haar haar zat in de war. Hij fatsoeneerde het een beetje. Haar haar voelde heel dun en zacht, als van een klein kind.

'Het is net alsof ik niet langer kan ademen,' zei ze.

'Het wordt beter,' zei hij.

'Soms bereik je een punt waarop de dingen niet meer beter worden,' zei ze.

'Je bent een echte filosoof geworden, ma.'

'Dat worden we allemaal als we doodgaan.'

'Jij gaat niet dood.'

'Ik heb niet het eeuwige leven.'

'Maar je gaat nu niet dood.'

'Nee, ik wil nu niet doodgaan. Er is nog te veel wat de moeite waard is.'

'Zeker weten.'

'Je kijkt zorgelijk, Erik. Er is nog iets anders.'

'O?'

'Je hebt je werk mee terug genomen.'

'Het is moeilijk om dat niet te doen,' zei hij. 'Maar ik doe mijn best.'

'Je had niet moeten komen. Je hebt je werk.'

'Als ik niet was gekomen, was ik geen mens geweest,' zei hij.

'Wanneer ga je terug?'

'Als jij je wat beter voelt.'

'Dan moet je misschien lang blijven. Ik hoorde dat je bij Lotta bent geweest.'

Ze zag er nu fitter uit, had meer kleur op haar wangen, een andere glans in haar ogen.

'Ze komt morgen,' zei Winter.

'Hoe meer er komen, hoe meer zorgen ik me maak,' zei ze. 'Het begint op een begrafenisstoet te lijken.'

'Ik hoop dat je een grapje maakt, Siv.'

'Ja, dat klopt. Waarom lach je niet?'

'Geef me even.'

Toen hij buitenkwam, waren alle wolken weggewaaid. De lucht was net zo vreselijk blauw als ze vrijwel altijd was. Hij had opeens zin in een cigarillo, als een daad van solidariteit met Siv. Een jaar geleden was het hem gelukt de nicotine op te geven, dat kwam door de zon en de zee en de kinderen, en door het feit dat hij niet werkte. In Zweden waren de Corps al jaren uit de handel, de groei van het merk was met hem begonnen en geëindigd, hij hoefde zijn sigaartjes niet langer uit Brussel te laten komen, hij was vrij.

De rook had haar nog niet gedood. Er bestonden ook verhalen die goed afliepen. Dit was slechts een kleine onderbreking in het eeuwige verhaal over het paradijs, een tijdelijk probleem onder het hemelgewelf.

Het zuidelijke deel van de parkeerplaats was opgebroken. Hij moest over een plank over een gat lopen. Er hingen borden in het Spaans en in het Engels, dit was een internationale plek, met rode verf op een witte ondergrond was *Sorry for the trovles* geschreven.

Hij stond op zijn terras in de Calle Ancha en had uitzicht op de oude stad. De twee palmen voor de kerk op het Plaza de Santo Christo straalden geborgenheid uit, Siv had drie palmen in haar tuin in Nueva Andalucía. Ze had al gezegd dat het huis er altijd voor hen zou zijn, wat er ook gebeurde. Hij had haar gevraagd het daar niet over te hebben.

Zijn mobieltje schraapte als een pacemaker tegen zijn borstzak. Voordat hij opnam, keek hij op het display. Even was hij bang dat het een lokaal gesprek was.

'Hallo, Bertil.'

'Hoe gaat het met Siv?'

'Het lijkt wat beter te gaan.'

'Fijn om te horen.'

'Het blijft afwachten. Hoe is het met jou?'

'Goed, dank je. Ik heb met Jovan Mars gepraat.'

'Hoe is het met hem?'

'De man verkeert nog steeds in shock. We weten nog niet waar die vandaan komt.'

'Heeft hij het gedaan?'

'Ik ben vergeten dat te vragen.'

'Kan hij het hebben gedaan?'

'Ja.'

'Weten jullie al meer over zijn alibi?'

'Hij heeft geen alibi, Erik. Tenzij er een getuige opduikt. Mars kan de dader zijn.'

'Wat zegt hij over het huis? Wat gaat hij doen? Heeft hij daar iets over gezegd?'

'Hij weet het niet.'

'Wat zou jij doen, Bertil?'

'Dat is een hypothetische vraag.'

'Bestaat er een andere soort?'

De duisternis kroop van de bergen naar beneden toen ze na het laatste ziekenhuisbezoek van de dag terugreden. Angela zat achter het stuur. Hij wilde niet rijden. Het voelde veilig om naast iemand te zitten en de kleur van de baai even diep te zien worden als de bodem altijd moest zijn. Overdag leek alles van tin, folie, blind zilver of waarom niet ijs; als je niet boven op de berg stond, had de zee overdag niets blauws.

'Het is erger dan ik dacht,' zei hij voor zich uit in de schemering. Ze zagen tegenliggers die zonder lichten reden, *Spanish style.*

'Ik vind juist dat ze er wat beter uitziet,' zei Angela. 'Ze heeft ook wat meer gegeten.'

'Ik heb het niet over Siv.'

'Ben je bang?'

'Ik kan het niet aan iemand anders overlaten. Het is te ver gegaan.'

Ze antwoordde niet. Ze waren nu in de stad, passeerden een paar autodealers, de lak van de auto's in de showrooms glom in het gele neonlicht, dat in Spanje geler was dan in Zweden.

'We moeten hem uit zijn tent lokken.'

'De moordenaar uit zijn tent lokken?'

'In zekere zin.'

'Hoe doe je dat?'

'Door na te denken. Door eraan te denken. Wat is er gebeurd? Waarom is het gebeurd? Hoe is het gebeurd?'

'Is het anders dan eerdere zaken?'

'Het is erger. Misschien is het anders. In elk geval erger.'

'Vanwege de kinderen?'

Hij antwoordde niet. Hij had de dode kinderen een paar dagen niet gezien. Hun gezicht niet gezien.

'Als Sivs toestand zich ten goede stabiliseert, kun je teruggaan,' zei ze. 'Dat gebeurt misschien heel gauw.'

'Dat maakt me ook bang,' zei hij. 'Ik ben overal bang voor. Ik weet niet wat er met me gebeurt.'

'Je bent menselijk,' zei ze. 'Een *Mensch*.'

'Was ik dat vroeger niet?'

'Jawel, maar op een andere manier.'

'Hoe dan?'

'Dat weet je zelf misschien het beste,' zei ze.

'Het komt doordat ik niet heb gewerkt,' zei hij, 'die twee jaren. Die hebben me op een verkeerde manier menselijk gemaakt.'

'Wat een onzin.'

'De verkeerde persoon in de verkeerde baan.'

'Dan toch de verkeerde persoon in de juiste baan,' zei ze.

'Of de juiste persoon in de verkeerde baan,' zei hij.

'Misschien moet je helemaal geen baan hebben,' zei ze.

'Alleen deze,' zei hij. 'En daarna nog één laatste.'

16

Mensen liepen in en uit, alsof het de enige apotheek in het westen van de stad was, een stroom mensen. Voor de zaak stonden mannen die eruitzagen alsof ze op drugs wachtten. Het was geen waar beeld. Alle mensen die ze op het Opalplein zagen waren gezond en gezagsgetrouw, sommige hadden een donkere huidskleur, andere een lichte. Het voorjaar hing echt in de lucht, er was hoop op een toekomst als je er maar voor zorgde dat je gezond was, niet doodging, niet in aanraking kwam met de zware middelen, opgewekt en positief was.

Halders stapte de bloemenzaak op het plein binnen en kwam naar buiten met een lange roos, die hij aan Aneta gaf.

'Ik hoop niet dat je hem hebt gestolen,' zei ze.

'Ik mocht niet betalen.'

Ze keek naar de bloem.

'Dit is het mooiste wat je van iemand anders kunt krijgen,' zei ze, 'een lange, rode roos.'

'Ik weet het.'

'Waarom nu?'

'Moet er altijd een reden zijn?'

'Nee, natuurlijk niet.'

'Het is je naamdag.'

'Aneta komt niet voor in de Zweedse almanak, Fredrik.'

'Nu wel, vandaag sta jij erin.'

'Je kunt niet zomaar de plaats van een andere naam innemen,' zei ze.

'Waar komt je naam vandaan? Aneta?'

'Volgens mij hadden mijn ouders me Agneta willen noemen,' zei ze, 'maar zijn ze de g vergeten.'

'Het is niet makkelijk,' zei hij.

'De naamdag van Agneta is op 21 januari,' zei ze. 'Dat is het al geweest.'

'Toen was het winter, nu is het bijna voorjaar.'

'Van de winter heeft Christian Runstig hier op het Opalplein twee mensen verwond, misschien zelfs gedood, in elk geval eentje.'

'Het probleem is dat het niet is gebeurd.'

'In elk geval weten wij er niets van.'

'We zouden het hebben geweten, en voor de zekerheid zijn we nu hier. Ik zie geen bloedvlekken.'

Ze liepen een eindje, passeerden Le Pain Français en stopten voor de kerk. Halders las hardop wat er op een bord stond: 'Als God bestond, wat zou je hem dan vragen?' Hij draaide zich om naar Djanali. 'Wat zou jij hem vragen, Aneta?'

'Ik zou hem vragen waar hij was toen de kinderen werden vermoord,' zei ze.

'Ai, dat is een zware vraag.'

'De kinderen, en de vrouw.'

'Dat mag je God niet vragen. Dat is het enige wat je God niet mag vragen. Je kunt God niet aansprakelijk stellen voor de dood. Die vraag is taboe voor mensen die zeggen dat ze in God geloven. Je mag het niet eens denken.'

'Wie is er dan verantwoordelijk voor de dood?'

'Satan, natuurlijk.'

'Dat betekent dat hij sterker is.'

Halders antwoordde niet. Hij dacht aan de gewelddadige dood van zijn ex-vrouw. Hij had de afgelopen week vaak aan de dood van zijn kinderen gedacht. Dat begrip bestond nog niet in zijn leven, 'de dood van mijn kinderen'. Die gedachte was taboe voor mensen die zelf konden denken.

'Ze hebben kerkdiensten in het Arabisch,' zei Djanali.

'Spreek jij Arabisch?' vroeg hij.

'Beter Frans dan Arabisch.'

'God is groot in Arabische landen.'

'God is overal groot,' zei ze. 'En zeg er nu alsjeblieft niets meer over, Fredrik.'

'Dan vervolgen we nu onze fantasiereis,' zei hij. 'Zou er niet een plas bloed voor Willys moeten liggen?'

Robin Bengtsson was teruggekeerd van de plaats waar hij bescherming had gezocht tegen de krachten van de duisternis. Hij zat in Ringmars kamer, dat voelde als de beste plek in de stad, de veiligste.

'Vertel,' zei Ringmar.

'Er was iemand boven,' zei hij.

'Waar?'

'Achter het raam. In het huis.'

'Hoe zag die persoon eruit?'

'Ik zag niet meer dan een schaduw.'

'Zag je een gezicht?'

'Nee, nee.'

'Was er nog een andere schaduw?'

'Hoe bedoelt u?'

'Iets anders wat in het raam werd weerspiegeld? Misschien was het helemaal geen mens?'

'Er was iemand,' zei Bengtsson. 'En ik weet zeker dat iemand me daarna is gevolgd.'

'Hoe komt het dat je dat zo zeker weet?'

Ringmar kreeg geen antwoord. Het leek alsof Robin aan een gezicht dacht, maar het niet kon zien.

'Ik ga je wat foto's van verschillende mensen laten zien,' zei Ringmar.

Hij reikte naar de envelop op zijn bureau en pakte de foto's eruit. Hij noemde dit 'confrontatie light'. Dat was eigenlijk een verzonnen juridische term, of eerder een manier om het juridische te omzeilen. De oude confrontatie met een rij levende mensen was ouderwets, en hield een groot risico in als de getuige iemand niet kon aanwijzen die wel schuldig was. Vooral als de getuige weinig had gezien. Ondervragers moesten voorzichtig zijn.

Ringmar legde de foto's naast elkaar op het bureau. Het waren alledaagse gezichten, de meeste waren zelfs vrij lelijk, in elk geval voor de kaartenbak van een modellenbureau.

'Neem rustig de tijd,' zei Ringmar.

'Maar ik heb helemaal geen gezicht gezien,' zei Bengtsson, terwijl hij zich naar voren boog.

'Ik heb het over de persoon die uit het huis kwam toen jij kranten rondbracht,' zei Ringmar.

'Ik heb zijn gezicht niet gezien.'

'Wat zag je dan?'

'Ik zag gewoon een... persoon.'

'Was het een man of een vrouw?'

'Het moet een man zijn geweest.'

'Weet je het zeker?'

'Wat zou het anders zijn?'

'Een vrouw,' zei Ringmar. De jongen was misschien toch een gekwalificeerde idioot. Robin boog zich verder naar voren, bestudeerde de foto's weer. Misschien waren gezichten in dit geval niet zo geschikt. De lichaamshouding was belangrijker. 'Hoe zou je hem beschrijven, Robin?'

'Hij was vrij lang, liep een beetje voorovergebogen.'

'Hoe was hij gekleed?'

'Een jack... ook vrij lang. Ik weet niet meer welke kleur.'

'Had hij iets op zijn hoofd?'

'Het was koud. Hij moet een muts op hebben gehad.'

'Had hij een muts op?'

'Ik geloof het wel.'

'Wat voor muts?'

'Weet ik niet meer.'

'Heb je zijn haar gezien?'

'Nee.'

Robin boog zich nog verder naar voren. Hij bleef naar een bepaald gezicht kijken. 'Ik... geloof dat hij het was. Hij lijkt er op een bepaalde manier op.' Hij keek op. 'Ik moet me vergissen, toch?'

'Wijs gewoon de foto aan die je bedoelt,' zei Ringmar.

Robin wees naar het gezicht van Christian Runstig.

Winter tilde een kind op, en toen nog een. Er was nog een derde kind, maar hij wist niet waar. Iedereen in de kamer was stil, hij hield de twee kinderen onder zijn armen vast.

Waar was het laatste kind? De storm was in aantocht, hij wist dat de storm in aantocht was. Ze moesten hier weg, maar waarom was iedereen zo stil? Waar was het laatste kind? Het kleine meisje? In zijn zak had hij een speen voor haar, ze had geen eigen speen, er lag er geen in haar bed, waarom lag er geen speen in haar bed?

Hij voelde een hand op zijn arm, hij kon zich niet bewegen, hij hield immers de kinderen vast, hij...

'Erik, Erik.'

Dat was hij, het was zijn naam, hij hoorde zijn naam.

'Erik!'

Dat was zij, hij herkende haar stem.

Hij was nu wakker. Hij was weer geborgen, veilig thuis. 'Ik vraag me af of de kinderen zich thuis veilig voelden,' zei hij.

'Wat zeggen de mensen uit hun omgeving?' vroeg ze.

'Welke omgeving?'

'Tja... collega's, vrienden. Buren.'

'Daar zijn we mee bezig. Ze hadden niet veel vrienden. Leken behoorlijk op zichzelf.'

'En de man was niet vaak thuis.'

'De man was niet vaak thuis, nee.'

'Wat voor indruk heb je van hem?'

'Ik weet het niet, Angela. Het is heel moeilijk om iemand te verhoren die zich in zijn situatie bevindt.'

'Je schreeuwde in je droom iets over een speen,' zei ze. 'Wat betekent dat?'

'De moordenaar heeft de speen van het kleine meisje Greta meegenomen. Hij heeft haar niet gedood, maar hij heeft de speen meegenomen.'

'Weet je dat zeker?'

'Zo zeker als ik op dit moment maar kan zijn.'

'Vreemd. En eng.'

Winter stond op en liep naar de muziekinstallatie die op de mozaïek- vloer stond en zette het nummer met de vreemde woorden op: *a love supreme, a love supreme, a love supreme, a love supreme.*

Er lag geen bloed op de stenen van het Opalplein, ze zagen geen bloed- vlekken. Er stond een groep jongens voor de ingang van Willys, maar niemand leek gewond. Ze staarden naar Halders en Djanali, alsof hun ouders plotseling het vrije leven binnen waren gestormd.

Halders en Djanali liepen naar hen toe.

'Alles kits?' zei Halders.

Niemand reageerde. Een paar jongens wilden weglopen. Er was iets met de grote, witte Zweed en dat zwarte mens, wat niet goed voelde.

'We zouden het fijn vinden als jullie allemaal even hier bleven,' zei Djanali, terwijl ze haar legitimatie omhoogheld. Halders liet zijn poli- tiepenning zien.

'Wat is er?' vroeg de jongen die het dichtstbij stond.

Het was een lange, donkere knul, hij droeg een jas die in mijn jonge jaren een duffel werd genoemd, dacht Halders.

'Heeft er onlangs iemand ruzie met jullie gemaakt?' vroeg hij.

'Hoezo?' antwoordde de jongen.

'Hebben jullie heibel gehad met een man?'

'Waar ergens?'

'Waar dan ook,' zei Halders.

'Wat voor man?'

'Een grote Zweed die jullie heeft aangevallen. Hier op het plein bij- voorbeeld. Niet zo lang geleden.'

'Ha ha, iemand die ons in zijn eentje aanviel? Je maakt zeker een grap- je?'

'Het is een vraag.'

Djanali en Halders zagen dat de jongens moesten glimlachen. Zoiets kon nooit gebeuren. Het omgekeerde wel.

159

'Iemand die naar jullie schreeuwde? Die jullie bedreigde?'

'Dat zou dan de politie moeten zijn geweest,' zei het lange stuk tuig.

'Natuurlijk,' zei Halders, 'maar afgezien daarvan?'

'Er is een dwaas,' hoorden ze een stem in de groep zeggen.

De lange draaide zich om.

'Wie zei dat?' zei Djanali. 'Wil je even naar voren komen?'

Een kleine jongen stapte naar voren. Hij had iets op zijn hoofd wat op een omhooggetrokken bivakmuts leek, mooie bijna meisjesachtige gelaatstrekken, een dun leren jack dat er duur uitzag, gejat, maar niet op het Opalplein, waarschijnlijk ook niet bij Frölunda Torg.

'Hoe heet je?' vroeg Djanali.

'Gaat je niet aan.'

'Alleen je voornaam.'

'Åke.'

Een paar jongens in de groep begonnen te lachen. Het was inderdaad best grappig.

'In Zweden zijn geen mensen onder de negenenvijftig die Åke heten,' zei Halders.

'Ik ben er,' zei Åke.

'Wie is die dwaas?' vroeg Djanali.

'De dwaas is... de dwaas.'

'Wat doet hij?'

'Hij duikt soms op en loopt dan rond als een soldaat of zo.'

'Draagt hij een uniform?'

'Hij ziet eruit alsof hij in uniform is. Maar hij draagt er geen.'

'Heeft hij ruzie met jullie gemaakt?'

'Hij zou niet durven.'

De broek die hij in het huis van bewaring had gekregen was zachter dan hij had gedacht, iedereen kreeg kennelijk dezelfde broek, verdachten, arrestanten, het maakte niet meer uit. Hij trok de broek uit en overwoog of hij zijn onderbroek ook zou gebruiken, maar dat was zinloos, net zo zinloos als een aanloop nemen en zijn hoofd tegen de muur rammen, omdat die misschien te zacht was en hij zou slechts één kans krijgen en het zou niet effectief zijn, een knullige actie, net als proberen een wegwerpmes te verstoppen als het niet langer ging, zoiets had niet lang geduurd, dat had hij gehoord, de broek was zijn beste kans. Hij scheurde hem kapot in het kruis, dat was geen enkel probleem voor iemand die vastbesloten was, wond de stof om zijn hals, het zat niet strak genoeg, hij moest zo lang sterk blijven dat het niet misging als hij bewusteloos raakte, hij moest zich schrap zetten, het liefst had hij een stokje of iets anders gehad waar hij de stof omheen kon wikkelen, nu moest hij op zijn handen vertrouwen, op zijn broek, hij zette zich schrap, hij trok, hij merkte dat hij moeite kreeg met ademhalen, nu kwam het lastige moment, iemand in hem wilde dat hij zou loslaten, terwijl iemand anders probeerde zich schrap te zetten, zich schrap te zetten, zich schrap te zetten, zich schrap te zetten.

Ze waren weer in slaap gevallen, nog vóór het wolfsuur, maar er bestond geen wolfsuur in Andalusië, de zon kwam altijd eerder.

Winter nam op nadat de telefoon drie keer was overgegaan.

'Hallo, met Bertil. Runstig heeft geprobeerd zich in zijn cel te wurgen.'

'Hoe is het met hem?'

'Hij leeft. Hij kon zich niet goed schrap zetten, maar het heeft niet veel gescheeld. Ik heb hem nog niet kunnen verhoren. Zijn hersens hebben natuurlijk een zuurstoftekort opgelopen.'

'Heeft hij het dan toch gedaan?' zei Winter.

'Er is nog iets,' zei Ringmar. 'Robin Bengtsson heeft Runstig geïdentificeerd toen ik tijdens het verhoor de lightconfrontatie deed.'

'En dat vertel je me nu?'

'Het was gisteravond laat, vlak voor middernacht, een paar uur geleden. Ik had vanochtend met Runstig willen praten en daarna zou ik jou hebben gebeld. Hij hoefde niet direct opgespoord te worden.'

'Sorry, Bertil. Je hoeft het niet uit te leggen.'

'Hier gebeurt dus het een en ander,' zei Ringmar.

'Ik kom zodra ik kan.'

'Dat hangt van je moeder af.'

'Het gaat beter met Siv. Volgens mij is het gevaar geweken. Voor nu.'

'Zodra het kan, ga ik met Runstig praten,' zei Ringmar. 'Hij is misschien alleen maar iets minder dwaas geworden.'

Ze hingen op.

'Wat is er gebeurd?' zei Angela.

'Onze verdachte is een beetje verdachter geworden,' zei Winter.

'Is dat voor jou voldoende?'

'Ik weet het niet. Het maakt alles in elk geval gecompliceerder. Denk ik.'

'Ik meende te horen dat iemand hem heeft herkend?'

'Vreemd genoeg. Zoiets maakt me altijd achterdochtig.'

'Waarom?'

'Het klopt bijna nooit.'

'Je neemt het dus niet serieus?'

Hij gaf geen antwoord. Getuigenverklaringen waren als de wind boven het zand. Christian had geprobeerd een eind te maken aan zijn eigen leven. Sommige mensen waren te gestoord om berouw te voelen, maar Christian was niet een van hen.

17

Er werd aangebeld, of misschien geklopt, in elk geval stond er iemand voor de deur. Robin liep er door de gang naartoe.

'Wie is daar?'

'Ik ben het maar.'

'Het is al laat.'

'Ik weet dat het laat is. Ik blijf niet lang.'

Robin deed de deur open.

'Goed, kom binnen,' zei hij.

'Wat is er met jou aan de hand? Waar ben je geweest? Ben je bang?'

'Ik heb door de stad gelopen.'

'Heb je dorst?'

'Nee...'

'Ik kan aan je zien dat je dorst hebt. Ik heb wat voor je meegenomen.'

'Dat helpt niet.'

'Niet meer dan één glas, dan zetten we de fles in de kast.'

'Ik zal glazen pakken.'

'Dan ga ik vast in de kamer zitten.'

'Ik weet niet wat ik moet doen. Zo kan het niet langer. Ik weet het gewoon niet.'

'Daarom ben ik hier, jongen.'

'Oké, Åke heeft de dwaas gezien. Wie nog meer?' Halders keek in het rond. De groep had een stap naar achteren gedaan. Ze keken naar Åke. Hij had te veel gezegd. 'Vooruit, het is niet gevaarlijk.'

'Iedereen heeft hem gezien,' zei een jongen met een kin waar een baard zou gaan groeien, misschien volgend jaar, misschien over twee jaar.

'Hoe heet jij?'

'Nisse.'

Weer een lach, die rolde door de groep als zachte stenen in het zand.

'Zo, Nisse, vertel eens, wat doet hij wat iedereen ziet?'

'Niks bijzonders.'

'En toch herkent iedereen die dwaas?'

'Iedereen herkent een dwaas toch?' zei een derde jongen in de groep. Deze had een gemiddelde lengte, de capuchon was over zijn hoofd getrokken.

'Misschien wel,' zei Djanali, 'en hoe heet jij? Bengt misschien?'

'Klopt als een bus.'

Weer die zanderige lach. Ze waren de attractie van de middag geworden. Dat was oké.

'Ik heet Hussein Hussein,' zei Halders.

'Zeker de enige manier om werk te krijgen?' vroeg Åke.

Iedereen lachte. Dit was echt vermakelijk, leuker zelfs dan keten op school.

'Klopt helemaal.'

'Hebben jullie gezien of hij wapens draagt?' vroeg Djanali. 'Wat voor wapen dan ook?'

'Is hij zo gevaarlijk?' vroeg Nisse.

Dat is de vraag, dacht Djanali, daar gaat het op dit moment om. Ik weet wie de dwaas is, het kan niemand anders zijn. Zijn wensdroom is nooit werkelijkheid geworden. Ze hadden hun namen moeten noemen, hij was een vriend geworden als ze hun nieuwe namen hadden genoemd.

Ringmar wachtte voor de aankomsthal.

Ze reden naar de stad. Winter hoorde het geruis in zijn oren, maar het was niet storend. Hij hield zichzelf voor dat het van het vliegen kwam. Het zou snel over zijn.

'Fijn dat het beter gaat met Siv,' zei Ringmar.

'Ik moest je de groeten doen. Waarschijnlijk mag ze vandaag het ziekenhuis verlaten.'

'Het komt goed, Erik.'

'Niet op de lange termijn.'

'Runstig is bijgekomen,' zei Ringmar.

'Heeft hij iets gezegd?'

'Nee. Ik heb hem nog niets gevraagd.'

'En de jonge Robin is niet van gedachten veranderd?'

'Niet voor zover ik weet.'

'Waar is hij?'

'Thuis, neem ik aan.'

'Niet voor lang,' zei Winter.

'Er komen vandaag nog meer jongens foto's kijken,' zei Ringmar. 'Ook in verband met Runstig, en het Opalplein.'

Runstig zat rechtop in bed. Winter zag de plekken op zijn hals, schemerblauw. Het leek alsof hij een flink pak slaag had gekregen.

'Waarom, Christian?' vroeg Winter.

'Is dat het enige wat je komt vragen?' zei Runstig en hij bewoog een beetje in het bed, alsof hij probeerde een makkelijkere houding te vinden, wat niet lukte.

'Ja,' antwoordde Winter.

'Ik was het allemaal zat,' zei Runstig. 'Het was niet leuk meer.'

'Wanneer was het wel leuk?'

Runstig antwoordde niet. Het was een retorische vraag, of een ironische, als er al een verschil was.

'Nu wordt het zeker moeilijker om me te laten gaan,' zei hij na een halve minuut.

'Ik wil toch graag weten waarom,' zei Winter.

'Het heeft niets te maken met wat er in dat huis is gebeurd, als je dat soms dacht,' zei Runstig.

Winter zei niets, Ringmar zweeg. Buiten brak het wolkendek open. Runstig schermde met zijn hand zijn ogen af tegen het licht.

'Zal ik de jaloezieën dichttrekken?' vroeg Winter.

'Graag.'

Winter stond op en liep om het bed heen naar het raam. Hij zag een ambulance de binnenplaats op rijden. Een paar in het wit geklede mensen liepen over het terrein. In de verte aan de voet van de berg sukkelde een tram voort. De schaduwen waren nu overal scherp. Buiten was alles alleen maar wit en zwart, alles was daar nu eenvoudig.

'Had ik die stomme hond maar nooit gekocht,' zei Runstig. 'Had ik Liv maar niet blij willen maken.'

Winter draaide zich om.

'Wat had je gedaan als je de hond niet had gekocht?'

'Ik had in elk geval niet hier gezeten.'

'Wat had je gedaan?'

'Hetzelfde als altijd, neem ik aan.'

'En dat is?'

'Niets bijzonders.'

'Mensen haten?'

'Het is geen haat.'

'Wat is het dan?'

'Zelfverdediging. Verantwoordelijkheid.'

'Wat je met de familie Mars hebt gedaan, was dat zelfverdediging?'

'Nee, nee.'

'Wat was het dan?'

'Ik heb geen flikker met die familie te maken!'

'Iemand heeft je gezien.'

'Hè?'

'Iemand heeft je bij het huis gezien.'

'Ik heb de hond toch gekocht!'

'Eerder. Vóór die dag.'

'Dat is een leugen. Dat is een verzinsel.' Runstig keek naar Ringmar. 'Jullie spelen *good cop, bad cop*. Straks ga je zeggen dat die snob hier te ver is gegaan.'

'Je bent te ver gegaan, Erik,' zei Ringmar.

'Ik heb vanochtend maar drie kilometer gelopen,' zei Winter zonder zijn ogen van Runstig af te halen.

'Mijn god,' zei Runstig.

'Hoe kende je Sandra Mars?' vroeg Winter.

'Dit is gestoord,' zei Runstig. 'Waarom laten jullie me niet gewoon doodgaan?'

'Zoals jij de anderen dood hebt laten gaan?' zei Winter.

'Nee, nee, nee!' Runstig keek naar Ringmar, die wegkeek. Er waren alleen maar gemene agenten in de ziekenkamer.

Gerda Hoffner hoestte niet meer. Ze voelde zich beter dan de vorige dag. En de zon scheen. Ze zette het raam open en voelde de frisse lucht die via de Sannabacken naar boven trok, fris en bijna warm, de trams op de heuvel zagen er opgewekt uit. Ik ben er weer klaar voor, dacht ze. Misschien ben ik alleen maar allergisch.

De keukentafel was leeg, ze had opgeruimd, afgewassen, eenvoudige handelingen verricht om aan gecompliceerde dingen te kunnen denken. Ben ik geschikt voor dit werk? Waar loopt de grens tussen werkelijkheid en nachtmerrie? Zal alles tot aan mijn pensioen één lange nachtmerrie zijn?

Ze pakte de telefoon en belde de technische afdeling.

'We doen een LCN-DNA-analyse in de kamer en in het tuinhuisje,' zei Torsten Öberg. 'Misschien is daar iemand geweest die daar niet had moeten zijn.'

Ben ik geschikt voor dit werk, ben ik geschikt voor dit werk, ben ik geschikt? Het antwoord is ja. Ik zou meteen weer naar het huis kunnen gaan.

'We kunnen hem niets maken, hoewel we toch echt hebben geprobeerd

166

iets te vinden,' zei Winter toen ze in Ringmars kamer zaten. Het was een constatering. 'Hij is door andere demonen tot een halve zelfmoord gedreven.'

Ringmar antwoordde niet. Hij keek weer naar de foto's met gezichten, die als een waaier op zijn bureau lagen.

Hij keek op. 'Door welke demonen werd onze moordenaar gedreven, Erik?'

'Geloof jij in het kwaad, in slechtheid, Bertil?'

'Als fenomeen, bedoel je?'

'Als wat dan ook.'

'Zoals slechte mensen?'

'Bijvoorbeeld.'

Ringmar keek weer naar de gezichten.

'Ik geloof in slechte mensen,' zei Ringmar en hij keek Winter recht aan. 'Het is altijd mensenwerk. Het kwaad is geen wezen dat rondzweeft en plotseling zijn klauwen in iemand slaat.'

'Jij gelooft dus in het moordenaarsgen?'

'Goede zorg en een liefdevolle jeugd zijn tegen dat gen opgewassen,' zei Ringmar.

Winter lachte. 'Opgewassen, dat is een mooi woord.'

'Steek je de draak met me, Erik?'

'Nee. En waar zouden wij zijn zonder het kwaad? Dat is heel simpel.'

'Er zijn mensen die ons cynisch vinden.'

'Nooit. Nooit!'

Ringmar lachte, kort.

'Steek je de draak met mij, Bertil?' vroeg Winter.

Ringmar wilde antwoorden, maar ze hoorden stemmen op de gang, iemand lachte, toen iemand anders, het klonk alsof alle opgewekte mensen in de stad in de lichte gangen van de afdeling Ernstige Delicten bij elkaar waren gekomen.

De deur naar Ringmars kamer ging open en Djanali stapte naar binnen.

'Jullie zijn er dus al,' zei Ringmar en hij stond op. Winter deed hetzelfde.

'Jullie klinken vrolijk,' zei hij.

'We hebben een groep nieuwe rekruten meegenomen,' zei Djanali.

Åke, Nisse en Bengt stapten naar binnen, gevolgd door Halders. Iedereen keek nu ernstig.

'Welkom allemaal.'

De jongens gingen bij het bureau staan. Ringmar wees naar de waaier.

De gezichten op de foto's leken nu ook ernstiger dan toen hij ze net had bestudeerd, dit was een belangrijk moment.

'Herkennen jullie iemand op deze foto's?'

'Moeten we iemand herkennen?' vroeg Åke en hij keek naar Halders.

'Nee.'

'Het is geen raadspelletje,' zei Djanali.

'Hij heeft helemaal niks gedaan,' zei Bengt.

'Heeft zich alleen maar een beetje dwaas gedragen,' zei Nisse.

'Wie bedoelen jullie?' vroeg Winter.

'Hij daar,' zei Åke en hij wees naar het gezicht van Runstig.

De Marconigatan zou nooit als vroeger worden: verlaten en voor eeuwig veroordeeld tot de buitenwijken. De nieuwe flatgebouwen schreeuwden toekomst uit, en op dit moment, nu de felle zon zich op de gevels stortte, leek de Marconigatan midden in een grote stad te liggen. Er werd echt overal gebouwd, en dat had ook betekend dat het Marconiplein onder de flatgebouwen was verdwenen.

'Het is weg. Daar heb ik mijn laatste wedstrijd met Finter BK gespeeld,' zei Halders.

'Ze hadden in elk geval een standbeeld kunnen plaatsen nu het plein weg is,' zei Ringmar.

'Ik heb gezegd dat ik dat niet nodig vond,' zei Halders.

'Schopte je daar niet de scheidsrechter tegen zijn pik, Fredrik?'

'Nee, nee, dat was op Heden, en het was tegen zijn achterwerk, en het was met het politie-elftal.'

Ze reden over de Lergöksgatan rond Frölunda Torg, passeerden het enorme parkeerterrein, sloegen de Näverlursgatan in en zetten de auto op de gewone parkeerplaats, ze wilden nu geen aandacht trekken.

'Welk nummer?' vroeg Winter.

'Vijftien,' antwoordde Ringmar.

Ze waren op weg naar Robin Bengtsson. Hij had niet opgenomen toen ze belden. Ze hadden besloten dat ze erheen moesten. Winter zou de afdeling Onderzoek vragen om huiszoeking te doen bij Robin, dat leek hem belangrijk, al kon hij niet precies uitleggen waarom, maar eerst zouden ze hem meenemen voor verhoor. Er klopte iets niet met de onschuldige zwarte krantenbezorger. Ze hadden hem laten gaan, ze hadden hem te vroeg laten gaan. Ze hadden iets moeten bedenken om hem langer vast te houden. Winter had een wagen naar Bert Robertsson gestuurd, de witte krantenbezorger. Dat had ook dringend geleken.

In het trappenhuis rook het naar ui en metselspecie, zout, vocht, ijzer, bloed. De lift was onlangs gerenoveerd, de graffiti op de muren in de lift was nieuw, en op de spiegel stonden hartelijke groeten van een onbekende.

Robin deed niet open toen ze aanbelden. Winter riep door de deur. Een van de twee andere voordeuren ging open en een oudere man keek naar hen. Hij droeg bretels en een grijs vest over een witachtig overhemd en een gabardine broek, hij zag eruit zoals een oude man eruit hoort te zien.

'We willen Robin Bengtsson spreken,' zei Halders.

De man knikte, misschien had hij het gehoord, misschien ook niet.

'Hebt u hem onlangs nog gezien?' vroeg Halders.

'Hij krijgt wel veel bezoek,' zei de man.

Halders keek naar Winter. Toen liep hij over de stenen vloer naar de deur van de man.

'Zijn hier meer mensen geweest die Robin wilden spreken?' vroeg hij.

De man knikte. Hij rook licht naar ouderdom, de zoete geur die vreselijk kan worden als die wordt vermengd met een pislucht, maar dat was hier niet het geval. Er stond Bergkvist op de deur, een klassieke Zweedse naam voor een oude man.

'Hoe weet u dat?' vroeg Halders. 'Dat meer mensen hem wilden spreken?'

'Dat heb ik gezien,' antwoordde Bergkvist. Halders zag het spionnetje in de deur. 'Hij kwam en ging.'

'Kwam en ging? Wie kwam en ging?'

'De jongen die hier woonde. Kwam en ging midden in de nacht.'

'Was u midden in de nacht op?'

'Nee, ik hoorde hem. En...'

'Hebt u behalve Robin nog andere mensen gezien?' onderbrak Halders hem.

'Het zag eruit als een schaduw... Ze stonden in het donker voor de deur te praten. Dat zag ik. Er brandde licht in de gang, in zijn gang. En toen ging hij naar binnen en... ging de deur dicht.'

'Wanneer was dat?' vroeg Winter.

'Het is verschillende keren gebeurd.'

'Wanneer was de laatste keer?'

'Vannacht,' zei Bergkvist.

Halders keek naar Robins deur. Winter had zijn inbrekersgereedschap al tevoorschijn gehaald. Het kostte hem tien seconden om de deur open te krijgen. Ringmar stond met getrokken pistool naast hem. Winter trapte de deur open en ze waren binnen. Winter riep 'politie', het klonk

169

gedempt, als een schreeuw van onder een capuchon. De jaloezieën in de flat waren gesloten, wat ze zagen was in duisternis gehuld, donker.

Halders riep 'Robin' en deed een paar passen de gang in. Er was alleen maar gang, de deuren lagen verder weg, de kamers, of de kamer, ze konden de woonkamer aan het eind van de gang zien, de indeling deed denken aan het huis aan de Amundövik, hoe gek dat ook klonk, er was zelfs een kamer aan de linkerkant. Het is niet ver daarheen, slechts een paar meter, wat is dat voor geluid, er staat iets aan, het is de tv, het klinkt als een herhaling, herhalingen hebben, ongeacht de inhoud, een bepaalde klank, iets autoritairs, iets uit het verleden, de tv staat hard, ik hoor het nu, we hoorden het eerst niet, niemand van ons.

De tv flikkerde in de donkere kamer, gezichten werden afgewisseld met opnamen van bossen, bergen, water, beelden in een koud en verlaten licht, net als het nog altijd doodgeboren voorjaar buiten. Winter registreerde dit alles binnen een paar tellen en zag tegelijk het lichaam op het bed. Dat was nergens mee bedekt, alleen met de eigen kleren, overkleren voor een sjacheraar die ergens naartoe was gegaan waar hij niet naartoe had moeten gaan, die ergens in was beland waarin hij niet had moeten belanden, die iets had gezien wat hij niet had moeten zien, die ergens was geweest waar hij niet had moeten zijn.

'Shit, ik had hem niet moeten laten gaan,' zei Ringmar.

'Wat had je kunnen doen? Hem aan je bureau vastbinden?' zei Winter.

'Wat dan ook.'

Robin leek in zijn pasgeboren dood op een vrouw of haar kinderen in een huis aan het einde van de wereld. Iemand had hetzelfde met zijn lichaam gedaan als wat er met hen was gebeurd. Dezelfde persoon had het gedaan. Hoe het was gebeurd, was Torstens werk. Winter liep dichter naar het bed toe. Al het andere was zíjn werk.

'We mogen er in elk geval van uitgaan dat het vannacht is gebeurd,' zei Halders met zijn blik op het lichaam.

'Dit heeft Runstig in elk geval niet gedaan,' zei Ringmar.

'Dan blijven alleen alle anderen nog maar over,' zei Halders.

'En de eerste is mister Mars,' zei Ringmar.

De oorlogsgod, dacht Winter. Als ik in de stad land, word ik vergezeld door de dood. Nu moet ik blijven tot we alles weten wat we te weten kunnen komen.

Robins gezicht had net zo goed het gezicht van iemand anders kunnen zijn. Winter wist dat de gezichten van mensen die een gewelddadige dood waren gestorven werden verwrongen tot een masker dat het laatste restje vernietigde van wie ze ooit waren geweest. Voor hen geen stille slaap, geen rustig inslapen, alleen een eenzame ontzetting met wijd opengesperde ogen in een vreemd gezicht dat voor altijd in hen was gekerfd. Het leven na de dood werd een eeuwige zwerftocht in de gedaante van een vreemde.

Vermoorde mensen worden van alles beroofd, dacht hij toen hij Robin in het flikkerende rotlicht van de tv zag. Nu hoorde hij dat de tv helemaal geen geluid maakte, geen muziek, geen stem drong door het geruis in zijn oren heen. Er was alleen beeld. De moordenaar had Robin in stilte achtergelaten, maar niet in het donker.

18

Mars had zijn dochter op zijn arm toen hij opendeed. Het meisje zag er vrolijk uit, probeerde Winters vinger te pakken, zei iets wat hij niet verstond. Greta, ze heet Greta.

'Ja?'

'Ik moet even met je praten.'

'Over de patrouilles?

'Sorry?'

'Hou je niet van de domme, dat is niets voor jou.'

'We hebben ze ingetrokken.'

'Dat heb ik gemerkt. Ben ik nu vrij?'

'Het geld is op,' zei Winter. 'Het waren agenten van Narcotica.'

'Word ik nu ook verdacht van een drugsmisdrijf?'

'Alleen Narcotica heeft extra mankracht,' zei Winter.

'Je bent erg openhartig,' zei Mars. 'Wacht je even? Dan breng ik Greta naar mijn zus.'

'Blijf ik tot in de eeuwigheid verdacht?' vroeg Mars. Ze stonden op het gazon. De sneeuw was bijna gesmolten, het gras was bijna groen, Winter kon bijna de deur van het huis van zijn zus zien. 'Ben ik nog steeds nummer één op de lijst van verdachten?'

'Je bent openhartig over je gedachten, Jovan.'

'Het is een belediging aan mijn dode gezin. Het is... verschrikkelijk.'

'Je zit niet in een cel,' zei Winter.

'Dat was misschien beter geweest,' zei Mars.

Winter vertelde niet over Runstigs zelfmoordpoging. Mars was er misschien wel van op de hoogte. Winter wist dat veel mensen die bij een vooronderzoek betrokken waren meer wisten dan hij dacht, en meer dan hij wist. Het ging er allemaal om erachter te komen wat anderen al wisten. Dat was voldoende. Meer verlangen was een teken van overmoed. Naar meer grijpen was waanzin.

'Er is een nieuwe moord gepleegd,' zei Winter.

'Mag jíj zo openhartig zijn?'

'Dat bepaal ik zelf.'

'Waarom vertel je het aan mij?'

'Waar was je gisteravond na tien uur, en vannacht?'

'Niet weer, hè?'

'Ik moet het vragen.'

'Ik was hier. Je kunt het aan mijn zus en zwager vragen, en aan twee van hun vrienden en hun twee kinderen. Je kunt het misschien zelfs aan Greta vragen, in elk geval over een jaar.'

Winter zei niets. Hij zag Lotta de straat op komen en in haar auto stappen. Ze reed zonder hun kant op te kijken in westelijke richting weg. Mars volgde Winters blik.

'Is dat je zus?'

'Je vraagt naar de bekende weg.'

'Ze heeft nooit iets gezegd,' zei Mars.

'Heb je Lotta gesproken?'

'Nee, maar Louise wel. Ze hebben elkaar weleens ontmoet. Als buren, neem ik aan.'

'Dat is goed,' zei Winter.

'Ben jij in deze straat opgegroeid?'

'Min of meer. We woonden eerst in Kortedala en zijn hierheen verhuisd toen mijn pa het zich kon veroorloven. Ik was toen nog heel klein. Mijn moeder had eigen geld, maar de ouwe weigerde dat aan te raken.'

'Is dat nobel?' zei Mars.

'Hij had zijn eigen eer,' zei Winter, die nog altijd naar zijn ouderlijk huis keek, 'en die deelde hij bijvoorbeeld niet met de belastingdienst.'

'Je bent erg eerlijk.'

'Moet ik met jouw familie over alibi's gaan praten, Jovan? Of is jouw erewoord genoeg?'

'Je hebt wel een eigen stijl als detective, moet ik zeggen.'

'Als je mensen niet kunt vertrouwen, wie dan wel?'

'Honden misschien?'

'Als je een paar weken weg bent geweest, is je hond, die geacht wordt je beste vriend te zijn, je voor altijd vergeten,' zei Winter.

'Ik heb de pup nooit gezien,' zei Mars.

'Sorry,' zei Winter.

'Ik ga niet weer in het huis wonen,' zei Mars. 'Dat zou alleen een gek doen.'

'Ik ga er nu naartoe,' zei Winter. 'Wil je mee?'

'Gaat het daar allemaal om? Dat je me mee wilde lokken naar het huis?'

'Nee.'

173

'Waarom wil je dat ik meega?'

'Dat weet ik eerlijk gezegd niet,' zei Winter.

'In dat geval ga ik mee.'

Mars huilde toen ze langs de speeltuin liepen. Winter had de auto bij de botenhelling geparkeerd. Dat wilde Mars. Winters auto was de enige die daar stond. Ze zagen geen mensen. Het was er even verlaten als altijd, alsof iedereen na de moorden op de vlucht was geslagen.

'Jezus,' zei Mars, 'Jezus.'

'Ik kan je meteen weer naar huis brengen,' zei Winter. 'Je hoeft het niet te doen.'

'Ik moet toch een keer teruggaan. Ik moet het met eigen ogen zien. Ik kan het niet blijven uitstellen. Ik heb lang genoeg gewacht.'

'Je wilde niet komen om...'

'Messen te tellen, nee,' onderbrak Mars hem. 'Ik had genoeg aan de foto's en de inventarisatielijsten.'

'Zullen we hier even stoppen?' zei Winter.

'Dat is goed.'

Ze gingen op een bankje zitten. Mars had geaarzeld.

'Ik zat hier altijd als we naar de speeltuin gingen,' zei hij. 'Wanneer ik thuis was.'

Er reed een auto langs. Winter zag twee lange gezichten achter de ramen. Mars zag het ook.

'Wat zullen ze zeggen?' zei Mars. 'Ze vragen zich natuurlijk af wat ik hier in vredesnaam doe. Ze denken dat ik op de plaats delict word rondgeleid.'

'Dit is niet de plaats delict,' zei Winter.

'Hij heeft hier misschien ook gezeten,' zei Mars en hij knikte naar de schommels, de autoband, het klimhuis, het zand dat inmiddels tevoorschijn was gekomen. Aan de randen van de speeltuin was de sneeuw zwart, er was niets groens te zien. 'De moord... verdomme, ik kan het niet zeggen, niet hier, hij die...'

'Je bedoelt dat hij een bekende is?' zei Winter.

'Hoe moet ik dat verdomme weten?'

'Heb je daar weleens bij stilgestaan?'

'Wat?'

'Dat het iemand zou kunnen zijn die je kent?'

Mars' blik was gericht op een punt voorbij de speeltoestellen, misschien op het eiland, in de zee. Winter ging niet mee in Mars' gedachten, niet nu en niet hier, alleen een waanzinnige kon op dit moment Mars' gedachten volgen. Winters gedachten waren bij zijn eigen stuk grond verder naar het zuiden, het kale perceel, al jaren onbebouwd, een eigen strand en verder niets, er was nooit een huis gekomen, zelfs geen schuur, niet eens een boothuis, het was goed geweest zo, maar nu wist hij het niet meer, misschien was het niet te laat, misschien was het slechts het begin, het einde van het begin. Mars zei iets wat hij niet verstond en stond toen op.

'Ik ben er klaar voor,' zei hij.

Ze begonnen te lopen, Mars voorop. Winter hoorde in de verte zeevogels lachen, hij zag dat Mars reageerde. Zijn rug was gebogen, alsof hij een last droeg die te zwaar was voor zijn lichaam.

Een man kwam hen tegemoet gelopen. Winter herkende hem, Mars herkende hem.

'Jovan,' zei Robert Krol en hij spreidde zijn armen. Een grote afstand tussen de vleugeltippen, dacht Winter.

Krol omhelsde Mars. Mars verdween bijna in Krols armen. Het was een scène vol liefde, bezorgdheid, verdriet, alles wat menselijk is, dacht Winter. Mars maakte zich los. Hij huilde weer. Krol huilde, Winter zag de tranen op zijn wangen. Het leken wel druppels zeezout.

'Ik weet niet wat ik moet zeggen,' zei Krol, 'ik weet het niet.'

Mars schudde zijn hoofd, zei niets.

'Ik weet het niet,' herhaalde Krol.

'Je hoeft niets te zeggen, Robert.'

'Maar toch.'

'Het is genoeg dat je er bent.'

'Ik ben er altijd, Jovan.'

'Dat weet ik.'

'Je kunt hier altijd komen, ik ben er,' zei Krol. Hij keek naar Winter, en toen weer naar Mars. 'Waarom... zijn jullie hier, Jovan?'

'Ik ben hier niet geweest sinds... sinds...'

'Je hoeft het niet te zeggen. Ik had het niet moeten vragen. Stom van me.'

'Ik moest terugkomen.'

Krol knikte. Hij keek naar Winter, en knikte nog een keer. Hij keek weer naar Mars.

'Wat dan ook, Jovan, wat dan ook.'

Dat komt uit het Engels, dacht Winter.

In de hal deed Mars zijn ogen dicht. Het leek alsof hij luisterde. Winter deed zijn ogen dicht, hij probeerde de vreselijke geluiden, het gegil te horen. Hij hoorde nu niets. Dat kwam misschien doordat hij niet alleen was.

'Waar is het gebeurd?' vroeg Mars. Zijn ogen waren nog steeds gesloten. Winter had het gevoel dat hij met een blinde praatte.

'Overal,' zei Winter. 'We zijn nog steeds bezig de gebeurtenissen te reconstrueren.'

Mars' ogen waren nog altijd gesloten. Het leek alsof hij zich half in een droom bevond. Het leek geen nachtmerrie.

'Hoe moet je die reconstrueren?'

Winter dacht dat hij iets hoorde. Het kwam van boven. Het klonk als voetstappen.

'Hoor jij iets?' vroeg hij.

'Wat?'

Winter liep de trap op. Hij hoorde nu niets. Boven was niets. Mars was hem gevolgd.

'Zou hier iemand moeten zijn?'

Winter liep zonder antwoord te geven naar het raam. De huizen buiten waren stil. Het leek er net weekend, een eeuwig weekend.

'Is dit de manier waarop je werkt?' hoorde hij de ander vragen.

'Wat dacht jij dan?'

'Ik dacht dat het vooral lezen, lezen en nog eens lezen was.'

'Dat komt nog.'

'Hoe vaak moet je hier nog terugkomen?'

'Zo vaak als nodig is.'

'Ik denk dat ik het begrijp.'

Winter liep naar de trap. Hij wist niet wat hij had gehoord. Hij moest erover nadenken, in zijn eentje.

'Heb jij de gave?' zei Mars.

'Soms.'

'Die kun je niet alleen maar soms hebben.'

'Dan heb ik hem niet.'

'Volgens mij heb je hem wel.'

'Wat betekent dat voor jou?'

'Dat ik verder kan leven. Dat ik antwoorden zal krijgen.'

'Je zult niet alle antwoorden krijgen.'

Winter keilde stenen in de zee. Het ging niet goed. Het ijs was nu weg, er was geen vast oppervlak. De stenen kregen geen houvast in de branding.

'Dit is dus van jou?'

'Ja.'

'Dit allemaal?'

'Ja.'

'Je bent een gelukkig man.'

'Ja.'

'Wat vindt je vrouw ervan?'

'Dat ik een gelukkig man ben?'

'Dat hier geen huis staat.'

'Daar praten we niet over.'

'Misschien is het wel goed zo,' zei Mars en hij keek uit over de zee. Ver voorbij Gillevik bewoog een vaartuig in de vaarweg, Winter hoorde de afgrond in Mars' stem en gooide nog een steen en schaamde zich voor zijn geluk.

Winter draaide zich om. Mars stond midden op het zand. Het had dezelfde kleur als de zon op een vroege voorjaarsdag. Alle kleuren zouden feller worden. Alles zou veranderen. Als het eenmaal begon, zou het heel snel gaan.

'Ik moet je nog iets vragen,' zei Winter.

'Het houdt ook nooit op.'

'Had je vrouw een verhouding?'

Mars antwoordde niet. Hij luisterde niet.

'Dat denken we namelijk.'

'Wat moet ik zeggen?'

'Vermoedde je iets?'

'Waarom laat je me niet gewoon hier in de zee verzuipen?' zei Mars. 'Dat kun je best.'

'Ik moet het vragen.'

'Nee, dat moet je helemaal niet.' Mars deed een pas naar voren, en weer terug, en weer naar voren. 'Ik denk dat ik wel weet waarom jullie denken dat ze een ander had.'

Winter antwoordde niet.

'Of niet soms, meneer de hoofdinspecteur?'

'Ja.'

'Je bent eerlijk.'

'Ja.'

'Het spijt me dat ik je eerder een zwijn noemde. Dat was een belediging tegenover een edel dier.'

Winter reageerde daar niet op. Ze bleven beiden zwijgend staan.

'Je bent tien jaar ouder dan ik,' zei Mars, 'ruim tien jaar. Denk je dat ik door kan leven tot het punt waar jij nu bent?'

'Veel verder,' zei Winter.

'Ik weet dat je het probeert, maar je kunt... mij niet zijn. Je kunt je niet verplaatsen in wie ik ben. Ik denk dat je bereid bent om heel ver te gaan in je pogingen, maar je kunt niet worden wie ik ben.'

'Dat probeer ik ook niet,' zei Winter.

Hij had de twee stenen die hij steeds in zijn hand had gehad losgelaten. De kou in de stenen was door zijn huid heen gaan branden.

'Wie probeer je dan te worden?'

'Ik probeer de moordenaar te worden.'

Hij zat met de laatste fles Dallas Dhu. De distilleerderij was tegenwoordig een museum en de natuur eromheen werd niet gebruikt. Wat een verspilling van de gaven.

Hij nam weer een slok, luisterde naar Coltranes *Meditations*, duivelsmuziek, duivelsdrank, hij zette zijn glas neer. Coltranes band maakte amok in de kamer. Hij draaide het volume hoger, *The Father And The Son And The Holy Ghost* als een duivelskoor, melodieën die alleen de echte waanzinnigen konden horen.

Ik bel aan. Nee, ik klop. Nee, de deur is al open. Ze heeft me op straat aan zien komen, ze staat al op de veranda, verwelkomt me. Nee, ze heeft me door het raam gezien, ik weet wat je door dat raam kunt zien, ik heb daar zelf gestaan, ik heb daar heel vaak gestaan, het kind lag achter mij te slapen, ik heb het opgetild, nee, ik heb het niet opgetild, jawel, ik heb het opgetild. De deur staat open, ze weet dat ik kom, nee, ze weet niet dat ik kom, ze weet niet dat ik kom maar ik ben welkom, ik word niet verwelkomd maar het is vanzelfsprekend dat ik daar zal zijn, dat ik kom, ze verwacht me niet, maar mijn komst is geen verrassing. Ik ben nooit eerder in het huis geweest. Ik ben er dikwijls langsgelopen. Ik weet dat het dát huis is.

Ik woon in de buurt. Ik woon niet in de buurt. Ik woon hier. Ik heet Jovan Mars. Ik heet anders, ik woon hier niet, het is niet voor mij, dit huis. Ik heet Christian Runstig. Ik heet Robert Krol. Ik heet anders, ik heb een naam waar niemand van ons nog van heeft gehoord. Ik heb op dit moment geen naam. Ik heb nog geen woord gezegd in dit verhaal. Ik heb al te veel gezegd.

Winter stond op, liep naar de muziekinstallatie en draaide het volume nog iets hoger. In de studio van Pharoah Sanders, Elvin Jones en Coltrane werden drie katten en twee honden gewurgd.

Ik heb in het tuinhuisje gezeten en het gezin gezien en ik weet dat het mijn gezin is. Ik hou van ze, ze zijn van míj. Het is een hogere liefde, die niemand anders begrijpt. Ze kennen mij niet, maar ik ken hen als mezelf. We zijn elkaar tegengekomen. Ik heb de kinderen op de schommel geduwd, ik heb toegekeken. Ik heb het tuinhuisje geleend, waarom deed ik dat, wisten ze dat ik het leende? Niemand heeft me gezien. Niemand ziet me, nooit ziet iemand me, nooit! Nee, ik moet kalm zijn. Zonet was ik niet kalm, moet kalm zijn. Ik ben bij haar op bezoek geweest, heb haar hand genomen, haar lichaam genomen. Ik wilde het niet, het was alsof zij me dwong, ze dwong me, nee, ik was het niet, ik heb erover gehoord, dat het was gebeurd, iemand heeft het me verteld, ik wilde het niet horen, hij was een boodschapper, maar hij verdiende het om dood te gaan, hij was misschien meer dan een boodschapper, het is te laat om daar nu achter te komen, hij heeft mijn gezin bezoedeld, ik wist niet wat ik moest doen toen ik het hoorde, ik was daar heel lang niet geweest, niet in het tuinhuisje, niet op de straat of bij de speeltuin, dagen was ik er niet geweest, ik moest nadenken, ik kon niet denken, toen het weer stil werd kon ik nadenken, ik ging terug, de deur was open, ik had er iets te doen, iets-te-doen-had-ik-nu.

Winter hoorde de muziek door het gedender tussen zijn oren heen, de goederentreinen die in de nacht op hetzelfde enkele spoor op elkaar af reden. Hij tilde zijn glas op maar het was leeg, hij herinnerde zich dat het de vorige keer niet leeg was geweest. Hij probeerde weer iemand anders te worden, maar voor deze nacht was het moment voorbij, er was alleen nog maar muziek.

19

Het stadsdeel Gullbergsvass liet zich van zijn beste kant zien, een zwakkere wind dan normaal, geen neerslag. Winter en Ringmar liepen in westelijke richting, voorbij de bootwrakken, de woonboten, de dromen. In de loop van de jaren hadden ze hier vaak gelopen, het was een goede plek om na te denken en te praten.

'Dit gaat allemaal verdwijnen,' zei Ringmar.

'Dat wist ik niet.'

'Nee, hoe had je dat moeten weten?'

'Wat komt ervoor in de plaats?'

'Iets wat bij deze tijd past.'

'Waar moeten wij dan heen?'

'Er zijn altijd andere plekken.'

Er verscheen een man op het dek van een wrak. Hij knikte, alsof hij hen herkende. Ze knikten terug.

'Iemand houdt ons in de gaten,' zei Winter.

'Niet alleen ons, maar iedereen, lijkt het wel.'

'Waarom vormde hij een gevaar? Robin? Voor wie vormde hij een gevaar?'

'Voor de dader, uiteraard.'

Ze naderden de brug. Bertil had gezegd dat die ook zou verdwijnen en vervangen zou worden. Was die ook niet ruim vijftig jaar oud?

'Waarom vormde hij een gevaar?' herhaalde Winter.

'Hij had de moordenaar gezien.'

'Hoe wist hij dat? Hoe wist de dader dat?'

'Hij had hem gezien.'

'Wanneer?'

'Toen hij uit het huis kwam.'

'Om vijf uur 's ochtends.'

'Ik ben het exacte tijdstip vergeten,' zei Ringmar.

'Mars beweert dat hij het niet was.'

'Hm.'

Mars had nog steeds geen alibi voor de dagen waarop de moorden konden zijn gepleegd, het ging om twee of drie dagen. Winter hoopte bijna op een goed alibi voor Mars, een waterdicht alibi.

'De dader heeft dus in de gaten dat Robin hem heeft gezien. Hij doet dan niets. Hij loopt gewoon weg alsof hij niet is gezien.'

'Waarom?'

'Hij weet dat hij niet is herkend,' zei Winter.

'Hoe kan hij dat weten?'

'Zijn gezicht was niet te zien.'

'Een gezicht zegt niet alles.'

'Nee. Robin heeft hem ondanks alles aangewezen.'

'Waarom deed hij dat?'

'Hij herkende iets,' zei Winter. 'Hij werd bang, verschrikkelijk bang.'

'Waarvoor? Is het iets wat je altijd bij die persoon herkent? Bij Runstig?'

'Het kan iemand anders zijn dan Runstig. Maar ja, inderdaad iets wat je kunt herkennen.'

'Dat wist de moordenaar.'

'Hij vermoedde het, ja.'

'Maar hij ging daar weg. Hij zou Robin nooit meer zien.'

'Hij wist dat hij hem weer zou zien,' zei Winter. 'Of dat Robin hem zou zien.'

'Iemand die hij kende,' zei Ringmar.

'In elk geval iemand die hij was tegengekomen. Die hij regelmatig tegenkwam.'

'De mensen daar,' zei Ringmar.

'Aan de Amundövik.'

'Maar normaal gesproken was er niemand buiten als Robin daar was.'

'Normaal gesproken niet, nee.'

'Wat bedoel je, Erik?'

'Hij kwam er ook op gewone tijden.'

'Waarom?'

'Hij kende daar iemand.'

'Wie dan?'

'Daar moeten we achter zien te komen. Ik ga de uitdraaien nog een keer bekijken.'

'Van de gesprekken met de buren?'

'Ja. Dat moet nog een keer worden gedaan. Ik ga vanavond de hele bijbel doornemen.'

'Wist de moordenaar dat Robin met ons had gepraat?'

'Dat moet haast wel.'

'Hoe?'

'Door met Robin te praten.'

'Wanneer?'

'Misschien verschillende keren.'

'Waar?'

Bij de brug waren ze weer omgedraaid, met de matige wind in het gezicht liepen ze nu terug naar de gashouder. Een abnormale wind voor Göteborg. Ze voelden zelfs de zon in hun gezicht. Winter deed zijn zonnebril op. Hij voelde zich sterk vandaag, alsof het korte bezoek aan Spanje hem had gesterkt, een paradox. Hij was er nu klaar voor, echt klaar.

'Waar dan ook, Bertil,' zei hij en hij pakte Ringmars arm beet, 'waar dan ook!'

'Wat is er met je aan de hand, baas?'

Winter liet Ringmar niet los.

'Je kijkt bijna blij,' zei Ringmar.

'NU,' zei Winter met luidere stem.

'Begint het nu?' zei Ringmar.

'Ja.'

'Dus dit was slechts het einde van het begin?'

'Exact.'

Bert Robertsson deed open voordat Winter had aangebeld. Winter rook de geur van oude dronkenschap, Bert had nog geen nieuwe, frisse kunnen aanmaken.

'Nee, ik ga nergens heen,' zei Robertsson als antwoord op een vraag die Winter niet had gesteld. 'Ik ben blij dat u nog steeds huisbezoeken aflegt.'

'Goed dat je in elk geval de telefoon opneemt.'

'Wat gaat er nu gebeuren?' vroeg Robertsson.

'Hoe bedoel je?'

'Ik weet het niet,' zei Robertsson, terwijl hij zich omdraaide en door de gang terugliep.

Winter volgde hem. De hele flat rook naar dronkenschap, drank en tabak, wat uitstekend bij elkaar paste.

Robertsson gebaarde naar een fauteuil en plofte zelf neer op de bank. Voor hem stond een fles met twee glazen.

'Whisky,' zei Robertsson en hij knikte naar de fles Bell's. 'Niet sjiek, maar helemaal oké. Wilt u een glas?'

'Ik mag niet drinken als ik in functie ben,' zei Winter.

'Dat was de vorige keer wel anders.'

'Toen was ik niet in functie.'

'Ja, ja,' zei Robertsson. Hij boog zich naar voren en draaide de dop van de fles. 'Wie zou zich in godsnaam van de kleine Robin willen ontdoen?'

'Dat wil ik ook graag weten,' zei Winter.

'Een slecht wezen,' zei Robertsson.

'Waar was je zelf vannacht?'

Robertsson gebaarde met zijn hand naar de kamer, de tafel, de fles.

'Iemand die dat kan bevestigen?' vroeg Winter.

Robertsson knikte naar de fles.

'Mijn enige vriend,' zei hij. 'Met een fles als gezelschap ben je nooit alleen.'

Robertsson draaide de dop weer op de fles zonder dat hij had ingeschonken. De fles was halfvol, of eerder halfleeg.

'Wanneer heb je Robin gesproken?'

'Wanneer... U bedoelt de laatste keer?'

'Ja.'

'Dat was toen.'

'Wanneer?'

'Die avond. De avond voordat hij... verdween.'

'Waarvandaan belde hij?'

'Ik weet het niet. Vanuit huis, neem ik aan.' Robertsson keek Winter aan. 'Dat soort dingen trekken jullie toch na?'

'Ja.'

'Waarom vraagt u het dan aan mij?'

'Hij zei niet waar hij was?'

'Nee, nee.'

'Wat zei hij dan wel?'

'Dat hij het werk niet... meer wilde doen.'

'Dat vertelde hij je die avond?'

'Ja.'

'Niet in de ochtend? Vroeg, voordat hij klaar was met zijn wijk?'

'Nee.'

'Waarom wilde hij stoppen?'

'Hij zei dat hij bang was.'

'Waar was hij bang voor?' vroeg Winter.

'Volgens mij wist hij dat zelf niet.'

'Bang voor wie dan ook?'

'Nee. Had hij iets gezien?'

'Dat zijn we nooit te weten gekomen.'

'Shit.'

'Zag jij die keer iets, Bert?'

'Wat bedoelt u?'

'Jij bracht de dagen voordat Robin het van je overnam de kranten rond. Wat heb je toen gezien?'

'Ik heb niets gezien.'

'Heb je kranten gezien?'

'Hè?'

'Lagen er oude kranten in de brievenbus? De krant van de vorige dag?'

'Nee... volgens mij niet.'

'Zou je het hebben gemerkt?'

'Ik neem aan van wel. Waarom zouden er oude kranten in de bus liggen?'

Winter antwoordde niet.

Winter las over de eenzaamheid. Het was een gezin geweest dat zich afzijdig hield, als dat de juiste omschrijving was. Ze hadden geen contact gehad met de buren, behalve dat ze elkaar op straat of bij de speeltuin groetten. De eenzaamheid, dacht hij weer. Sandra had in de speeltuin met andere ouders gesproken, maar het waren niet veel woorden geweest. Geen van de mensen die waren verhoord kon zich ook maar een enkel woord herinneren. Sandra was nooit bij iemand aan de Amundövik binnen geweest. Niemand was bij de familie Mars binnen geweest. Zelfs de kinderen niet. Hadden haar kinderen geen speelkameraadjes gehad? Jawel, maar kennelijk alleen buiten, en eigenlijk alleen Anna, het meisje van zeven.

Hoe kwam dat? Er stonden geen antwoorden in de moordbijbel. Winter dacht dat het door Jovan Mars kwam. De man had zijn gezin voor zichzelf willen hebben. Het was een gevoel dat niet wilde verdwijnen.

Sandra had niet veel vriendinnen in de bijbel. Hij vond er twee. De politie had met beiden gepraat, kort. Ze hadden toen niet veel te zeggen gehad. Misschien vanwege de shock.

Hij had nog niet haar hele leven terug kunnen volgen. We zijn haar vijanden nog niet tegengekomen, dacht hij. Een gevaarlijke gedachte, het gaat niet om vijanden in conventionele zin.

Hij las de verslagen van de gesprekken op Sandra's werk, Aneta Djanali had het verhoor met Sandra's chef, Mattias Hägg, opgetekend. Het voelde erg conventioneel, het voelde vreselijk gewoon, een secretaresse, een baas, het oude gewone, klassieke, hij hield er niet van, waarschijnlijk had hij er nooit van gehouden. Hij hield niet van Mattias Hägg, hield niet

184

van diens antwoorden, las ze keer op keer, zag Häggs gladde antwoorden over de pagina's glijden.

Hij toetste het nummer van Aneta Djanali in. Ze nam op nadat de telefoon twee keer was overgegaan.

'Sorry dat ik je zo laat bel,' zei hij.

'Ik lag nog niet in bed,' zei ze.

'Wat voor indruk maakte Mattias Hägg op jou?'

'Sandra's chef? Ik kreeg niet goed hoogte van hem.'

'Goed.'

'Is dat goed?'

'We denken er hetzelfde over. Ik zit het verhoor te lezen. Er klopt iets niet. Was hij alleen maar nerveus?'

'Zo voelde het niet,' zei ze.

'Verborg hij iets?'

'Ja... maar soms denken de mensen dat wij denken dat ze iets verbergen omdat het een verhoor is en dan... doen ze alsof ze iets te verbergen hebben, hoewel dat helemaal niet zo is.'

'Ik had het zelf niet beter kunnen verwoorden,' zei Winter. 'Hoe was het deze keer?'

'Je hebt gelijk,' antwoordde ze, 'er klopt iets niet.'

'Kan hij een verhouding met Sandra hebben gehad?'

'Dat is wel bij me opgekomen.'

'Het is een banale gedachte,' zei Winter, 'maar soms is alles vreselijk banaal.'

'Ja.'

'Helaas moeten we zo denken. Begrijp je wat ik bedoel?'

'Ik denk het wel.'

'Zo oppervlakkig mogelijk blijven, en tegelijkertijd proberen te zien wat zich onder de oppervlakte bevindt,' zei Winter. 'Wil je verdergaan met Hägg?'

'Ja.'

'De volgende keer praten we samen met hem. Morgenmiddag. We laten hem naar het bureau komen. Tot kijk.'

Hij stond op van de tafel, liep naar de keuken, opende de koelkast en sloot hem weer, zonder iets te pakken. Er stond niets in. Hij was een onderhuurder in zijn eigen huis geworden. Dit is geen leven, dacht hij, maar zo moet het nu maar. Ik zal niet veel slaap krijgen. Ik kan toch niet slapen. Hij had al uren niet aan het geruis in zijn oren gedacht, misschien al de hele dag niet. Hij hoorde het nu, maar alleen omdat hij eraan dacht. Denk niet. Ik moet hier weg, dacht hij.

Het gebruikelijke gedonder bij winkelcentrum Frölunda Torg was dood-gevroren, de laatste bussen waren vertrokken in de nacht. Een paar drop-outs hingen in een bushokje, verwarmden hun handen door erte-genaan te blazen, waren stil als muizen. Een stuk papier waaide als een witte vlag in het donker over de parkeerplaats. Terwijl hij voor de ingang van het gebouw stond, kwamen er enkele jonge meisjes langs; ze zeiden iets en hij wachtte op gelach, maar dat kwam niet, ze vonden het te koud, ze hadden te weinig kleren aan. Hij droeg zijn jas en een gebreide muts van Ströms die hij thuis op een plank in de hal had gevonden. De meisjes lachten niet omdat ze het wisten, iedereen wist het. Zelfs rond het win-kelcentrum was moord geen dagelijkse kost.

Hij liep de trappen op in een koud schijnsel dat op de stenen muren net zwaailicht leek. Het was nu na middernacht. Hij hoorde geluiden toen hij een paar deuren passeerde, een stem die iets zei, een tv. In de tweekamerflat van Robin had de tv aangestaan. Torstens mensen had-den er geen vingerafdrukken op aangetroffen, hij dacht niet dat ze DNA zouden vinden, maar je kon nooit weten. Mensen ademden, ook moor-denaars ademden, ademden uit.

Er waren geen jaloezieën in Robins flat. Er was sowieso niet veel, maar hij had zijn huur het afgelopen halfjaar regelmatig voldaan, geen achter-standen, zwart werk en geen achterstanden. Winter had niet gevraagd hoeveel hij per maand verdiende, dat had hij wel moeten doen.

Robin, Robin, waarom ging je niet weg? Ik heb je teruggestuurd naar je krantenwijk, maar je had geen enkelband. Zelf zou ik ervandoor zijn gegaan. Alles was waarschijnlijk beter geweest dan dit.

Winter stond in de zogeheten woonkamer. Het licht van het winkel-centrum kwam hier bijna naar binnen. De moordenaar was helemaal naar binnen gekomen. Ze hadden nog geen sporen in de hal gevonden. Alles was hier gebeurd. Winter bleef in de deuropening zonder deur staan. De moord had twee of drie meter verderop in de kamer plaatsge-vonden, elf steken in het lichaam, dat was een bekend getal, dat was een herhaling. Robin, Robin, jongen, wat wist je?

Uit de sectie zou blijken of Robin had gedronken. Of iemand drank had meegebracht. Drank voor een nuchtere alcoholist is een fantastisch geschenk. In de flat was geen drank. Er waren geen glazen waar iemand uit had gedronken, alleen schone, ze zagen er in elk geval schoon uit. De technici hadden ze meegenomen voor het geval dat, het waren er niet veel.

Buiten weerklonk een sirene, een echo tussen de gebouwen, het geluid stuiterde heen en weer tot het ver weg in de nacht verdween.

Hoe hing de moord op Robin samen met de moorden in het huis aan de Amundövik? Was het dezelfde moordenaar? Het was niet iemand die hier had ingebroken. Het was iemand voor wie Robin vrijwillig had opengedaan. Winter liep naar het raam, ging ernaast staan, achter het gordijn. Hij zag geen mensen beneden, alleen struiken, grind en gras in precies dezelfde non-kleur, andere woningen, weinig licht, een geler schijnsel vanaf het plein verderop. Niemand die zijn blik naar het raam oprichtte. Toch had hij het gevoel dat hij werd gadegeslagen. Iemand had hem hier naar binnen zien gaan.

Ik loop een stap achter, dacht hij. Niet lang meer.

Er waren geen bussen meer op het plein, iedereen was nu thuis.

Hij stond er in zijn eentje, naast zijn auto. Op de algemene parkeer-plaats bevonden zich nog een paar lege auto's, misschien een stuk of vijf, verspreid over een oppervlak dat groter was dan vijf voetbalvelden. De planologen hadden in de jaren zestig flink uitgepakt om de automobi-listen halverwege tegemoet te komen, maar overdag was het terrein niet groot genoeg.

Toen hij hier was gekomen hadden er meer auto's gestaan, maar slechts een paar. Hij had ze opgemerkt toen hij naar de woning was gelopen. Dat hoorde bij zijn werk, bewust of onbewust. Drie waren er vertrok-ken, een was erbij gekomen. Die stond vijftig meter verderop, naast een suv die daar in zijn eentje had gestaan, een monster. Waarom zou je een monster opzoeken als je alleen kunt zijn? Wie gaat in een lege bioscoop-zaal naast een vreemde zitten?

Winter opende het portier van zijn Mercedes, ging achter het stuur zit-ten, sloot het portier weer, zat in het donker, wachtte, probeerde nergens aan te denken, wachtte, wachtte, het was maar een minuut, het leken er tien.

Over zijn schedel trok de oeroude kou. Die vertelde hem wat hij nog niet wist. Rustig en keurig. De auto achter het monster was niet zicht-baar, kon willekeurig wat zijn. Winter reed achteruit het parkeervak uit hoewel hij ook vooruit had kunnen gaan, stopte, zag een schaduw in de auto verderop, die nu in zijn geheel te zien was en willekeurig wat of wie kon zijn. Het was niets. Het kwam door de slapeloosheid. Hij schakelde en reed erheen, erachterlangs, op slechts tien meter afstand, zag een sil-houet maar geen beweging. Hij reed nog twintig meter door, naar een parkeervak, stopte, liet de motor draaien en wachtte, wachtte.

20

Hij kon niet goed zien wat voor merk het was, misschien een japanner, hij kon het nummerbord niet lezen, dat was niet meer dan een zwarte vlek. Het silhouet in de auto bewoog niet. Winters ogen bedrogen hem misschien, het was laat, of liever gezegd vroeg, hij was moe, al voelde hij dat niet, hij was geconcentreerd, wilde niet uitstappen, erheen lopen, een vreemde vragen wat hij in godsnaam tijdens het spookuur op een parkeerplaats deed.

Maar dit kon zo niet. Hij stapte uit en de auto ginds in de schaduw lichtte op als vuurwerk, geel, rood en blauw, en scheurde met gierende banden weg. Winter rook de geur van verbrand rubber terwijl hij nog altijd stond te kijken, de auto zonder naam over de asfaltsteppe zag racen, de rode ogen op weg naar de Västerleden naar hem zag knipperen, maar toen liep hij alweer terug, prutste met zijn mobieltje, gooide het op de stoel naast zich, zette de achtervolging in, meende dat het rode licht van de ander nog altijd bij de Shell-pomp hing, reed dwars over de rotonde, zag de ogen knipperen bij de brandweerkazerne, dat moesten ze zijn, die hufter ging niet naar de snelweg maar rechtdoor en Winter reed verder, langs donkere fabrieksgebouwen, donkere rijen huizen, dwars over de volgende rotonde, naar de Grimmeredsvägen en mogelijk, mogelijk was er een paar honderd meter verderop een glimpje rood, het was overal zo verdomd zwart dat de allerkleinste lichtbron in de nacht te zien was, degene die voor hem reed, had nog altijd zijn verlichting aan en dat was misschien goed voor hem, maar het was ook goed voor Winter. Hij meende de motor van de japanner te kunnen horen maar misschien was dat ook wel de wind, of zijn hoofd, de adrenaline, de jacht, de angst, de vreugde om te léven en dit te kunnen doen, Erik Winter in een achtervolging, als hoofdinspecteur in Göteborg maakte je dat niet vaak mee. Hij reed met honderd, honderdtien naar knooppunt Gnistäng, wie kan daar kritiek op hebben, mijn weduwe, weer door de draaimolen, en daar, in oostelijke richting, in zijn eentje op het hele westelijke wegennet met vier banen tot zijn beschikking, zag hij de japanner en nu reed hij zelf op de snelweg, hij was erop gespróngen, alleen hij en de ander, die de

Älvsborgsburg links liet liggen, in oostelijke richting doorreed naar het centrum, het Jaegerdorffsplein al was gepasseerd, net als Winter, honderdveertig nu, het leek langzaam, hij gaf gas, langs het Scheepvaartmuseum, de oude terminal van de Zweden-Amerika-lijn, de terminal van Stena Line, de Masthuggskade, hij en de ander bevonden zich als enigen hier in de nacht, op de snelwegen, op de straten, het was alsof ze alleen op de wereld waren. De rode ogen verderop verdwenen in de Götatunnel, hij reed het zwarte licht in met een snelheid die hij nog nooit eerder had gereden, er was alleen nu, het was hier, en hij had nog steeds contact, ze waren nu samen in de onderwereld, zijn mobiel ging, hij was volledig geconcentreerd op de achterlichten in de verte die op dit moment afsloegen, richting het centraal station, hij bereikte de verkeerslichten toen de ander de kruising was overgestoken, naar Lilla Bommen, naar de Gullbergskade, er was nog steeds geen ander verkeer, ze waren op de Gullbergs Strandgata, hij had hier onlangs met Bertil gelopen, het was maar een paar duizend jaar geleden, hij knipperde en zag de rode lichten achter de gashouder verdwijnen en toen hij daar was zag hij ze niet meer, er was helemaal niets meer, alleen duisternis, gedempt licht en sombere spoorrails die naar de doodlopende weg achter hem leidden.

'Misschien heb je iemand aan het schrikken gemaakt,' zei Ringmar. 'Mensen zijn gauw bang.'
  'Ik deed niets.'
  'Hij zag je. Je stapte uit.'
  'Hij was met een reden op het plein.'
  'Misschien had het niets met jou te maken.'
  'Het had wel met mij te maken. Hij was daar omdat ik daar was.'
  'Tot hij ervandoor ging.'
  'Dat deed hij goed.'
  'Hoe wist hij dat je midden in de nacht naar Frölunda zou gaan?'
  'Hij stond bij mij voor de deur te wachten. Op het Vasaplein.'
  'Voor het geval je ergens naartoe zou gaan?'
  'Nee. Gewoon om de boel in de gaten te houden.'
  'Om de boel...' herhaalde Ringmar Winters woorden.
  'Ik ben niet paranoïde, Bertil.'
  'Oké, iemand houdt ons in de gaten. Dat heeft met de moorden te maken. Waarom houdt iemand ons in de gaten?'
  'Om te voorkomen dat we te dichtbij komen.'
  'Te dicht bij wat?'
  'Bij de mensen die meer weten dan wij.'

'Wie zijn dat? Is het er meer dan een?'

'Volgens mij wel.'

'Dus dit is meer dan het werk van één eenzame moordenaar?'

Winter antwoordde niet. Hij was weer in de tunnel, hij volgde de rode ogen, hij had alles anders kunnen doen. Alles gaat verschrikkelijk snel in de nieuwe wereld, ik moet nog sneller rijden, sneller leven.

In de vroege ochtend analyseerden ze de plaats delict opnieuw. De Amundövik lag in het halfduister, zo'n dag was het. Winter had onderweg in de auto koffiegedronken, hij was klaar voor de reconstructie.

Halders belde aan. Djanali deed open. Een technicus maakte foto's. 'Ik kom voor de hond,' zei Halders. Ze deden het nog een keer, met foto's van buitenaf, van binnenuit, Winter zag dat iemand hen vanuit de verte gadesloeg, hij draaide zich om, maar toen was er niemand meer.

Torsten Öberg was erbij. Hij stond nu naast Winter in de hal, bij de deur.

'Hiervandaan naar de slaapkamer,' zei Öberg.

'Het is in de hal begonnen,' zei Winter.

'Hier is voor het eerst gestoken, of beter gezegd, op de drempel van de slaapkamer.'

'Het bloed in de deuropening.'

'Ja.'

'Dat was van haar, van Sandra.'

'Ik denk dat hij haar eerst heeft gedood en daarna het meisje, Anna.'

'Waar bevond zij zich?'

'Ik denk dat zij al hier was.'

'Ze was al op de vlucht geslagen,' zei Winter. 'Hierheen gevlucht.'

'Ze kon nergens naartoe,' zei Öberg.

'Hij heeft Sandra en Anna gedood. Hoe lang deed hij daarover?'

'Eén minuut. Twee minuten.'

'Waar was de jongen toen?'

'Ik denk dat hij zich aldoor in de woonkamer bevond, het duurde niet zo lang. We hebben niets gevonden wat op iets anders wijst.'

'Moeten we ervan uitgaan dat het laat op de avond was, omdat het meisje haar pyjama al aanhad? Als Christian Runstig het heeft gedaan, kan het 's ochtends zijn geweest. Wat deed de jongen in de woonkamer? Zijn slaapkamer is boven. Hij sliep vaak bij het meisje op de kamer. Dat wilden ze zelf, volgens Mars.'

'Hoe dan ook, hij was beneden,' zei Öberg.

'Hij wist dat er iemand zou komen,' zei Winter. 'Hij wachtte.'

'Dat is een theorie. Hij had geen pyjama aan.'

'Sandra had geen nachthemd aan. Normaal gesproken droeg ze dat wel. Anna had haar pyjama aan. Zij droeg een pyjama als ze sliep.'

'Deze mensen sliepen niet,' zei Öberg.

'Waarom had de jongen zijn pyjama niet aan?'

Gerda Hoffner ging naast Aneta Djanali op het bed liggen. Fredrik Halders stond over hen heen gebogen. Hij bleef zo staan, alsof hij nadacht over wat hij had gedaan.

Bertil Ringmar wachtte in de woonkamer. Waar wacht ik op, dacht hij.

Halders liep van de ouderlijke slaapkamer naar de hal en vervolgens naar de woonkamer.

De fotografen volgden hem, stills en beweeglijke beelden.

Halders doodde Ringmar.

'Niet meer dan een minuut,' zei Öberg, terwijl hij op zijn horloge keek.

'Het gebeurde niet op de drempel,' zei Winter.

'Nee.'

'Waarom bleef de jongen in de woonkamer?'

Öberg antwoordde niet.

'Hij moet het hebben gehoord. Hij had ervandoor kunnen gaan.'

'Alles ging heel snel.'

'Hij moet het hebben gehoord,' zei Winter weer. 'Hij moet het hebben geweten.'

Ze stonden nu in de woonkamer. Er kwam vrijwel geen licht naar binnen, het had nacht kunnen zijn.

'Geen afweerletsel,' zei Öberg.

'Zou dat mogelijk zijn geweest? Proberen je te verweren?'

Öberg haalde lichtjes zijn schouders op. Het zag er niet nonchalant uit.

'De jongen had kleren aan,' zei Winter.

'Hm.'

'Was hij niet hier?'

'Hoe bedoel je?'

'Was hij hier met de moordenaar naartoe gekomen? Waarom had hij kleren aan? Was hij hier samen met de moordenaar naartoe gekomen?'

Ze draaiden zich alle twee om, tegelijk, en keken naar de voordeur aan het eind van de hal. De jassen waren veiliggesteld, net als al het andere dat antwoorden kon geven.

'Dat valt niet te zeggen,' zei Öberg. 'Wij kwamen vijf dagen na de moorden.'

'De laarzen,' zei Winter. 'De gevoerde laarzen. Die lagen op de grond.

De laarzen van de jongen. Ik heb gisteren de foto's nog eens bekeken. Volgens mij heb ik dat de eerste keer dat ik hier was gezien. Ik heb het gezien. Alles was keurig netjes, behalve de laarzen.'

'Je hebt gelijk.'

'Toeval?'

'Alles en niets, Erik.'

'Niets bijzonders. Iemand had ze omvergestoten.'

'Hm.'

Winter dacht, dacht, sloot zijn ogen om te kunnen zien. Het was een kwestie van minuten geweest. Een afgrijselijke kracht.

Niets gestolen behalve levens. En een speen.

De kinderkamer werd verlicht door de dag, in slechts enkele minuten was de schemer geweken. Winter stond midden in de kamer, met Öberg naast zich.

'Hoe gaat het met de baby?' vroeg Öberg.

'Goed, naar ik heb begrepen.'

'We hebben op haar kleren geen sporen van anderen gevonden, alleen van het gezin.'

'Hij wist wat hij deed,' zei Winter.

'Behalve daar,' zei Öberg met een knikje naar de plek waar het kinderledikant had gestaan.

Winter had het die ochtend te horen gekregen. De LCN-DNA-analyse had sporen van een heel klein beetje DNA opgeleverd. Het had op het dunne kinderdekbed gezeten. Ze hadden een contact met iemand. Winter had aan de achtervolging gedacht. Hij had niet over de rode ogen gedroomd, hij had tijdens vier uur bewusteloosheid helemaal niet gedroomd.

'Hij is hier vaker geweest,' zei Winter.

'Altijd een risico,' zei Öberg.

'Is hij de eerste keer ook in deze kamer geweest?'

'Dat kunnen we niet zeggen.'

'Wanneer heeft hij de speen meegenomen?'

'Toen hij begreep dat die naar hem zou kunnen leiden.'

'Maar hij wist dat hij een risico nam.'

'Ja.'

'Kennelijk was het dat risico waard,' zei Winter, terwijl hij de kamer rondkeek.

'Als je erachter komt waarom, hoor ik dat graag,' zei Öberg.

Het tuinhuisje baadde in het licht. Ze hadden een geweldig uitzicht. Winter kon door het woonkamerraam naar binnen kijken.

'Wanneer komen ze terug?' vroeg Öberg.

'Volgende week,' zei Winter.

De eigenaren van het huis en het tuinhuisje zouden uit het buitenland terugkeren 'om voor hun spullen te zorgen'. Natuurlijk de Costa del Sol. Ze wisten niet dat iemand het tuinhuisje had gebruikt. Ze kenden niemand die daar toestemming voor had. Ze rookten niet.

'Speeksel op de peuk,' zei Öberg en hij keek naar de vloer bij het raam. 'Niet bepaald voorzichtig.'

'Hopelijk vinden we een match.'

'Ik denk het niet,' zei Winter. 'Maar er heeft hier in elk geval iemand gezeten.'

Öberg zei niets.

'Ik weet wat je denkt, Torsten. Niet alles hangt met elkaar samen, denk je. Ik probeer ook zo te denken. Maar we hebben niet veel.'

'Jullie hebben iemand in het huis van bewaring zitten.'

'Niet lang meer.'

Christian Runstig was terug in het huis van bewaring, welkom thuis. Winter verplaatste het verhoor met de chef van Sandra Mars, Mattias Hägg. De huid onder Runstigs ogen was behoorlijk blauw, dat zou nog even zo blijven. Toen hij de verhoorkamer werd binnengeleid, keek hij Winter niet aan.

'Neem plaats,' zei Winter.

'Is er iets nieuws gebeurd?' vroeg Runstig.

'Waarom vraag je dat?'

'Je zou me niet willen spreken als er geen nieuwe ontwikkelingen in de zaak waren.'

'Zoals?'

'DNA bijvoorbeeld. Misschien heb ik iets achtergelaten.'

'Wat zou dat moeten zijn, Christian?'

'Een onbewuste uitademing bijvoorbeeld.'

'Waar?'

'Sorry?'

'Waar hadden we die moeten vinden?'

'Overal. Hoe gaat het met Jana?'

'Heb je daar veel over nagedacht, Christian? DNA?'

'Nee.'

'De meeste mensen denken er helemaal niet over na.'

'Misschien bevind ik me in een situatie waarin dat soort dingen je be-zighouden. Wat denk jij?'

'Ik heb me nooit in zo'n situatie bevonden.'

'Je kunt je er toch wel wat bij voorstellen!'

'Ken je Robin Bengtsson?'

'Nee.'

'Heb je de naam weleens gehoord?'

'Nee.'

'Zo klonk het wel.'

'Robin Bengtsson. Het bekt goed.'

'Hij is dood. Vermoord.'

'Heeft dat met mij te maken?'

'Dat is precies wat ik wil weten.'

'Ik heb nooit iemand ontmoet die Robin Bengtsson heet.'

'Ik vroeg of je de naam kende.'

'Nee. Is het een Zweed?'

'Vind je dat het Zweeds klinkt?'

'Robin is geen Zweedse naam. Die komt uit Engeland, het is een vogel, een roodborstje geloof ik.'

'Je bent goed op de hoogte. Is Christian Zweedser?'

'Dat is Zweeds, Deens en Latijn. Het komt van Christianus en daar kan ik mee leven.'

'Robin leeft niet meer.'

'Dat zei je, ja. Maar dat kan ik toch moeilijk hebben gedaan, hè?'

'Waarom niet?'

'Jullie kunnen me toch niet een onlangs gepleegde moord in de schoe-nen schuiven, wel?'

'Wie heeft gezegd dat hij onlangs is vermoord?'

'Dat zei je net zelf,' zei Runstig.

Winter knikte naar de recorder.

'Dan heb ik het zeker verkeerd gehoord,' zei Runstig. 'Maar daarom zitten we hier toch?'

'We zitten hier vanwege jou, Christian.'

'Concentreer je op iemand anders. Dit is tijdverspilling, voor iedereen.'

'Wat ga je doen als je weer op straat staat?' vroeg Winter.

'Als ik weer op straat sta? Ik heb een huis, hoor.'

'Als je uit het huis van bewaring weg mag. Ga je dan weer een poging ondernemen jezelf van het leven te beroven?'

'Dat was maar één keer, meneer de hoofdinspecteur. Ik heb mijn kans gehad.'

'Wat ga je doen?'
'De revolutie bestrijden.'

Sandra Mars glimlachte naar Aneta Djanali vanaf een plek die vredig leek, een stukje gras voor een boom, onder een kleine parasol. De foto had in een dunne envelop tussen een stapeltje servetten in de la van haar nachtkastje gelegen. Blauw met witte servetten. Het nachtkastje was een bijzonder rare plek voor de servetten; ze lagen er om een geheim te bewaren, maar ze vormden geen goede bescherming. De foto was een simpele print van een digitaal bestand. Aneta had een kopie in haar hand, het origineel werd onderzocht. De technici hadden de foto ontdekt toen ze tussen de servetten hadden gekeken, die een lage prioriteit hadden gehad. De naam van de fotograaf was niet bekend. Er stonden geen andere personen op de foto. Hij leek recent gemaakt. Aneta bleef er maar aan denken. Ze had er de afgelopen dag vaak naar gekeken. Hij vertelde haar iets, een beeld zei meer dan duizend woorden, dat wist iedereen. Sandra Mars' glimlach bereikte haar ogen. Zoiets kon je zien.

Waar was de foto genomen?

Gras, bomen, een parasol. Zodra ze de foto hadden ontdekt, was de technische recherche alles nagegaan wat ze hadden veiliggesteld, maar er zat geen parasol bij. Djanali en de anderen hadden er vanochtend tevergeefs naar gezocht in het huis van de familie Mars, de parasol die een schaduw op Sandra's gezicht wierp.

Sandra, waar was je? Het was er herfst, er zijn bladeren die dat onthullen. Met wie was je? Naar die persoon glimlach je, niet naar mij. Hoe lang is het geleden?

Waar zijn je kinderen die dag? Je hebt een dag voor jezelf. Er is iets op de achtergrond te zien, achter de boom waar je met je rug tegenaan staat. Wat is het voor boom? Wat is dat op de achtergrond? Het is vaag, het vervloeit, er is geen focus.

Bertil had de foto aan Jovan Mars laten zien. Hij had hem niet herkend. 'Die zit niet in mijn mobieltje,' had hij gezegd, alsof dat relevant was, 'kijk zelf maar.' Ze hadden in Sandra's mobiel alles bekeken wat er te bekijken viel. Geen enkele foto. Iemand had deze foto geprint. Djanali had de twee vriendinnen van Sandra die ze kenden geprobeerd te bellen, ze had een boodschap ingesproken.

Aneta herkende de plek waar Sandra stond niet, wat ervan te zien was. Het leek niet op iets aan de Amundövik, er was geen licht van de zee voor zover ze konden ontdekken, hoewel het licht op de foto slecht was.

Wat is het voor boom? Het kon in het Slottsbos of elk willekeurig ander park ergens op de wereld zijn, maar het was hier, het was niet ver weg.

21

Mattias Hägg arriveerde op tijd. Winter had niet anders verwacht. Stipt-
heid is altijd een deugd, en hij ging ervan uit dat dat extra waar was in
een branche waar het voortdurend van belang was een zo goed mogelijke indruk te maken.

Ze zaten in een van de anonieme verhoorkamers. Het rook er nog altijd naar verf, maar niet zo erg dat je er hoofdpijn van kreeg, hij had er
in elk geval nog geen last van. Hij hoorde gesuis in zijn hoofd, maar daar
dacht hij nu niet aan, hij dacht aan het pak van Hägg, iets van Young's;
hij kon het merk niet meteen thuisbrengen, maar hij was niet van plan
ernaar te vragen.

Gerda Hoffner zat naast hem, Aneta had iets anders te doen gehad.
Winter had Djanali's verhoor met Hägg nog een keer gelezen. Hij was er
zeker van dat Hoffner dat ook had gedaan, dat ze erover had nagedacht
wat ze Hägg zou hebben gevraagd als ze de eerste keer niet naar huis was
gestuurd. Nu had ze alsnog de gelegenheid. Ze had ook de foto van een
glimlachende Sandra bij een boom gezien.

Winter vond dat Hägg geen prettig uiterlijk had. Misschien dat het
liefde op het derde gezicht zou worden, maar nee. De man had iets glads,
dat niet alleen met de situatie te maken had. Winter kon het natuurlijk
mis hebben. Vooropgezette meningen waren menselijk, maar hier waren ze niet toegestaan.

'Welkom,' zei hij.

'Dank u.'

Hägg deed zijn best om niet wantrouwend te kijken.

'Dit is mijn collega Gerda Hoffner.'

Hägg sprak het woord 'aangenaam' niet uit, maar het leek alsof het op
het puntje van zijn tong lag.

Deze keer geen zoemende elektronica. Alleen mijn hersenen, hopelijk,
dacht Winter. Het licht hierbinnen is niet goed, het is te donker of te
licht, ik weet niet welke van de twee.

'Vertel over Sandra,' zei Winter.

'Wat wilt u dat ik vertel?'

'Willekeurig wat.'

'Waarover?'

Open vragen konden een probleem zijn. Hij wilde er nog even mee doorgaan.

'Haar persoonlijkheid.'

'Ze was opgewekt.'

Winter knikte: ga door, ga door.

'Ze zorgde voor een goede stemming.'

Winter knikte opnieuw. Hij had journalisten vaak aanmoedigend naar hun interviewslachtoffers zien knikken, bekende politici en andere vertegenwoordigers van de overheid die tijdens een live-uitzending aan één stuk door onzin uitkraamden, alsof ze last hadden van verbale diarree, maar de journalisten bleven maar vriendelijk knikken.

'Er valt geen kwaad woord over haar te zeggen,' zei Hägg.

'Door niemand?'

'Nee. Wie zou dat dan moeten zijn?'

'Dat vraag ik u,' zei Winter.

'Ik zou niemand weten. Er is niemand.'

Hägg keek naar Winter, naar Hoffner, weer naar Winter.

'Ik was het even vergeten,' zei hij.

'Wat?' vroeg Winter.

'Wat... er is gebeurd.'

'Kunt u iets vertellen over de reactie hier op het werk?'

'Ontsteltenis is vermoedelijk het juiste woord.'

'Was er iemand op het werk met wie Sandra veel contact had?' vroeg Hoffner.

'Tja... Dat weet ik niet echt.'

'Waarom niet?'

'Ik let daar niet op.'

'Er is u niets opgevallen?'

'Hoe bedoelt u?'

'Soms vallen je dingen op, ook als je er niet op let,' zei Hoffner.

'Ja... Dat is wel zo, maar ik heb er niet over nagedacht.'

'Brachten jullie veel tijd samen door, Sandra en u?'

'Nu begrijp ik het niet...'

'We hebben het toch over het werk?'

'Ja...'

'Werkten jullie vaak met elkaar?'

'Ik begrijp de vraag niet,' zei Hägg.

'Wat begrijpt u niet?' vroeg Winter, als om Hoffners vraag te steunen.

'Met elkaar werken...' zei Hägg.

'Wat valt er niet te begrijpen?'

'Je werkt niet met elkaar.'

'Hoe werk je dan?'

Hägg antwoordde niet. Hij keek naar de muur, bestudeerde de verf, die langzaam aan het drogen was. Het leek alsof Hägg dat op dit moment het liefst deed, hij had vermoedelijk graag uren zo gezeten.

'Natuurlijk werk je samen,' zei Hägg.

Winter knikte.

'Het was makkelijk om met Sandra samen te werken.'

'In welk opzicht?'

'Ze was goed. Slim. Ze was... Ik weet niet in hoeverre ik in moet gaan op details?'

'Zo veel mogelijk,' zei Winter.

'Ze was heel snel. Intelligent.'

Winter knikte weer. Intelligentie kon je wellicht als een detail beschouwen, iets wat op de tweede plaats kwam, de derde.

'Goed in taal,' zei Hägg. 'Beter als ik.'

Het is beter dán ik. Winter keek naar Hoffner. Ze boog zich naar voren.

'Jullie gingen ook privé met elkaar om. Hoe vaak zagen jullie elkaar privé?'

Het leek alsof Hägg aanstalten wilde maken op te staan, te groeten en hen op een vriendelijke manier de klere toe te wensen.

'Ik probeer met jullie samen te werken,' zei hij.

'Natuurlijk,' zei Hoffner.

'Wat heeft het met de zaak te maken of we privé met elkaar omgingen?' vroeg Hägg. 'Wat we overigens niet deden.'

'Vindt u het een vervelende vraag?' vroeg Winter. 'We proberen zo veel mogelijk over Sandra's verleden boven tafel te krijgen, of beter gezegd, over ieders verleden. Zo werken we. Is dat een probleem voor je, Mattias?'

Hägg veerde op; waarschijnlijk omdat Winter hem zo persoonlijk had aangesproken. Al het andere kon hij verdragen, maar opgelegde intimiteit niet. Winter herkende het type. Misschien was hij in zijn jonge jaren net zo geweest. Maar Hägg was niet langer jong. Hij was de veertig gepasseerd, dat was niet jong.

'Ik vind het geen vervelende vraag,' zei Hägg.

'Geef dan maar antwoord.'

'Wat was de vraag ook weer?' vroeg Hägg, terwijl hij Hoffner aankeek.

'Hoe vaak zagen jullie elkaar privé?'

'Wat bedoelt u eigenlijk met privé?'

'Dat weet u beter dan ik,' zei Hoffner.

'We hebben een paar keer samen gegeten, dat is alles. Met onze gezinnen.'

'Jullie gezinnen gingen privé met elkaar om?'

'Ja... Nee... We hebben een paar keer samen gegeten. Dat is alles.'

'Waar was dat?'

'Waar dat was? Dat weet ik niet meer. Bij hen thuis trouwens.'

'Bij de familie Mars thuis?'

'Ja.'

'Altijd.'

'Ja.'

'Hoe vaak?'

'Waarom is dat zo belangrijk?'

'In het gesprek met onze collega zei u dat het maar één keer was voorgekomen.'

'Heb ik dat gezegd? Dan was ik misschien... Nee, het klopt wel. Het was maar één keer.'

'Hoe zit het nu eigenlijk?'

'Eén keer.'

'We gaan het ook aan Jovan Mars vragen. En aan uw vrouw.'

'Waarom gaan jullie het aan mijn vrouw vragen?'

'Dat heb ik net uitgelegd,' zei Hoffner.

'Zij hoeft hier niet bij betrokken te worden.'

'Betrokken bij wat?' vroeg Hoffner.

'Bij deze... verschrikkingen.'

'Het zal geen nieuws voor haar zijn,' zei Winter.

Hägg schudde zijn hoofd.

'Bleven jullie met elkaar omgaan?' vroeg Winter.

Hägg keek hem nu aan, wilde geen vragen meer, leek opeens erg moe, binnen een paar tellen.

Winter wachtte op antwoord.

'Bleven jullie met elkaar omgaan?' herhaalde hij.

'Wanneer?'

'Na de etentjes bij de familie Mars. Of het etentje. Bleven jullie met elkaar omgaan?'

'Ja... Hoe... Ik begrijp het niet goed.'

'Is dit ook een moeilijke vraag?' vroeg Winter.

'Misschien dat ze ook een keer bij ons hebben gegeten. Verder niet.'

'Wanneer was dat?'

'Sorry?'

'Wanneer was dat etentje bij jullie thuis?'

'Wat maakt dat nou uit?'

'Geef gewoon antwoord op de vraag.'

'Misschien een paar jaar geleden.'

Winter knikte, het aanmoedigende knikje van de journalist. Hägg was een hopeloze leugenaar.

'Dus het kwam er toch van,' zei Winter.

'Het kwam ervan?'

'Je hebt eerder gezegd dat het er niet meer van was gekomen, dat zijn je eigen woorden.'

'Toen... Ik... Ik weet het niet meer precies. Het was niet... Het had immers niets te betekenen. Je kunt je toch niet alles herinneren wat je zo lang geleden hebt gezegd?'

Hägg keek hen smekend aan.

'Het is maar een paar dagen geleden,' zei Hoffner.

'Ik geloof dat ik niets meer zeg,' zei Hägg.

'Waarom niet?'

'Alles wat ik zeg, wordt... verdraaid.'

'Op welke manier, Mattias?'

Hägg veerde weer op bij het horen van zijn voornaam. Het was alsof Winter hem met een elektrisch stokje prikte.

'Ik... kom hierheen om mee te werken... beantwoord alle vragen...'

'Iets anders zou in strijd zijn met de wet, Mattias.'

'Uw manier van doen is...'

Hij viel stil.

'Wat is er met mijn manier van doen, Mattias? Wat is daarmee?'

'Vindt u het niet prettig om vragen te beantwoorden?' vroeg Hoffner.

'Jawel, maar...'

'Komt het door deze vragen, zijn die vervelend?'

Hägg zei iets wat ze niet goed konden verstaan, hij mompelde als het ware bij zichzelf. Winter meende het woord 'respect' te kunnen onderscheiden.

'Is het vervelend om vragen over Sandra Mars te beantwoorden?'

'Dat zou iedereen toch vervelend vinden?'

'Dat weet ik niet,' zei Hoffner.

Goed, dacht Winter. Ze is goed in gesprekken.

'Hoe goed kende je Sandra eigenlijk, Mattias?' vroeg Winter.

Hägg antwoordde niet. Hij leek te hebben besloten dat het mooi was geweest.

'Hadden jullie een relatie met elkaar?' vroeg Hoffner.

Toen ik hem voor het eerst produceerde, kon Coltrane dertig keer hetzelfde stuk opnemen. Het werd steeds slechter en uiteindelijk ging hij naar huis. Je moet het vangen wanneer het gebeurt. Dat is nou jazz.

Winter las het boek van Ashley Kahn, legde het weg, stond op en zette de stereo-installatie harder, ging zitten. Miles Davis blies midden in het *Concierto de Aranjuez* op *Sketches of Spain*, Winter dacht aan zon, strand en zijn gezin. Hij dronk. Het was kwart over elf 's avonds. Hij belde.

'Met mij,' zei hij.

'Ik hoor het.'

'Hoe gaat het met Siv?'

'Als je me dat vanmiddag had gevraagd, had ik "goed" gezegd. Nu weet ik het niet precies.'

'Wat betekent dat, schat?'

'Ademhalingsproblemen.'

'Heeft ze thuis zuurstof?'

'Nee.'

'Waarom niet?'

'Ik weet niet alles, Erik. We moeten afwachten wat er gebeurt.'

'Vannacht, bijvoorbeeld.'

'Eerder morgenvroeg. Ik heb haar net gesproken. Het ging wel. Ik ga morgenvroeg naar haar toe.'

'Fijn. Als het erger wordt, moet je me meteen bellen, hoor.'

'Natuurlijk.'

'Regel het bij voorkeur zo dat het uitkomt met Norwegian.'

'Natuurlijk.'

Hij pauzeerde even, haalde de hoorn bij zijn mond en oor vandaan, nam een slok.

'Hoe gaat het?' vroeg ze.

'Langzaam heen en weer.'

'Dat klinkt niet alsof jullie vorderingen maken.'

'Die maken we wel.'

'Met behulp van een beetje whisky.'

'Ik drink geen whisky.'

'Wat dronk je tien tellen geleden dan?'

'Whisky.'

'Hm.'

'Ik dronk zopas geen whisky, bedoelde ik.'

'Hoeveel heb je vanavond gedronken, Erik?'

'Vier vingers, maximaal.'

'Dat is een heel drinkglas.'

'Ik drink nooit uit drinkglazen.'

'Moet je elke avond drinken?'

'Ik drink niet elke avond. Heb je me ooit dronken gezien, schat?'

'Ik ben ook niet zo dol op dat "schat". Dat is geen goed teken.'

'Teken waarvan?'

'Dit is geen verhoor.'

'Ik had even het gevoel dat het dat wel was.'

'Als dit zo gevoelig ligt, heb je een probleem.'

'Ik hoor wat je zegt,' zei hij.

'Dat is de stomste reactie die ik ken,' zei ze.

'Wat wil je dan dat ik zeg?'

'Zeg dat je niet elke avond whisky hoeft te drinken.'

Hij hoorde de plotselinge scherpte in haar stem.

'Het spijt me, Angela.'

'Je moet er gewoon wat meer aan denken, aan de drank,' zei ze. 'Iets anders gaan doen wanneer je dorst krijgt.'

'Ik probeer te denken.'

'Misschien is dat het probleem.'

'Twee vingers whisky helpt daarbij,' zei hij.

'Nu zijn we daar weer.'

'Het spijt me.'

'Je moet niet meer zeggen dat het je spijt.'

'Nee.'

'Probeer wat te slapen.'

'Dat probeer ik aldoor al.'

Hij probeerde het. Weldra zouden de trams op het Vasaplein weer gaan rijden. Hij viel in slaap. Hij stond met een paraplu voor een boom. Het was een es. Hij vroeg het aan een voorbijganger en het antwoord was een es.

Hij hield een fles in zijn hand. Het moest water zijn, het smaakte niet naar iets anders. Hij sprak met iemand. Het was mooi weer, de vogelkers had al gebloeid, de sering nog niet. Het deed hem ergens aan denken. Hij sprak weer, sprak.

'Is dit de juiste weg?'

'Loop gewoon rechtdoor.'

'Ben je hier alleen?'

'Nu wel.'

'Waar zijn de anderen?'

'Dat weet jij net zo goed als ik.'

'Nee, nee!'
'Net zo goed als ik!'
'Wie ben jij? Wie ben jij?'
'Wie ben jij dan? Wie ben jij?'
'Wie ben jij? Wie ben jij?'
'Wie ben jij? Wie ben jij?'
'Wie ben jij? Wie ben jij?'

Hij werd zonder antwoorden wakker. Dit was het langste gesprek dat hij in een droom had gevoerd. Of was het een verhoor? Er stond een glas op het nachtkastje. Hij dronk. Het smaakte nergens naar.

22

Het was nog altijd donker toen Winter op de brug naar Stora Amundö stond. Het ijs onder hem was aan het verdwijnen. Het water zou weer vrijelijk onder de brug door stromen. Er waren vier weken verstreken sinds hij hier voor het eerst was geweest.

De silhouetten van de grote huizen langs het water staken tegen de zwarte lucht omhoog, zwart tegen zwart.

Waarom hier, dacht hij. Waarom hier? Wat betekende het dat het hier was? Wat vertelt de dader ons? De daad is volbracht, wat vertelt die?

Hoeveel was toeval? De dader was bereid te moorden, wilde dat. Was hij bereid willekeurig wie te vermoorden? Waarom kwam hij hierheen? Dit was zowat de rimboe.

Ze hielden het huis niet langer in de gaten. De bewakers waren vertrokken. Jovan zou hier niet meer wonen. Winter was daar zeker van. Van Jovan zelf was hij nog altijd niet zeker en dat zou hij misschien nooit zijn. Als ze niet verder kwamen met de technische bewijsvoering zou de frustratie toenemen, maand na maand, in het ergste geval jaar na jaar. Jaar – na – jaar – na – jaar. Dat was geen prettige gedachte.

Terwijl hij op de eerste verdieping stond werd buiten de ochtend geboren. Iets daarboven trok hem, de zeventien treden op. Hij telde ze nog een keer, net zoals hij de stenen van de Paseo in Marbella had geteld. Hij stond achter het gordijn, alsof hij niet wilde dat de ochtend buiten hem zag. Hij wilde nooit gezien worden, een jager moet onzichtbaar zijn.

Het eiland was als een berg op de achtergrond aanwezig. Hij zag licht in de geul, een vissersboot op de terugweg. Hij dacht aan zijn eigen stuk land aan zee. Heb ik voor mijn zestigste een beslissing genomen? Hoe lang kunnen Angela, Elsa en Lilly wachten? Als ze al wachten. Ik ben de enige die wacht. Wacht tot ik een aanvang maak met graven, bouwen en aan zee wonen.

In zijn linkerooghoek bewoog iemand, Winter bewoog niet, het gordijn was dood.

Beneden strompelde Robert Krol langs. Na een meter of tien keerde hij om, kwam terug, bleef voor het huis staan. Hij kan mij niet zien, dacht Winter. Dit is zijn gebruikelijke ochtendwandeling. Zeelui zijn gewoontedieren.

Krol stond er nog steeds, hij had zijn blik op iets onbestemds gericht, Winters raam, het raam van de kinderkamer, de deur, wat dan ook. Hij stond er nog steeds. Krol werd deel van de ochtend buiten, van de weg. Winter bewoog als eerste, liep achteruit bij het raam vandaan, de trap af, door de voordeur.

Krol stond er nog steeds.

'Ik voelde dat er iemand in het huis was,' zei hij.

'O ja?'

'Soms voel je dat soort dingen aan.'

'Ja.'

'Bent u hier al lang?'

'Eventjes,' zei Winter.

'Hoe gaat het?'

'Het is nog altijd te vroeg om daar wat over te kunnen zeggen.'

Krol knikte, alsof hij het begreep.

'Het is nog altijd te vroeg voor iedereen hier,' zei hij.

'Er is u niets opgevallen?'

'Nee.'

'Geen vreemden?'

'Niet dat ik heb gezien.'

'Iemand die hier voorbij is gereden?'

'Hier rijdt nooit iemand voorbij. Je rijdt hiernaartoe of je rijdt hier weg.'

'Hebt u de krantenbezorger ontmoet?' vroeg Winter.

'Welke?'

'Zijn er meer?' vroeg Winter.

'Dat weten jullie volgens mij al,' zei Krol.

'Kent u ze allemaal?'

'Ik ken er geen een.'

'Maar u hebt ze wel gezien?'

'Zo vroeg ben ik zelden.'

'Een van hen is dood,' zei Winter.

'Mijn god.'

'Ja.'

'Heeft dat... hiermee te maken? Was het een gewelddadige dood?'

'Ja.'

'Hangt het hiermee samen?'

'Het is te vroeg om dat te kunnen zeggen,' zei Winter.
'Ik wil het niet weten,' zei Krol. 'Dat is uw werk.'
'Ja.'
'Wilt u een kop koffie?'
'Graag.'

'Het is alsof de mensen hier verlamd zijn,' zei Krol. 'Dat gevoel is gebleven, die verlamming.'

Ze zaten op de veranda. Krols vrouw was niet thuis, kennelijk was ze ergens heen.

'Wat zeggen de mensen?'
'Ik praat niet zoveel met ze.'
'Waarom niet?'
'Wat heeft dat voor zin?'
'Soms heeft dat wel degelijk zin.'

Krol antwoordde niet. Hij had zijn koffiekopje niet aangeraakt. Vanaf de plek waar ze zaten konden ze de zee zien.

'Misschien ben je te veel alleen op zee geweest,' zei Winter. Ze hadden afgesproken elkaar te tutoyeren.

'Een mens kan nooit te veel op zee zijn. En je bent nooit alleen. Ik was niet bepaald een solozeiler.'

'Heb je Sandra met iemand anders gezien dan haar gezin?'
'Wanneer zou dat moeten zijn geweest?'
'Dat maakt niet uit.'
'Daar hebben we het al over gehad. Dat heb je al gevraagd.'
'Dat zal ik blijven doen.'
'Geloof je me niet?'
'Geloof heeft er niets mee te maken.'
'Dus je bent niet gelovig?'
'Ik geloof in God, maar zelden in de mens,' zei Winter.
'Daar heb je gelijk in,' zei Krol.
'Heb jij het gezin vermoord, Robert?'

Krol keek Winter recht aan. Krols ogen waren groen met grijs.

'Nee,' zei hij. 'Blijf je die vraag stellen?'
'Dat denk ik wel,' zei Winter.
'Tot je het weet?'
'Ja.'
'Welke vraag stelde je daarvoor?'
'Of je Sandra met iemand anders had gezien dan haar gezin.'
'Misschien in de speeltuin. Maar dat is ook logisch.'

'Iemand die hier niet woonde?'

'Daar let ik niet op.'

'Er is je niets opgevallen?'

'Nee. Waarom zou me iets zijn opgevallen?'

'Ik vraag het gewoon.'

'Ik zal erover nadenken, misschien schiet me iets te binnen. Of iemand.'

'Hoe waren ze samen? Sandra en Jovan?'

'Ik geloof niet dat ik ze vaak samen heb gezien.'

'O nee?'

'Hij was nooit thuis.'

Krol keek boos toen hij dat zei. Maar misschien zag hij er altijd een beetje boos uit.

'En dat vind jij maar niets.'

'Ik? Dat gaat mij niets aan.'

'Dat is niet hetzelfde,' zei Winter.

'En nu zijn ze allemaal weg,' zei Krol.

'Behalve de kleine.'

'Behalve de kleine, ja.' Krol stond op. 'Momentje alsjeblieft.'

Hij was even weg. Winters mobiel ging.

'Ja, Bertil?'

'Die krantenbezorger, die kwartaaldrinker, die heeft gebeld.'

'Bert. Wat wilde hij?'

'Hij wilde ons spreken.'

'Haal hem op.'

'Waar ben jij nu?'

'In de Amundövik. Haal hem maar op. Ik kom eraan.'

'Hij is al hier.'

Winter was opgestaan toen Krol terugkwam.

'Eén vraag nog,' zei Winter. 'Wanneer was je voor het laatst bij de familie thuis?'

'Welke familie?' Krol keek naar de zee toen hij het zei. 'Die is er toch niet meer?'

'Wanneer was je voor het laatst in het huis?'

'Daar ben ik nooit geweest. Dat heb ik al verteld.'

Toen Winter terugreed, kwam hij langs het pretpark Liseberg. Hij probeerde zich te herinneren wanneer hij voor het laatst in de Oldtimer had gezeten. Lilly was Liseberg vergeten, maar Elsa had gevraagd wanneer ze er weer heen gingen, met Kerstmis nog. Toen ze vorige zomer even in Zweden waren geweest, hadden ze geen tijd gehad voor Liseberg.

De nieuwe achtbaan zag er levensgevaarlijk uit in het winterse voorjaarslicht, als iets uit de zwart-wit journaals uit de kindertijd van het pretpark. Als kind had hij met zijn vader in een soort raket rondgeschud waarvan de gordel loszat, en hij had naderhand gezworen nooit astronaut te worden.

Bert Robertsson wachtte op de afdeling. Ze zaten in Ringmars kamer. Na afloop zou Winter Robertssons vingerafdrukken laten nemen, zijn signalement laten opstellen en wangslijm bij hem laten afnemen. In een zaak als deze was een kennisgeving van verdenking niet nodig voor vergelijkingsafdrukken, DNA... Het konden er uiteindelijk honderden worden. Het kon uiteindelijk iedereen zijn, dacht hij.

'Nu heb ik dezelfde ziekte gekregen als Robin,' zei Robertsson. 'En daar kun je aan doodgaan, zoals is gebleken.'

Hij zag er niet uit als iemand die een grapje maakte.

'Wat is dat voor ziekte, Bert?'

'Angst. Vrees.'

'Waar ben je bang voor?'

'Dat degene die het op Robin had voorzien, het ook op mij heeft gemunt.'

Winter en Ringmar keken elkaar aan.

'Dat is toch niet onmogelijk?' zei Robertsson.

'Wie is het?' vroeg Winter.

'Hè?'

'Wie had het op Robin voorzien?'

'Dat weet ik toch niet, verdomme!'

'Waar ben je bang voor, Bert?'

Robertsson beet plotseling op zijn knokkels, niet hard, maar het was lang geleden dat Winter iemand dat had zien doen. Wanhoop had tegenwoordig andere uitdrukkingsvormen.

'Ik denk dat iemand... me achtervolgt. Nee, niet achtervolgt, eerder me in de gaten houdt. Me bespioneert, of hoe je het ook maar moet noemen.'

'Waarom denk je dat?'

'Er loopt iemand achter me aan.'

'Hoe weet je dat?'

'Zoiets weet je gewoon. Dat voel je.'

'Heb je iemand gezien?'

'Ik geloof het wel. Als een schaduw. Niet meer dan een schaduw.'

'Wanneer was dat?'

'Wat?'

'Dat je die schaduw voor het laatst zag.'

'Vanochtend. Vanochtend vroeg, toen ik de kranten rondbracht.'

'Waar?'

'Waar? Bij Amundö natuurlijk, waar anders?'

'Het is nooit eerder gebeurd?'

'Nee.'

'Iemand die daar woont, die vroeg op pad is. Is dat nooit eerder gebeurd?'

'Niet dat ze stiekem sluipen.'

'Daar leek het volgens jou op?'

'Zo was het gewoon. En... Er was iemand.'

'Hoe bedoel je?'

'Iemand die het niet goed met me voorheeft... die het met niemand goed voorheeft.'

'Wat wil je dat ik doe?'

'Die klootzak oppakken, natuurlijk.'

'Het is goed dat je bent gekomen.'

'Eigenlijk zou ik graag willen dat jullie me opsloten.'

'Er zijn veel mensen die bescherming willen hebben,' zei Winter.

'Hebben jullie geen plek?'

'Helaas.'

'Dan moet ik dit zelf regelen.'

'Doe geen domme dingen.'

'Voor dat advies is het in mijn leven te laat,' zei Robertsson en hij stond op.

Winter wilde reacties uitlokken. Dat betekende niet dat hij alles bekendmaakte. Het was niet officieel dat een zekere Robin Bengtsson was vermoord, maar het misdrijf op zich viel niet geheim te houden.

Winter was op weg naar een persconferentie.

'Noem het een familietragedie,' zei Halders.

'Ik denk niet dat de familie dat leuk vindt, Fredrik.'

'De pleegfamilie.'

'Dat is ook een soort familie,' zei Djanali.

Er zaten veel verslaggevers in de zaal. Winter herkende er diverse.

'Heeft deze moord iets te maken met de moorden bij Amundö?' vroeg een vrouw die hij wel herkende, maar van wie hij de naam niet meer wist.

'Om onderzoekstechnische redenen kan ik daar geen antwoord op geven,' antwoordde hij.

'Ja, dus,' zei een mannenstem in de menigte. Een paar mensen lachten.

'Het is altijd makkelijk je ergens vrolijk over te maken,' zei Winter.

'Hebben jullie een verdachte?' vroeg de vrouw.

'Waarvan?'

'De moord in Frölunda.'

'Nee.'

'De moorden aan de Amundövik?'

'Om onderzoekstechnische redenen...'

'Krijgen jullie voldoende middelen?'

Er kwamen nu meer vragen.

'De ergste moord in de geschiedenis van Göteborg. Alle middelen zouden moeten worden ingezet.'

'We doen wat we kunnen.'

'We hebben gehoord dat jullie iemand vast hebben zitten. Wanneer wordt er iemand in verzekering gesteld?'

'We doen wat we kunnen,' herhaalde Winter.

'Om iemand in verzekering te stellen?'

'Om gerechtigheid te scheppen,' zei Winter en hij stond op. 'Om vrede op aarde te brengen. Om ons van het kwaad te verlossen. Om ons te leren van onze naasten te houden.'

'Erik Gandhi,' zei Halders. 'Die naam bekt best goed. Heb je op internet gekeken? Je wordt geciteerd.'

'Alles bekte heel goed,' zei Winter.

'Hoog tijd dat iemand het breed aanpakt,' zei Halders.

Torsten Öberg belde Winter later die ochtend. Het voelde al als een lange dag.

'Misschien kunnen we die print aan een specifieke printer linken,' zei hij. 'Alleen moet die eerst wel worden gevonden.'

'Hm.'

'Als we een digitale foto hadden gehad, zou het Gerechtelijk Laboratorium ons kunnen helpen de camera op te sporen.'

'De ontwikkeling schrijdt voort, Torsten.'

'Inderdaad. Dat moet ook, vooral in de huidige tijd, nu steeds meer criminelen hun slachtoffers fotograferen.'

'Niet aan de Amundövik.'

'Dat mag je toch bijna hopen. Ik zou die foto's niet willen zien. Ik zou wel moeten, maar ik zou het niet willen.'

'Ik ook niet.'

'We hebben de foto zo goed mogelijk vergroot in Photoshop, maar hij is niet scherp. We moeten maar zien. Ljunggren zit achter de microscoop.'

'Er is iets wits op de achtergrond,' zei Winter.

'Dat kunnen we zien.'

'En iets zwarts.'

'Misschien een bord.'

'Dat zou een waar geschenk zijn.'

Hij reed naar Käringberget en kocht een pond garnalen, aioli en dille in de viswinkel, een baguette bij Lasse-Maja en ging toen naar het huis van Lotta. Ze had twee eieren gekookt en de tafel gedekt. 'Zo zou je vaker moeten lunchen,' zei ze. 'Je ziet er niet meer zo moe uit,' zei ze toen ze aan de keukentafel zaten.

'Ik weet niet wat ik daarop moet zeggen.'

'Bekijk het van de positieve kant.'

'Ik heb een persconferentie gegeven.'

'Is dat een verklaring?'

'Een keerpunt. Dat voelde ik eigenlijk een paar dagen geleden al. Het keerpunt.'

'Wat is er gebeurd?'

'Ik voel dat er iets gaat gebeuren. Dat voel ik heel sterk.'

'Iets positiefs?'

'Dat weet ik niet. Misschien maakt het niet uit.'

Ze pelden de garnalen. Dat had hij gemist, het ritueel en vervolgens de smaak. Er ging niets boven verse garnalen in Göteborg; er waren elders schaaldieren die bijna net zo lekker waren, maar toch was dit totaal anders. Hij likte wat kuit van zijn vinger. Het zout hier was anders, zouter, sterker.

'Ik heb hem gezien, met de kinderwagen,' zei ze en ze legde een paar garnalen op een stukje baguette, deed er aioli op, een beetje dille.

'Was hij alleen?'

'Ik hou hem niet op die manier in de gaten.' Ze hield de garnalenboterham halverwege haar mond stil. 'Ik hoop niet dat je dat van me vraagt.'

'Nee, nee.'

'Dat zouden ze doorhebben. Hij zou het doorhebben.'

'Ja. Hij zag de rechercheurs meteen.'

'Ik zou dat nooit doen. Dat begrijp je toch wel, Erik?'

'Ja, ja.'

'Houden jullie hem aldoor in de gaten?'

'Natuurlijk.'

'Hebben jullie daar de middelen voor?'

'Een tijdje, deze keer. Het is niet zomaar een misdrijf.'

'Wordt hij nog altijd verdacht?'

'Niet in die mate dat we hem dat hebben verteld.'

'Nee, dat begrijp ik.'

'Maar het antwoord is natuurlijk ja. Dat kan toch ook niet anders?'

'Als hij de dader is, is hij zo gestoord als een deur. Ik heb hem zoals gezegd met de kinderwagen gezien.'

'Mensen zijn gecompliceerd, Lotta.'

'Wat een verdomd diplomatiek antwoord.'

'Heb je hem gegroet?'

'Ik heb weleens geknikt als ik met de auto langsreed. Zeg, het is toch niet de bedoeling dat ik nu echt bang word, hè?'

'Natuurlijk niet.'

'Als iemand een ontkenning benadrukt, dreigt er gevaar. Je hebt nu al een paar keer "natuurlijk" gezegd.'

'Eet je lunch nou maar op, Lotta.'

Hij maakte zijn eigen boterham klaar, sneed het ei in plakjes, legde die op het brood, strooide er een beetje cayennepeper op.

'Ik moet aldoor aan die verschrikking denken,' zei ze. 'Misschien omdat het zo... dichtbij is gekomen. Puur fysiek dus.'

Hij legde garnalen op het brood, aioli, dille. Het was prima te eten zonder een koude riesling erbij. Hij kauwde, probeerde niet aan de zaak te denken.

'Ik ga weer naar mama toe,' zei ze. 'Dat hebben we besloten. Vooral vanwege haar ziekte.'

Hij knikte, kon op dit moment niet antwoorden.

'Wanneer ga jij?' vroeg ze.

Hij slikte.

'Zo snel mogelijk,' zei hij.

'Wanneer is dat?'

'Zodra ik kan.'

23

Jovan Mars kwam net uit het huis van zijn zus toen Winter in zijn auto wilde stappen. Mars was alleen. Winter wachtte in de auto, Jovan kwam naar hem toe.

'Ik zag je komen,' zei hij.

'Bespioneer je me?'

'Alleen als je hierheen komt.'

'Wat wil je van me, Jovan?'

'Ik wil over Sandra praten.'

Gerda Hoffner reed tussen de nieuwbouw in Kullavik. Ze kwam langs een winkelcentrum en zag diverse jonge moeders met kinderwagens. Ze probeerde zichzelf als jonge moeder te zien, maar de gedachte kreeg geen grip. Ik ben niet jong en ik ben geen moeder, dacht ze. Voor het ene is het te laat, maar voor het andere niet. Ik wil het andere. Ik wil te veel.

Ze zag de straatnaambordjes, reed honderd meter, parkeerde voor een keurige twee-onder-een-kapwoning. Er stond een kinderwagen op de kleine veranda. Ze parkeerde op straat, liep de weinige meters naar de voordeur en belde aan. Dat moest ze twee keer doen voordat er werd opengedaan. De vrouw had een klein kind op haar arm. Hoffner kon niet schatten hoe oud het was. Ze stelde zich voor.

'Ik breng eerst Olga even naar bed,' zei Pia Meldén, vriendin van Sandra Mars.

Olga. In de oren van Gerda Hoffner klonk het alsof er een oude vrouw in een verzorgingshuis naar bed gebracht moest worden. Namen kenden een cyclus. Gerda was waarschijnlijk ook een naam voor bejaarden.

Ze wachtte in de hal. Die was licht en lang, aan het andere uiteinde zag ze kamers die zich openden, grote panoramaramen. Het panorama bestond uit een berg en daarachter lag de zee, die was niet ver. 's Zomers waren de geuren van de zee een eindje landinwaarts sterker.

Meldén kwam terug. Ze lijkt van dezelfde leeftijd als Sandra, dacht Gerda. Als ik, binnenkort aan de verkeerde kant van de vijfendertig. Het lijkt niet alsof ze zich daarmee bezighoudt. Ze maakt een blijde indruk,

214

al probeert ze ernstig te kijken. Ik zou ook niet lachen.

'We kunnen wel in de keuken gaan zitten,' zei Meldén.

De keuken was ingericht in wat je een rustieke stijl noemde, gokte Hoffner. Liever dit dan wit en spotjes. Die waren toch niet echt meer in, lampen kenden ook een cyclus.

'Het is verschrikkelijk,' zei Meldén.

'Ja,' zei Hoffner.

'Ik kende haar niet zo goed.'

'Waar kenden jullie elkaar van?'

'We hebben elkaar bij het consultatiebureau ontmoet. Een zwanger-schapscursus psychoprofylaxe. Dat is niet zo ongewoon, neem ik aan.'

'En toen raakten jullie bevriend?'

'Ja.'

'Wanneer was dat?'

'Dat moet zeven jaar geleden zijn, iets langer natuurlijk. We waren al-lebei in verwachting van ons eerste kind.'

Hoffner knikte.

Pia Meldén zag er niet langer blij uit.

'Mijn god, Anna...' zei ze en ze begon te huilen.

Hoffner wachtte even. Het was stil in huis en buiten ook. Het is mij te stil, dacht ze. Ik zou de tram die de Sannabacken op rijdt missen. Dit is geen stad, ik weet niet wat het is. Dit is iets ertussenin.

'Wanneer hebben jullie elkaar voor het laatst gezien?'

'Daar heb ik over nagedacht... Het is al een aantal maanden geleden.'

'Hoeveel?'

'Drie, misschien.'

'Wat deden jullie toen?'

'We hebben koffiegedronken in de stad. In het centrum.'

'Waar?'

'Tja, dat weet ik niet meer precies. Maakt dat uit?'

'Wat?'

'Waar we zijn geweest?'

'Dat weet ik niet,' zei Hoffner. 'Dat weten we pas naderhand. Hadden jullie een vast adresje?'

'Nee, eigenlijk niet.'

'Was er een café waar jullie vaker naartoe gingen dan naar andere ge-legenheden? Als jullie in de binnenstad waren?'

'Dat zou dan Compassio aan de Hamngatan moeten zijn. De Västra Hamngatan.'

'Compassio.'

'Ja, dat zit er nog niet zo lang. We zijn daar een keer of vier geweest. Kun je het dan als een vast adresje beschouwen?'

'Dat neem ik aan,' zei Hoffner.

Pia Meldén begon te huilen, net zo stil als alles om hen heen. Hoffner meende buiten een kind te horen lachen, maar ze was er niet zeker van.

'Hoe zou ze iemand anders kunnen hebben ontmoet?' vroeg Jovan Mars.

Ze stonden nog steeds bij de auto. Winter wist dat Lotta hen door het raam gadesloeg. Mars' zus deed hetzelfde.

'Zullen we een eindje gaan rijden?' vroeg Winter.

'Waar naartoe?'

'Nergens. Je kunt onderweg vertellen.'

Ze gingen in de auto zitten. Ze reden door Hagen, naar de Hästeviks-gatan, langs de jachthaven van Tångudden, naar het stadsdeel Nya Varv-et. Winter had zijn raam een eindje openstaan, hij hoorde de Skandia-en Skarvikshavens aan de andere kant van de rivier rochelen en schuren, roest tegen roest, ijzer tegen staal, een fantoomgeluid uit de tijd dat het stadsdeel Arendal nog een en al leven was.

'Er was niemand anders,' zei Mars.

'Ik hoor dat je dat zegt.'

'Ik zeg het omdat het zo is. Het is waar.'

'Hoe kun jij dat weten?'

'Hoe kunnen júllie het weten?'

'Je weet waarom we het weten. Ik zeg het liever niet.'

'Omdat je preuts bent?'

'Ja.'

'Ik ben niet preuts.'

'Dat is goed.'

Winter verliet de Långedragsvägen, stak het spoor over, draaide om de rotonde heen en reed de snelweg op.

'Als ze met iemand samen is geweest, dan hebben jullie DNA, nietwaar?'

'Ja.'

'Dan is het alleen maar een kwestie van vergelijken.'

'We moeten wel iets hebben waar we het DNA mee kunnen vergelijken. Dat is het probleem.'

'Er zijn vast massa's mensen bij betrokken.'

'We vergelijken het met wie we kunnen.'

Winter ging via de Oscarsleden verder naar het centrum. Nog niet zo lang geleden had hij hier met honderdzestig door de nacht gereden.

Mars keek naar het verwoeste stadslandschap: de gebouwen van Stena

Line en de eindeloze parkeerplaatsen op het noordelijk deel van Mast-
hugget, de recentelijk in een razend tempo gebouwde panden erachter.
Instant chic, dacht Winter.

'Hadden jullie het goed, Jovan? Sandra en jij?'

'Ik hield van haar en zij hield van mij. Ik hou nog steeds van haar.'

'Dat begrijp ik.'

'Jij begrijpt niets.'

Winter reed de tunnel in.

'Een paar dagen geleden heb ik een achtervolging meegemaakt,' zei
hij. 'Hier.'

'Is dat niet iets voor surveillancewagens?'

'Toen niet.'

'Wie achtervolgde je?'

'Iemand die me bespioneerde.'

'Heb je hem te pakken gekregen?'

'Nee.'

'Jammer.'

'Was jij het?'

'Nee, ik rij 's nachts geen auto.'

'Wie heeft gezegd dat het 's nachts was?'

'Jij, zonet.'

'Nee.'

'Oké, dan ging ik er kennelijk van uit dat het 's nachts was. Achtervol-
gingen zijn meestal 's nachts. Dat is het veiligst. En ik heb geen auto.'

'Je hebt Sandra's auto nog.'

'Die is niet van mij. Ik rij er niet in.' Hij wendde zich tot Winter. 'Moet
je horen, jij zwijn, je hebt het helemaal mis als je denkt dat ik jou 's nachts
in de gaten hou.'

'Je moet ophouden me een zwijn te noemen.'

'Ik heb niets te verliezen.'

'Waar hadden jullie het over als jullie elkaar zagen?' vroeg Hoffner.

Pia wachtte even met antwoorden. 'Dat... Dat weet ik niet meer. De
kinderen, denk ik. Van die dingen waar je over praat.'

'Jullie huwelijk?'

'Ja. Natuurlijk.'

'Was Sandra gelukkig in haar huwelijk?'

'Ja...'

'U klinkt aarzelend.'

'Ze vond dat ze te veel alleen was.'

217

'Ja.'

'Haar man was bijna nooit thuis.'

'Jovan.'

'Ja, Jovan.'

'Ging u ook met hem om?'

'Hoe bedoelt u?'

'Hebt u hem ontmoet?'

'Ja... Een paar keer op de cursus, natuurlijk. Maar we hadden niets gemeen, als gezin dus. We gingen niet op die manier met elkaar om.'

'Gingen jullie weleens bij elkaar eten?'

'Nee.'

'Waarom niet?'

'Dat weet ik niet.'

Hoffner kon de wind in de bomen voor de berg zien. Het waren geen grote bomen. Het leek alsof ze er tegelijk met de nieuwe huizen waren gekomen.

'Had Sandra het er weleens over dat ze iemand anders had ontmoet?'

'Iemand anders?'

'Een andere man.'

'Dat ze een affaire met iemand had?'

'Ja.'

'Had ze dat?'

'Dat vraag ik u,' zei Hoffner.

'Hoe moet ik dat weten?'

'Misschien dat ze er iets over heeft gezegd.'

'Ze heeft er niets over gezegd. Volgens mij kan het niet waar zijn. Hoe kunnen jullie dat denken?'

'Wij... onderzoeken alle mogelijkheden.'

'Dit is een verkeerd spoor,' zei Pia Meldén.

'We zitten vaak op het verkeerde spoor. Daarom stellen we zoveel vragen.'

'Mijn god,' zei Meldén.

'Had Sandra een lievelingsplek in Göteborg?' vroeg Hoffner.

'Waar we naartoe gingen, bedoelt u?'

'Of in het algemeen.'

'De marina bij Tångudden,' zei Meldén. 'De kant op van Långedrag.'

'Ja?'

'Haar vader had daar een boot toen Sandra klein was. Ze heeft me een keer verteld dat ze er als kind vaak kwam. Ze ging er soms heen, zei ze.'

'Bent u ooit mee geweest?'

'Nee.'
'Ging ze er alleen heen?'
'Dat neem ik aan.'

Winter zette Mars voor het huis aan de Fullriggaregatan af. Er stond een kinderwagen voor de deur.
'Volgens mij heeft ze me gemist,' zei Mars.
'Goed zo,' zei Winter.
'Is dat echt goed?'

In Kungssten ging zijn telefoon. Hij bevond zich op precies dezelfde plek als de vorige keer toen ze had gebeld en hij daar had gereden.
'Het gaat nu niet zo goed,' zei Angela.
'Wat is er gebeurd?'
'Het is haar ademhaling... Die is in korte tijd slechter geworden. We zijn doorverwezen naar een verpleegafdeling, maar dat was geen goed plan. We zijn er maar een paar uur geweest. Ze doen er niets, niet voor Siv.'
'Ze doen er niets voor een vrouw die op sterven ligt, bedoel je?'
'Ze is nu in een hospice in Puerto. Ik bel daarvandaan.'
'Is daar een hospice?' vroeg hij, denkend aan de haven in Puerto Banús, de jachten en de zeilboten, de warenhuizen in de omgeving, de restaurants, de bars, de toeristen, het geld, alles wat heel ver verwijderd was van verpleging in de laatste fase van het leven.
'Ik ken de eigenaar,' zei ze. 'Dit is een goede plek.'
'Vast wel, maar Siv hoort in het ziekenhuis te liggen.'
'Deze keer niet, Erik.'
'Deze keer niet? Er komt geen andere keer, bedoel je?'
'Wil je me dwingen daar antwoord op te geven?'
'Nee, nee, sorry. Hoe lang heeft ze nog?'
'Daar kan ik geen antwoord op geven. Het lijkt nu snel te gaan.'
Welke dag was het, verdomme? Woensdag, het was woensdag. Hij kon niet wachten op de vlucht van Norwegian die op zaterdag vertrok, dat was uitgesloten. Hoe laat was het, verdomme? Het was een dag waar nooit een eind aan kwam, de langste dag in de wereldgeschiedenis.
'Kan ze vandaag overlijden?' vroeg hij.
'Daar kan ik geen antwoord op geven.'
'Dat is voldoende antwoord. Is ze aanspreekbaar?'
'Nee.'
'Hoe lang is dat al zo?'

'Sinds we hier zijn. Een uur. Ik had je eerder moeten bellen. Alles... ging heel snel. Ik had... Ik kreeg...'

'Je hebt niets verkeerd gedaan, Angela. Ik ben degene die hier zit, niet-waar? Ik probeer met de eerste de beste vlucht te komen, vanavond nog als dat kan, met een tussenlanding waar dan ook maar. Ik bel je als ik wat weet.'

Hij verbrak de verbinding, begreep dat hij midden op straat had ge-parkeerd. Dus daarom hadden de mensen tijdens het gesprek naar hem getoeterd. Hij had het vagelijk gehoord, als geroep uit de verte, terwijl zijn hele leven, ieders leven, via een telefoongesprek verbonden was, en het gesuis in zijn oren was als de wind voorafgaand aan de regen.

Bertil had het geregeld, Bertil was een vriend. 'Ik op mijn beurt heb ook vrienden,' zei hij toen Winter langskwam, onderweg naar huis, on-derweg naar het vliegveld. 'Amsterdam, een uur wachten, daarna naar Málaga. Je bent er om elf uur vanavond, insjallah.'

'Als we toch bezig zijn, moeten we bij Krol aan de Amundövik wang-slijm afnemen,' zei Winter en hij pakte een cd uit Ringmars cd-speler en stopte die in zijn aktetas.

'De oude zeebonk.'

'Hij stond er zelf op.'

'Oké.

'Maar ik zou het hoe dan ook hebben voorgesteld. Weldra hebben we een goed register voor de toekomst.'

'Een register voor het heden is genoeg. En onze insectendeskundige denkt dat ze ten minste vijf dagen voordat we ze vonden zijn vermoord. Eventueel zou vier en een halve dag ook nog kunnen.'

'We hebben een overlevende.'

'In hoogste mate.'

'In oorlogen is het wel voorkomen, maar dat een massamoordenaar vlak na de daad terugkeert naar de plaats delict is in de zogeheten civiele wereld nieuw.'

De telefoon op Ringmars tafel rinkelde.

'Als het de moordenaar al was,' ging Winter verder. 'Laten we het nog ingewikkelder maken en aannemen dat er nóg iemand in dat huis is geweest, iemand die het kind te drinken heeft gegeven en vervolgens is vertrokken.'

'Ja ja,' zei Ringmar, maar niet tegen Winter. Hij sprak in de hoorn. 'Verdomme, stuur het meteen naar boven, hebben jullie er bewaking? Ja. Nee. Nee.'

Hij gooide de hoorn op de haak, keek Winter aan. 'We hebben een brief ontvangen. Of beter gezegd, jij hebt een brief ontvangen.'

24

Sandra Mars glimlachte naar Winter en Ringmar. Het was dezelfde plek, dezelfde foto, een perfecte kopie.

'Een mededeling van gene zijde,' zei Ringmar.

'De afzender bevindt zich aan deze zijde,' zei Winter.

'Niet aan onze zijde.'

'Nee, dit is niet omdat hij aardig wil zijn.'

'Waarom dan wel?'

'Het is een spel,' zei Winter. Hij keek naar de foto die hij met handschoenen aan voorzichtig uit de envelop had gehaald. Het was een heel simpele envelop. Torsten zou er niets op kunnen veiligstellen, en op de foto evenmin, maar als zij uitgestaard waren, zou hij de hele handel krijgen.

'De fotograaf zelf moet hem ons hebben gestuurd,' zei Ringmar.

'Hoe wist hij dat we de eerste hadden?' vroeg Winter.

'Wist hij dat?'

'Daar houden we het op,' zei Winter. 'Hij wist het.'

'We zeggen aldoor "hij".'

'Dat blijven we doen.'

'En het is een goede vraag. De eerste foto lag in de la van Sandra's nachtkastje.'

'Ik denk dat het niet zoveel uitmaakt waar hij lag. Maar hij wist dat ze hem had. Dat ze hem had gekregen.'

'Hem had verborgen.'

'Misschien.'

'Dan wist Jovan niet dat ze hem had.'

'Misschien niet.'

'En als we iets over het hoofd hebben gezien, worden we daar nu aan herinnerd,' zei Ringmar.

'Waar worden we nu aan herinnerd?'

Ringmar keek weer naar de foto. Het was dezelfde boom. Er waren geen andere bomen. Op de achtergrond was iets zwart-wits te zien. Ook iets blauws, als van de lucht.

'Dat Sandra een leven had,' zei hij en hij keek op.

'Waarom moeten we daaraan worden herinnerd?'

'Je zei zelf dat het een spel is.'

'Er speelt iets anders.'

'En dat is?'

'Een vorm van schuld, denk ik.'

Winter keek weer naar de foto. Hij wist nog altijd niet waar het was. De plek had iets bekends, maar hij kon hem in zijn geheugen niet vinden. Misschien was het wishful thinking, de gevaarlijkste manier van denken.

'Ik raak er steeds meer van overtuigd dat we niet slechts met één "hij" te maken hebben.'

'Meer betrokkenen dus. Een grotere schuld.'

'Een grotere haat,' zei Winter. Deze stomme foto had iets waar hij niet bij kon. Iets wat naar hem schreeuwde, luid, een boodschap, het was de schreeuw die hij in sommige delen van het huis aan het einde van de wereld ook hoorde.

Iemand klopte op de ruit van Ringmars kamer en ze keken op.

'Ik dacht al dat jullie hier misschien zouden zijn,' zei Gerda Hoffner.

'Niet heel lang meer,' zei Ringmar.

'Ik heb een vriendin van Sandra gesproken,' zei Hoffner.

'Een van de twee,' zei Ringmar.

'Ze noemde een plek in de stad waar Sandra graag naartoe ging. Als kind al.'

Winter keek weer naar de foto; een plek waar Sandra graag naartoe ging. 'Waar is die?' vroeg hij. Zijn blik was nog altijd op de foto gericht. Hij wist het, hij zou weten dat hij het had geweten zodra ze het zei. Ze zei 'de marina van Tångudden' en hij wist het. Hij keek naar buiten. Het was nu donker, maar dat maakte niet uit, hij moest erheen. Hij keek op zijn horloge en realiseerde zich dat hij geen tijd zou hebben om nog even langs huis te gaan, maar hij zou misschien wel op tijd op Landvetter zijn en in Spanje had je ook tandpasta, en brandy voor schuld en verdriet.

'Bel haar vader en ga er met hem naartoe,' zei hij. 'Ik vertrek nu. Ga je mee, Bertil?'

Het Thaise restaurant bij Tångudden was vroeg dichtgegaan, vanavond geen *tom yam gong* meer. Winter kon zien hoe de vrouwen binnen alles opruimden na een dag hard werken, vage gezichten, zwart haar, de smoezelige ramen gaven dezelfde transparantie als plastic gordijnen; dat was een woord dat aan het verdwijnen was, transparantie, opzouten ermee.

Het licht van de havens aan de overkant gloeide kwaadaardig over de rivier, een gasvlam brandde tegen de zwarte hemel, ijzer sloeg tegen ijzer, kabaal van de thermische centrale dreef de mensen in de pas aangelegde woningen aan de Tånguddsbacken kreunend en steunend tot waanzin.

Winter en Ringmar liepen tussen de boten die op de wal waren getrokken, er was genoeg licht om te voorkomen dat er doden vielen, er stond een maan boven hun hoofd, de lucht was helder en het was niet zo koud.

Er waren niet veel bomen.

Een ervan stond een meter of tien voor de rij boothuizen.

Winter ging erheen en keek in de richting van de gebouwtjes. Het was te donker om kleuren te kunnen onderscheiden; die zouden morgen weer tevoorschijn kruipen. Het perspectief kon kloppen. Het daglicht ontbrak.

Hij hoorde stemmen achter zich en draaide zich om. Gerda Hoffner kwam aangelopen met de vader van Sandra, Egil Torner. Winter had hem nog niet ontmoet, maar Bertil wel, toen Winter in Spanje was. Torner was in shock geweest, had weinig gezegd, het misschien nog niet begrepen.

Het leek alsof hij geen tijd had gehad zich op het bezoek aan de haven te kleden. Zijn overhemd was bij de hals open, maar dat maakte hem niet uit, het ging nu om al het andere. Hij moest ongeveer even oud zijn als Bertil, ooit een jonge vader, dacht Winter, niet zoals ik, met kinderen die zelfs nog niet naar school gaan als je vijftig bent. Hij heeft een volwassen dochter en kleinkinderen, die heeft hij gehad, Sandra heeft hij gehad, en Erik en Anna; zijn blik is helder, hij heeft gerouwd. Hij heeft geen haar, dat moet koud zijn op zijn hoofd, ik draag als het maar een beetje kouder is een muts hoewel ik haar heb, hij is meer man dan ik.

'Wat is er aan de hand?' vroeg Torner.

Winter stelde zich voor. 'Heeft mijn collega het niet verteld?' vroeg hij.

'Alleen dat Sandra mogelijk hier is geweest,' zei Torner. 'En waarom ook niet?' Hij wees naar een van de boothuizen. 'Een daarvan is van mij.'

Hij keek naar Ringmar, die hem begroette.

'Ik heb hier geen boot meer, maar het huisje hebben we gehouden.'

'Kunnen we er even heen?' vroeg Winter.

Torner knikte. 'Ik heb de sleutels meegenomen,' zei hij. 'Ik dacht...' vervolgde hij, maar toen viel hij stil.

Ze stonden voor de deur. Winter draaide zich om, naar de boom. Die stond zo'n vijftien meter verderop. Het perspectief klopte nog steeds. Het boothuis was rood met wit. De rivier stroomde erachter, die was overdag blauw.

Torner opende de deur en deed het licht aan. Winter bestudeerde Torner terwijl die rondkeek. Hij bleef hem bestuderen.

'Waarom kijkt u naar mij?'

'Is alles zoals het hoort te zijn?' vroeg Winter.

Torner keek rond.

'Voor zover ik op dit moment kan zien.'

Hij stapte naar binnen.

'We kunnen niet naar binnen gaan,' zei Winter.

Torner keek hem aan, één been nog in de lucht, alsof hij aan het trainen was, aan het stretchen.

'Maar...'

'We mogen geen sporen vervuilen,' zei Winter. 'Dat begrijpt u wel.'

'Maar... Waarom... Hier?'

Torner trok zijn been terug. Hij keek weer rond, zijn blik was nog altijd helder, maar ook bang, verward.

'Waarom hier?' zei hij. 'Wat is hier gebeurd?'

Winter liet hem een kopie van de foto zien.

'Jezus,' zei Torner.

'Hebt u deze eerder gezien?'

'Nee, nee.'

'Wanneer denkt u dat hij is genomen?'

Torner antwoordde niet. Hij rukte zijn blik van de foto, keek op.

'Waar kan de foto zijn genomen?' vroeg Winter.

Torner antwoordde nog steeds niet. Winter herhaalde de vraag.

'Daar,' zei Torner en hij knikte naar de eenzame boom.

'Weet u dat zeker?'

Torner antwoordde niet. Winter herhaalde de vraag.

'Dat weet ik zeker. Wat is dit?' Hij keek Winter aan. 'Van wie is deze foto?'

'Hoe bedoelt u?'

'Wie heeft deze foto genomen?'

'Dat weten we niet.'

'Waar komt hij vandaan?'

'Sandra had hem.'

'Dan moet Jovan hem hebben gemaakt.'

'Hij zegt van niet.'

'Iemand met wie ze bevriend was?'

'Dat weten we niet. Kende Jovan deze plek? Het boothuis?'

'Uiteraard. Heeft hij dat niet verteld?'

'Nee. Maar we hebben hem er niet naar gevraagd.'

'Dus ze kwam hier af en toe,' zei Torner, terwijl hij weer naar de foto keek. 'Misschien wel vaak. Nee, niet zo vaak. Dat was vroeger.' Het klonk alsof hij maar wat voor zich uit sprak. 'Vroeger was het leuker. Toen ze klein was.'

'Wat was leuker?' vroeg Winter.

'Alles,' zei Torner. 'Dat hoeft u toch niet te vragen?'

Winter zei niets.

'Had Sandra sleutels van het boothuis?' vroeg Ringmar.

'Ja,' zei haar vader. 'Ze heeft er altijd sleutels van gehad.'

'Weet u wanneer ze hier voor het laatst was?'

'Nee.'

'Spraken jullie daar niet over?'

'Volgens mij is ze hier in geen jaren geweest. Dat dacht ik althans. Ik heb er niet naar gevraagd.'

'Waarom niet?'

Torner antwoordde niet.

'Was er een reden waarom ze hier niet naartoe wilde?' vroeg Winter.

Ook nu gaf Torner geen antwoord.

'Is hier iets gebeurd?' vroeg Winter.

'Wat zou hier gebeurd moeten zijn?'

'Is hier iets met Sandra gebeurd? Toen ze klein was?'

'Waarom zou er iets met haar zijn gebeurd?'

'Ik vraag het gewoon,' zei Winter.

'Ik begrijp de vraag niet,' zei Torner. 'Dit was een gelukkige plek.' Hij keek Winter aan. 'Ze is hier toch teruggekomen?'

Torner was weer door Hoffner naar huis gebracht, maar de vrouwen in het restaurant waren er nog. Ze hadden de deur op slot gedaan en wilden pas opendoen toen Winter en Ringmar met hun legitimatie hadden gewapperd. Ringmar had ook een politiepenning voor eventuele noodgevallen. Hij liet hem nu zien.

Een van de vrouwen deed open. Ze waren met zijn drieën, ze leken allemaal Thais, hoewel Winter er niet honderd procent zeker van was hoe de mensen in de verschillende landen in Zuidoost-Azië eruitzagen. Maar ze maakten Thais eten, geen Birmaanse specialiteiten, het gebouw rook naar citroengras, kokos, chilipasta en olie, het is een rode lucht, dacht hij en hij herinnerde zich een eendencurry die hij afgelopen herfst had gemaakt, hij had de pasta zelf in de vijzel gestampt, alle ingrediënten waren belangrijk, ook de geringste, hij had alles in Málaga gevonden.

Winter stelde zich voor. De vrouwen schudden zijn hand en zeiden hun naam. Ze wisselden wat woorden in het Zweeds. Winter liet hun een voor een de foto zien.

'Is zij hier geweest?' vroeg hij.

'Wie is dat?' vroeg de vrouw die had opengedaan. Winter had haar naam niet verstaan. Ringmar had de namen opgeschreven. De vrouw sprak uitstekend Zweeds.

'Hebt u haar weleens gezien? Herkent u haar?'

'Dat weet ik niet.' De vrouw keek naar de anderen. 'Is zij hier weleens geweest?'

Ze keken weer naar de foto.

'Hoe lang bestaat deze gelegenheid al? Hoe lang hebben jullie hier al een restaurant?'

'Al heel wat jaren,' zei de vrouw.

'Sorry, ik heb uw naam niet verstaan,' zei Winter.

'Peggy,' antwoordde de vrouw glimlachend.

'Oké, Peggy, zou je iets preciezer kunnen zijn?'

'Zes jaar, we zitten hier al zes jaar, we hebben heel wat stamgasten.'

'Dat begrijp ik. Was zij dat ook?'

Peggy keek weer naar de foto.

'Nee, geen stamgast.'

Een van de andere vrouwen zei iets tegen haar in een taal die Winter niet verstond, Thai vermoedelijk, zacht en puntig tegelijk. Hij was nooit in Thailand geweest, nog even en hij was een van de weinige Zweden die dat nog kon zeggen. Peggy gaf de foto aan de andere vrouw. Ze keek ernaar, richtte haar blik op, zei weer iets.

'Ze zegt dat ze haar herkent,' zei Peggy. 'Ze kan het niet zo goed in het Zweeds zeggen. Ze is hier nog niet zo lang. Het is mijn zus, ze is jonger dan ik. Ze is een halfjaar geleden uit Chiang-M...'

'Ze herkent haar?' onderbrak Winter de familiegeschiedenis. 'Ze heeft haar gezien?' Hij wendde zich tot de zus. 'Je hebt haar gezien?'

Ze leek terug te deinzen. Hij moest er dreigend hebben uitgezien. Hij probeerde te glimlachen.

'Ze was hier,' zei de zus. Ze keek naar een tafel bij het raam, een van de vijf. Aan die tafel heeft Sandra gezeten, dacht hij.

'Herken je haar?'

De zus keek weer naar de foto, naar Winter, naar de foto. Ze zei iets tegen Peggy.

'Ze herkent het haar,' zei Peggy. 'En de jurk.'

'De jurk?'

'Ze herkent de jurk,' herhaalde Peggy en ze knikte naar de foto die haar zus in haar hand hield. 'Ze droeg een jurk', zei ze, alsof ze Winter wilde laten weten wat Sandra aan had gehad.

'Deze jurk?' vroeg Winter en hij keek van Ringmar naar Peggy. 'Het is dezelfde jurk.'

'Dat begrijp ik niet', zei Peggy.

'Er valt niets te begrijpen', zei Winter. 'Maar jij herkent haar niet? Of...' Hij knikte naar de derde vrouw.

'Ik herken haar niet', zei ze. 'Het moet een dag zijn geweest dat Lan in de bediening werkte en afrekende, om te oefenen. Wij stonden in de keuken te koken. Lan herkent haar.'

Winter zag het luik naar de keuken. Daarvandaan kon je niet naar de tafeltjes kijken. Het was geen grote keuken.

Winter keek naar Lan.

'Is ze hier vaak geweest?'

Lan schudde haar hoofd en zei iets.

'Maar één keer', vertaalde Peggy.

'Weet je nog wanneer?' vroeg Winter, nog altijd naar Lan kijkend. Ze leek nu niet bang.

'Wat is er met haar gebeurd?' vroeg Peggy.

'Dat zal ik vertellen', zei Winter. 'Maar eerst de vraag aan Lan, wanneer heeft ze deze vrouw gezien?'

Peggy vertaalde de vraag. Lan antwoordde in het Thai.

'Dat kan ze zich niet herinneren. Maar ze weet dat ze hier nog maar een paar maanden was. Dan valt het toch wel uit te rekenen?'

'Het valt uit te rekenen', zei Winter. 'Ik heb nog maar één vraag. Was de vrouw alleen?'

'Niet alleen', antwoordde Lan, in het Zweeds.

'Ze was hier niet alleen?'

'Er zat nog iemand', zei Lan.

'Iemand?'

Lan zei iets tegen Peggy.

'Een man', zei Peggy.

'Had je hem weleens eerder gezien?'

'Nee', zei Lan.

'Zaten ze hier samen?'

'Ja.'

'Waren ze samen gekomen?'

'Ja.'

'Heb je gehoord waar ze over spraken?'

'Nee.'

'Zou je de man herkennen als je hem weer zag?'

'Dat weet ik niet.'

'Zou het moeilijk zijn hem te herkennen?'

Lan zei opnieuw iets in het Thai. Peggy vroeg iets in het Thai en kreeg een antwoord.

'Hij had een baard,' zei Peggy. 'Lan zegt dat hij die kan hebben afgeschoren.'

Die stomme baarden ook, dacht Winter.

'Wat voor kleren droeg hij?' vroeg hij.

Peggy vroeg het aan Lan. Ze zei iets en schudde haar hoofd.

'Dat weet ze niet meer,' zei Peggy en ze keek Winter aan. 'Ze herinnert zich de jurk van de vrouw.'

'Dat is makkelijker.'

'Waarom is dat makkelijker?'

'Dat zou je begrijpen als je vrouw was.'

'Misschien herinnert ze het zich als ze er langer over heeft kunnen nadenken.'

'Ja. Wie is die vrouw? Waarom willen jullie haar vinden?'

'We willen haar niet vinden. Ze is vermoord.'

'O!' Peggy's hand schoot voor haar mond. Winter zag dat de anderen het misschien begrepen. Peggy zei een paar woorden tegen hen in hun moedertaal. Ze werden bleek, Winter kon het in de vettige lucht, in het gele licht zien. 'O!'

'We willen de dader vinden,' zei Winter.

'Was... hij het? Was hij hier?'

'Begrijp je het?' vroeg Winter. 'Het is goed als Lan het zich herinnert. Als jullie het je allemaal herinneren.'

'Het is tijd om te gaan, Erik,' zei Ringmar. 'Ik neem het hier over. Wij nemen het over. Ik breng je naar Landvetter.'

Ze waren alleen op de snelweg. Hij dacht aan Sandra's glimlach. Die was breed, mooi en echt geweest.

'Waarom glimlachte ze, Bertil?'

'Dat baart mij ook zorgen.'

25

Hij zat met zijn aantekeningen en een biertje in Amsterdam, terwijl er mensen langs hem heen liepen op weg naar bestemmingen over de hele wereld. Hij maakte een overzicht van de namen en cv's tot nu toe. Jovan Mars. Christian Runstig. Robert Krol. Mattias Hägg. Bert Robertsson. Degene die ze het meest hadden gezien was Robert Krol. Maar hij woonde in de buurt, wandelde daar en nergens anders, dat was totaal vanzelfsprekend en natuurlijk, en tegelijk mochten ze hem niet vergeten. De goede vrouwen van het Thaise restaurant zouden foto's bestuderen van de mannen die die namen droegen, hopelijk morgenochtend al, dan zouden ze het weten, maar wij komen niets, nada te weten, hij dronk van het bier, maar één glas, *niente y niente, nada y nada*, dit is pessimisme, de zaak wordt warmer, *un poco más caliente, un poco menos frío*, we zijn op weg naar de warmte, we zijn onderweg naar de hitte, hij wacht op de parkeerplaats bij winkelcentrum Frölunda Torg, hij wacht overal, ja, ik heb de foto ontvangen, dat was een van je vergissingen, voor gevoelens is hier geen plek, wie in deze branche sentimenteel wordt is verloren, hij voelde dat zijn nekspieren zich spanden, hij voelde zich gespannen, haalde zijn ogen van het scherm, zag dat een stel van middelbare leeftijd naar hem zat te kijken alsof hij misschien niet helemaal gezond was, hij knikte vriendelijk maar dat leek de zaak te verergeren, hij richtte zijn blik weer op zijn computer, op de namen die ze uit de onderwereld hadden opgegraven.

De lampen in Málaga bedekten in het donker een groot oppervlak en strekten zich langs de kust uit naar Almería in het oosten en Marbella in het westen, het glinsterende licht verdween in de zee, in de bergen.
Hij zat bij het raampje, zag alles onder zich en dacht nergens aan, een korte pauze in het leven. Angela had gebeld toen hij in Amsterdam was en nu trok alles weg, Siv trok weg, misschien naar Bengt; Siv met haar sigaret, haar drankje, haar krakerige COPD-lach en haar levensvreugde, rokers hebben meer levenslust en dat komt doordat ze weten dat ze zullen sterven, terwijl de plichtsgetrouwe mensen in een eeuwig leven gelo-

ven. Ik ben een van hen geworden. Vannacht rook ik een cigarillo, dat is maar een beetje gevaarlijk.

Angela stond bij de gate op hem te wachten.

'Ze is nu rustiger.'

'Is ze bij bewustzijn?'

'Nee.'

'Wordt ze nog wakker?'

'Ik denk het niet.'

'Ik heb niets tegen haar kunnen zeggen.'

'Je hebt heel veel dingen tegen haar gezegd, Erik. Goede dingen.'

'Ik heb ook veel minder goede dingen gezegd.'

'Je bent haar kind. Dat hoort erbij.'

'Wist ze dat?'

'Dat weten alle ouders.'

'Ha ha.'

'Siv wist het,' zei Angela.

De hospice lag aan een rustige straat tussen El Corte Inglés en de jachthaven. Winter hoorde muziek uit een raam komen toen ze uit de auto stapten, een commentatorstem op een tv, een gesprek, een lach, geblaf van een hond, een motor, een vogel, een roep, een ruzie, weer een lach, al die banale dingen die het echte leven vormden, dat deze nacht misschien zou eindigen voor de vrouw die hem had gebaard.

Ze lag te wachten in een kamer met mooi licht, dat werd vermengd met het licht dat vanaf het vriendelijke straatje door het raam naar binnen stroomde.

Ze sliep een barmhartige slaap en kreeg nu geen zuurstof toegediend.

Het leven verdween geleidelijk, een barmhartige handeling.

'Siv,' zei hij en hij raakte haar wang aan. Het was alsof hij een vogel aanraakte. 'Ma, ik ben er weer.'

Hij keek naar Angela.

'Ze heeft het goed,' zei hij.

'Zeker weten.'

'Ze slaapt.'

'Ze rust,' zei Angela.

'Ik denk dat ze de hele nacht goed zal slapen.'

'Dat denk ik ook.'

Het milde licht kon niet alles verfraaien, verhullen. Hij zag dat Angela donkere kringen onder haar ogen had. Ze leek dun, alsof Sivs ziekte als een schaduw over haar heen was getrokken, slechts eventjes, als om hem aan iets te herinneren. Hij besefte dat hij niets was zonder haar, zonder een liefde, zonder haar liefde zou hij alleen maar een niet-nobel zwijn zijn dat in de onderwereld wroette.

'Ga anders thuis even uitrusten, Angela. Ik blijf wel hier.'

'Ik blijf ook.'

'Nee, ga jij maar naar huis. Kom morgenvroeg met de meisjes. Ik slaap hier. Er staat een bank.' Hij knikte naar de bedbank naast de deur. Het was een grote kamer. Die deed denken aan het hostel in de oude stad waar hij had gelogeerd toen zijn vader op sterven lag. De kamer was simpel en waardig. 'Er zijn ook lakens, zie ik. Heb je mijn tandenborstel meegebracht?'

'Ik heb zelfs schone kleren bij me,' zei ze glimlachend. 'Alles ligt in de auto. En in de hal is een douche.'

'Mooi.'

'Ik blijf nog even,' zei ze.

Winter keek naar zijn moeder.

Ze opende haar ogen.

'Ik meende stemmen te horen,' zei ze.

'Wij zijn het maar,' zei hij.

'Dus je bent hier, Erik.'

'Natuurlijk.'

'Is het dan al zaterdag?'

'Je hebt alles goed in de peiling, hoor ik. Nee, het is nog geen zaterdag. Maar je kunt hier toch wel naartoe vliegen.'

'Dan heb je vast veel tussenlandingen gehad.'

'Eentje maar.'

Ze bewoog, probeerde overeind te komen. Hij hielp haar.

'Ik heb dorst,' zei ze.

'Dat is goed,' zei Angela. 'Hier heb je wat water.'

'Dank je.' Ze keek naar haar zoon. 'Nu alleen maar water voor mij.'

'Je knapt ervan op,' zei hij glimlachend.

'Nooit gedacht dat ik van water zou opknappen,' zei ze en ze nam een slok, zette het glas neer en keek hen aan. 'Nooit gedacht dat ik weer wakker zou worden.'

'Ik wel,' zei hij.

'Ik ben moe.'

'Ik zit hier. Ik probeer Angela naar huis te sturen, zodat ze een beetje kan uitrusten.'

'Dat heeft ze wel nodig ook. Ze heeft het aldoor heel druk gehad met mij.'

'Nee, nee, Siv,' zei Angela.

'Jawel, maar misschien kun je toch nog even blijven?' Ze keek Winter aan. 'Zou je iets voor me willen doen, Erik?'

'Natuurlijk.'

'Het is zo dom... Ik heb kennelijk thuis mijn ring afgedaan voordat ik... wegzakte. Hij is niet hier. Mijn trouwring dus. Ik wil hier niet liggen zonder Bengts ring. Zou je die thuis willen ophalen, Erik?'

'Natuurlijk. Waar ligt hij?'

'Hij moet op het nachtkastje liggen.'

'Ik haal hem wel op,' zei hij en hij stond op.

'Heb jij puf om nog even te blijven, Angela?' vroeg Siv Winter en ze keek Angela aan. 'Ik weet niet of ik alleen wil zijn.'

'Hou op, Siv. Natuurlijk blijf ik bij je. Ik was hoe dan ook van plan te blijven.'

Hoe dan ook, dacht hij in de auto toen hij de heuvels naar Nueva Andalucía opreed, hoe dan ook. Een digitale klok op de muur van een huis gaf knipperend de tijd aan, kwart over een, meer niet.

Zijn mobiel zoemde. Hij keek op het display. 'Ja, Bertil?'

'Ben je er al?'

'Ja, wat dacht jij?'

'Hoe gaat het met Siv?'

'Ze is herrezen.'

'Maak je een grapje? Daar is het nu niet het moment voor, Erik.'

'Het is geen grapje. Ze is weer bijgekomen. We dachten dat ze bewusteloos zou blijven. Ze werd wakker toen ik kwam.'

'Ze wist dat jij er was.'

'Ik hoop het, Bertil.'

'Het klinkt alsof je in een auto zit.'

'Ik moet iets voor Siv ophalen. Kun je niet slapen?'

'Dat weet ik niet, ik heb het nog niet geprobeerd.'

'Dat moet je wel doen.'

'Ja, baas. Ik heb de afgelopen uren aldoor zitten lezen. Na de identificatie door de Thaise dames morgen, of de niet-identificatie, of wat het ook maar wordt... Ik zit aan Runstig te denken.'

'Als ze hem niet aanwijzen, laten we hem gaan.'

'Heb je met Molina gesproken?'

'Eergisteren. We zouden hem in staat van beschuldiging kunnen stellen wegens het een of ander, maar schuldig of niet, als vrij man hebben we meer aan Christian.'

'Dat ben ik met je eens.'
'Hij zal de stad niet verlaten.'
'Tenzij hij ons allemaal verlaat.'
'Hij maakt er niet nog een keer een eind aan, Bertil.'
'Oké, ik spreek je morgen. Vandaag, trouwens.'
'Bel me vanaf Tångudden,' zei Winter.

Hij parkeerde voor de inmiddels dichtgespijkerde Supermercado Diego en liep naar de driesprong. Precies tegenover de bushalte liep de Calle Rosalía de Castro in noordelijke richting. Hij was alleen op het nachtelijke plein, omringd door drie restaurants, een tandartsenpraktijk, een autoverhuurbedrijf, alles wat nodig was voor een eeuwig leven in de zon. Jarenlang het centrum voor zijn ouders, het oude Johnny Restaurant dat er al sinds het begin zat, toen dit het enige centrum van Nueva Andalucía was, en tegenwoordig het uitgesleten hart ervan. Johnny zag er vervallen uit met de gaten in de luifels, Diego was voor altijd weg, David Restaurante en Le Chateaubriant leefden in geleende tijd, de kleine Supermercado Scandi was wegens een renovatie gesloten, alles hier voelde alsof het bij een vroegere wereld hoorde, bij een andere generatie. De woonplaats van zijn ouders, die er nog zou zijn als zij er niet meer waren, maar die langzaam in de zon opdroogde en daarna zou verdwijnen, misschien iets anders zou worden, afhankelijk van de economie, niet de economie van de Scandinaviërs maar die van de Spaanse wereld, de gevel van de bank zag er in de schaduwen van een neonbuis boven Las Palmeras Clinica Dental al duister uit. Dit zou van hem worden, van hem, Lotta en Angela. Hij was hier de afgelopen twee jaar vaak geweest, in Sivs huis, maar hij had zich dit moment nooit voorgesteld. Ze was onsterfelijk geweest omdat ze de enige overlevende was van het huwelijk met Bengt, ze was gemarineerd in gin en brandy en iedere idioot weet dat wat in alcohol wordt bewaard heel lang goed blijft, een pot uit de herfst van 1953 die achter in de oude voorraadkast is vergeten, wordt een sensatie op de kersttafel van 2013.

Hij liep langs een appartementenhotel en een bistro, sloeg rechts af, kwam op de Calle de Luís de Góngora, liep een eindje door in zuidelijke richting tot aan de Pasaje José Cadalos, een kleine straat met aan weerszijden enkele bungalows en villa's. Alles was wit, groen en rood, bougainville hing over witte muren.

Het tweede huis was dat van Siv. Het was tegelijk het een-na-laatste aan de linkerkant, een naambordje met WINTER van porselein, een brievenbus, een bord op het ijzeren hek dat waarschuwde voor *perro* en er al jaren zat, hoewel Siv nooit een hond had gehad, ze was doodsbenauwd voor honden.

Hij ging naar binnen. Het rook er naar eenzaamheid en stilte, zon en bloemen en vagelijk naar tabak. Hij herinnerde zich opeens de eerste keer dat hij hier was geweest, toen hij was gekomen om Bengt in het Hospital Costa del Sol te zien sterven en door Siv hierheen was gestuurd om haar toilettas te halen, die ze in al haar zorgen en verwarring was vergeten, en dat hij de palmbladeren in de zon door het raam aan de achterkant had zien glinsteren, dat hij daar op het kleine gazon had gestaan en de drie grote palmbomen had gezien die schaduw gaven en dat hij toen blij was geworden, dat hij had gedacht dat ze mooi waren, dat hij had gedacht dat je palmbomen in je tuin moest hebben als je hier woonde, en hij herinnerde zich dat de telefoon binnen had gerinkeld, misschien toen hij onder de palmbomen stond, misschien toen hij voor de voordeur stond, en nu rinkelde de telefoon op de salontafel in de koele kamer, een oud geval zonder display, dat rinkelde, rinkelde.

'Hallo?'

'Dus je bent er, Erik. Mooi zo.'

'Ik kom net binnen.'

Het was precies als toen, de eerste keer dat hij hier was. Het waren dezelfde woorden. Het betekende iets, al wist hij niet wat.

'De ring ligt in de slaapkamer.'

'Ja.'

'Dat heb ik misschien ook al gezegd.'

'Ik ga hem nu pakken.'

'Dat is goed, Erik.'

Zo moe als nu had ze nog nooit geklonken, haar stem was zwak, hij moest haast maken, het was niet nodig geweest hierheen te gaan, een ring was een dood ding. Maar die ring was haar herinnering en haar leven, hij had niet het recht daar iets van te vinden.

Met hetzelfde gevoel van déjà vu als zopas liep hij de trap op. Hij zag de ring meteen op het nachtkastje naast het tweepersoonsbed in de kleine kamer liggen. Hij zag de foto van zijn vader die er stond. De eerste keer had hij net zo graag uit de kamer weg gewild als hij wist dat zijn vader ernaartoe wilde. Toen was er een mogelijkheid geweest. Nu waren alle mogelijkheden verdwenen.

De zee was een plaat van zwart zilver toen hij naar Puerto Banús reed. 's Ochtends was de zee van rood goud. Niets was echt, maar misschien gold dat alleen voor de zee bij Puerto Banús, het maakte niet uit waar je stierf, de verblijfplaatsen in je leven waren belangrijker. Op een hoge sokkel vlak bij de zee stond een beeld van een engel die zijn armen naar de zee had uitgestrekt, in Göteborg stond hoog boven de rivier een zeemansvrouw, die haar armen naar de zee had uitgestrekt, dat betekende op een bepaalde manier iets.

Ze was nog altijd wakker toen hij de mooie kamer binnenstapte.

Hij legde de ring op de tafel naast haar. Ze stak haar linkerhand op. Hij schoof de ring om haar vinger, hij begreep nu waarom ze hem niet langer droeg, de vinger kon de ring niet vasthouden, de vinger was als een strootje.

Ze zei iets wat hij niet verstond. Hij knikte. Ze zei nog iets.

Bertil Ringmar kon niet slapen. Hij was aangekleed, rusteloos, dronk een kop koffie en nog een, las de uitdraaien. Na tien minuten achter een beeldscherm kreeg hij al pijn in zijn ogen, dat was niets voor hem. Hij was een Filofax-man, geen reactionair maar een cartotheekman, een zwart-op-wit-in-je-handman, een in-zijn-beste-jarenman, en alles wat hij had geleerd zou nu samenkomen in een briljante analyse gebaseerd op de prachtige combinatie van kennis en scherpzinnigheid. Een prachtige combinatie, dacht hij nogmaals, één laatste keer de grote conclusie, de laatste sprong van een oude leeuw, iets voor de boeken, iets voor de Politieacademie. Iets voor Erik.

Ringmar stond op, liep naar de hal, trok zijn schoenen en zijn jas aan, ging naar buiten, nam plaats achter het stuur en reed door Kungsladugård, via de Sannabacken en Kungsten naar de Hästeviksgatan, naar de boten op de wal bij Tångudden. De haven aan de overkant rochelde nog altijd. In de nevel kwam een schip over de rivier voorbij, een spookschip op weg naar een kade met twee kisten met de Zwarte Dood uit Genua, besteld door de conservator van een museum dat voorop liep, vóórop, dacht hij en hij liep langs de vaartuigen naar de boothuizen. Er stond een auto van Securitas, er zat iemand in, er brandde licht in het boothuis. Hij liep erheen, deed de deur open en vanaf de vloer keek een gezicht omhoog.

'O, ben jij het, Branislav,' zei Ringmar.

'De zware klussen gaan naar Lasse hier en mij,' zei de technisch rechercheur met een knikje naar zijn collega, die bij het raam stond.

'Hoe zwaar is het?'

'Dat weten we nog niet.'

'Wat is dit?' vroeg Ringmar met een hoofdbeweging naar het voorwerp dat voor Branislav Lodszy lag.

'Een sextant, geloof ik.'

'Zeil je?'

'Alleen als iemand me uitnodigt.'

'Ik zeil niet,' zei Ringmar.

'Het is een meetinstrument,' zei Lodszy.

'Ik weet wat een sextant is,' zei Ringmar.

'Ik bedoel dat dit een soort meetinstrument is. Een hoekmeter.'

'Heb je iets anders interessants gezien?'

'*Time will tell.*'

'Dit is belangrijk, verdomd belangrijk.'

'Je hoeft me niet te beledigen, hoor.'

'Hij kan hier zijn geweest,' zei Ringmar.

'Hij was in elk geval op de andere plekken,' zei Lodszy.

'Daar was hij extra voorzichtig. Hier dacht hij daar niet aan.'

'Het was niet zo slim om die foto te sturen, wel?'

Ringmar antwoordde niet. Hij had zich omgedraaid en keek naar de boom iets verderop, de eenzame boom waar Sandra gelukkig was geweest, in elk geval gedurende de microseconde die het had gekost om de foto te maken.

'Wel?' zei Lodszy weer.

'Dat kan iemand anders zijn geweest. Of hij wil weten hoe slim wij zijn.'

'Hoe slim zijn jullie?'

'Dat snap jij niet, knul,' zei Ringmar. 'Dat snapt niemand.'

Hij ging weg. In het Thaise restaurant was het donker, het rook erbuiten nog altijd naar eten, olie, kruiden, Oosterse bereidingswijzen, hij dacht aan Martin, die in het chique hotel in Kuala Lumpur werkte en nooit tijd had om naar de telefoon te gaan, zo zag Ringmar het nog steeds, naar de telefoon gaan, Martin ging er nooit heen om zijn oudeheer te bellen, zo druk had de jongen het in de keuken, dag en nacht in een keuken waar het zoet en zuur rook, alhoewel, het was waarschijnlijk alleen haute cuisine voor zakenlui, die rommel had je overal, uitwisselbaar was het, niet zoals citroengras en tamarinde en geroosterde stierenlul.

Hij zag links iemand staan, schuin achter de watersportwinkel, die in hetzelfde pand zat als de Thaise vrouwen. Het was een silhouet van een persoon, zonder meer. Het kon de bewaker zijn, maar die had nog in de auto gezeten, al zou hij net uitstappen, Branislav zou weggaan. Ringmar had hier verder niemand gezien, niemand leek in een boothuis of op een boot te wonen, en als dat wel zo was, lagen ze als ze verstandig waren op dit moment op één oor, het was bijna halfdrie, bijna het uur van de wolf, dan was je op eigen risico buiten. Ringmar liep erheen. Shit, het is een boomstam, dacht hij, een uit zijn krachten gegroeide meerpaal, daar had je er hier genoeg van, ik stel me aan, bang voor het donker en de schaduwen, maar dat is geen stuk hout, het is een mens, het ís een mens.

'Hallo,' riep hij. 'Wie is daar?'

Hij kreeg geen antwoord. Het silhouet bewoog niet. Het was niet meer dan tien meter van hem vandaan. De muur bood geen bescherming. De man had gedacht dat dat wel zo was, maar hij had de hoek niet goed berekend, de situatie verkeerd ingeschat.

'Politie,' zei Ringmar. 'Kom tevoorschijn!'

Hij had zijn pistool in zijn hand, dat was daar beland zonder dat hij zich ervan bewust was geweest, de vanzelfsprekende reflex van een oude leeuw.

'Kom tevoorschijn!'

En de schaduw verdween, werd het pand in getrokken, de achtergrond in. Ringmar stoof naar voren, zag niets, hoorde nu voetstappen aan de andere kant van dat kutgebouw, ze verwijderden zich, in de richting van de Hästeviksgatan, in zuidelijke richting, naar de rijtjeshuizen en zo voort en zo voort. Ringmar volgde het geluid, holde. Hij hoorde voetstappen op het asfalt, de enige in Göteborg vannacht, de voetstappen van hemzelf en die van de ander, de hardlopersvoetstappen van de ander steeds verder weg, hij had een voorsprong en misschien was hij sneller, maar het klonk niet als een langeafstandsloper, het klonk zwaar, het klonk afschuwelijk, het klonk verloren.

26

Peggy noch Lan of Sally, de derde restauranthoudster uit Thailand, herkende een van de mannen op de foto's die hun werden getoond.

'Geen van allen heeft een baard,' zei Lan.

'Maar toch,' zei Ringmar.

Ze had ook gezegd dat het een jonge man was, maar dat was betrekkelijk. In de loop van de jaren had Ringmar veel gehoord wat vervolgens niet klopte, getuigenverklaringen die ver uit elkaar lagen: verschillen in lengte van veertig centimeter, haar dat zwart, wit of oranje was, mannen die vrouwen waren, vrouwen die mannen waren, gekleed in een rok, kilt, *dhoti*, pak, bermuda, kaal, haar tot op hun knieën, met tatoeages, glad als pasgeboren kinderen, als baby's.

'Het is geen van deze mannen,' zei Lan en ze keek naar Peggy en zei nog iets in het Thai.

'Ze weet het zeker,' vertaalde Peggy. 'Ze zou hem ook hebben herkend als hij op deze foto's geen baard had gehad.'

'Waarom?'

Lan zei iets in haar moederstaal. Zou ik Thai kunnen leren, dacht Ringmar. Zou ik Maleis kunnen leren?

'Hij had een vreemd oor,' zei Peggy. Ze keek Lan aan en zei iets. Lan antwoordde.

'Hij miste een... Hoe heet dat, onder aan je oor?'

'Een oorlel? Hoe kon ze dat zien?'

Lan begreep het. Ze haalde haar schouders op.

'Hoe bedoel je?' vroeg Ringmar.

'Ze zag het gewoon,' zei Peggy.

Lan zei nog iets, praatte langer.

'Het leek in elk geval alsof hij een oorlelletje miste. Of misschien dat het korter was. Ze heeft thuis een oom die er net zo uitziet.'

'Thuis in Thailand?' vroeg Ringmar.

'Ja. De Gouden Driehoek.'

Hij is het niet, hij heeft wel iets anders te doen, dacht Ringmar. Het is in elk geval iets. We hebben geen oorlellenregister, nu krijgen we er een.

We hebben een jongeman met een baard die waarschijnlijk geen baard meer heeft en als kind een keer te vaak aan zijn oor is getrokken. Dat achtervolgt hem nog steeds.

Jovan Mars was niet in het huis aan de Fullriggaregatan. Er stond geen kinderwagen voor de deur.

'Ik weet niet waar hij is,' zei zijn zus, Louise. 'Kunnen jullie hem niet met rust laten?'

'Dat proberen we,' zei Ringmar.

'Wat doet u hier dan?'

'Weet u waar hij kan zijn?'

'Aan het wandelen met Greta. U moet hem maar bellen.'

'Ik was in de buurt,' zei Ringmar.

Hij zag dat ze naar een huis verderop in de straat keek. Hij wist dat Lotta Winter daar woonde. Het was niet te zien wat Jovans zus dacht.

'Hij werkt niet meer, dat weten jullie toch? Hij heeft zijn baan opgezegd.' Ze vertrok haar gezicht, alsof ze iets vies in haar mond had. 'Het was te laat.'

'Waren er problemen op zijn werk?' vroeg Ringmar.

'Hij was nooit thuis. Kijk waar dat toe heeft geleid.'

'Hoe bedoelt u?'

'Ik bedoel niets,' antwoordde ze. 'Ik moet nu de was doen.'

'Dank u wel,' zei Ringmar.

Hij had nog geen twee passen gezet of ze had de deur al dichtgedaan.

In de verte kwam een man met een kinderwagen aangelopen. Jovan Mars bleef staan en deed iets in de wagen. Hij keek op en zag Ringmar.

Ringmar liep naar hem toe. Mars wachtte.

Hij stak een hand op.

'Ze slaapt,' zei hij met zachte stem.

Ringmar knikte.

'Ik zet de wagen in de tuin.'

Toen hij de kinderwagen naast een struik had neergezet, liepen ze samen een eindje de andere kant op.

'Waarom heb je ons niets verteld over Tångudden?' vroeg Ringmar.

'Tångudden?'

'Dat ligt op een steenworp afstand hiervandaan. Doe nu niet onnozel.'

'Idioot, bedoel je?'

'Waarom heb je niet verteld dat er een connectie bestaat tussen Sandra en die plek?'

'Ik zag geen connectie.'

'Je weet wat ik bedoel.'

'Ze is er in geen jaren geweest. In geen tientallen jaren. Het was niet langer haar plekje.'

'Hoe weet je dat?'

'Omdat ze me dat heeft verteld!'

'Waarom was het niet langer haar plekje?'

'Ze heeft geen details genoemd.'

'Details waarvan?'

'Hè?'

'Als er details zijn, is er iets groters. Een geheel, of hoe je het ook maar moet noemen. Wat is er gebeurd?'

'Iets met haar vader. Ze wilde het niet vertellen. Ik heb er niet naar gevraagd.'

'Raakte hun relatie verstoord?'

'Er was iets,' herhaalde Mars.

'Had Sandra contact met haar vader?'

'O ja. We spraken weleens af.'

'Niet vaak?'

'Nee.'

'Hoe was hun relatie?'

'Tja, misschien niet heel warm, maar zo gaat dat in veel families.'

Ringmar antwoordde niet.

'Hoe dan ook had ze geen belangstelling meer voor Tångudden. Ik heb er nooit aan gedacht.'

'Ze had een sleutel van het boothuis.'

'O ja?'

'Betekent dat niet iets?'

'Niet als ze die niet gebruikte.'

'Ze heeft hem wel gebruikt.'

'O ja?'

'Je lijkt niet verbaasd.'

'Niets verbaast mij nog.'

'Ze is er geweest. Waarschijnlijk onlangs.'

'Dat kan gebeuren. Was ze alleen?'

'Nee.'

'Was Egil erbij? Haar vader?'

'Dat weten we niet.'

'Ik stel voor dat jullie hem dat vragen.'

'Dat hebben we al gedaan,' zei Ringmar.

'Jullie vertrouwen niemand in deze hele rotwereld.'

'We geloven in de mensheid.'

'Ha.'

'Je had ons over de jachthaven moeten vertellen, Jovan.'

'Ik ben er niet geweest.'

'Nooit?'

'Ik ben nooit in het boothuis geweest. Ik weet niet eens welk boothuis van hen is.'

'We kunnen er nu heen gaan. Ik kan het je laten zien.'

'Dat wil ik niet. Kun je me daartoe dwingen?'

'Waarom zou ik dat doen?'

'Je collega zou dat hebben gedaan.'

'Wie?'

'Hij,' zei Mars en hij knikte in de richting van het huis van Lotta Winter. 'Hij komt hier soms. Volgens mij is er iets mis met hem. Hij lijkt wel bezeten. Hij probeert cool te zijn, maar volgens mij slaapt hij 's nachts niet.' Jovan lachte, en een vreugdelozere lach had Ringmar nog nooit gehoord. 'Hij lijkt op mij,' ging hij verder. 'Mag je hem?'

'Heb je het over Erik Winter?'

'Erik, ja, ik heb het over Erik.'

Mars keek weer naar Lotta's huis.

'Hij is het,' zei hij met zijn blik op het huis gericht. 'Erik.'

'Hoe bedoel je, Jovan? Wat zeg je?'

Mars richtte zijn ogen op Ringmar.

'Hij kan het zijn. Erik!'

'Wie kan Erik zijn?' vroeg Ringmar.

'Erik...' zei Mars. Hij stond doodstil. Het was alsof iets hem had geraakt, hem onbeweeglijk had gemaakt.

'Hoe gaat het met je, Jovan?'

Hij antwoordde niet.

'Hoe gaat het?' vroeg Ringmar.

'Ik weet niet hoe lang ik dit nog volhou,' zei Mars. 'Mijn hele leven ligt in puin.' Hij greep Ringmars arm. 'Hoe lang hou ik dit nog vol?'

Winter waakte bij haar bed. Hij zat in een leren fauteuil die comfortabel was en er net zo eenvoudig uitzag als al het andere in deze kamer, die de wachtkamer van de dood was. Het was niet eens een wachtkamer. Het gebeurt hier. In dit bed. Zij ligt erin. Ik ben erbij. Het is nu. Hij stond op en liep naar het raam. Hij had het dichtgedaan toen er een paar auto's door de straat waren gereden die eigenlijk een steeg was. Nu was het stil, hoewel de ochtend was aangebroken. Hij hoorde verkeersgeluiden in de verte, gekrijs van enkele meeuwen op een afstandje. Nu hoorde hij haar ademhaling. Nog altijd geen zuurstof. Haar ademhaling was kalm, alsof ze alleen maar lag te rusten en zo meteen zou opstaan en de eerste sigaret van de dag zou opsteken, zich los zou schudden voor de lunch, een T&T, ja, waarom niet?

'Erik.'

Hij draaide zich om. Ze keek hem aan.

Hij liep terug naar het bed.

'Hoe gaat het?'

'Ik heb gedroomd.'

Hij knikte, ze droomde, ze sliep, ze leeft, dacht hij.

'Wat heb je gedroomd?' vroeg hij.

'Dat ben ik vergeten.'

'Ik kan mijn dromen ook niet goed onthouden.'

'Jawel, nu weet ik het weer. Ik droomde dat jij in gevaar verkeerde.'

'Een droom,' zei hij.

'Je zat opgesloten in een huis. Het was verschrikkelijk.'

'Maak je geen zorgen om een nachtmerrie,' zei hij. 'Rust maar een beetje uit.'

'Iemand in dat huis wilde je kwaad doen.'

'Ik ga daar niet naar binnen,' zei hij.

'Dat is goed, Erik. Is het ochtend?'

'Ja, het is nu ochtend.'

'Goed zo.'

'Het is heel goed,' zei hij.

'Misschien mag ik vandaag naar huis,' zei ze.

Christian Runstig belde aan omdat hij wilde dat zij opendeed. Het was alsof dat het enige was wat hij kon opbrengen: aanbellen en wachten. De jongen was op het veld met de bal bezig, schoot op het doel, haalde de bal op, dag in dag uit, maand in maand uit, misschien wel jaar in jaar uit, hij was wellicht geestelijk gehandicapt, hij kon een plek in het Zweeds-Slavische elftal krijgen. Het kan me niet schelen, dacht hij. Het kan me echt niet meer schelen.

'Liv,' zei hij toen ze opendeed.

'Christian.'

'Ik ben thuis,' zei hij.

'Eindelijk.'

'Ik heb het niet gedaan.'

'Dat heb ik ook nooit gedacht.'

'Ik heb niets gedaan.'

'Dat weet ik.'

'Ik heb me verdedigd toen die hoofdinspecteur me op het ijs aanviel, dat is alles.'

'Denk er niet meer aan, Christian.'

Hij had het geluid vanaf de vloer al even gehoord. Hij boog zich voorover en streek de pup over zijn snuit, niet echt een pup meer, de poten waren langer, de snuit was langer, hij wist dat de hond hem niet herkende, maar dat gaf niet, dat was de aard van het beestje, hij was er jaloers op.

'Ik heb je gemist, mormel,' zei hij.

'Ik hoop dat je het niet tegen mij hebt,' zei ze.

'Je ziet tegen wie ik praat,' zei hij. 'Hoe lang is ze al thuis?'

'O, ze kwam na een paar dagen.'

'Dan hebben jullie elkaar goed leren kennen.'

'Dat spreekt voor zich.'

'Dat was ook de bedoeling,' zei hij.

'Moet je niet even met haar wandelen? Daar is het tijd voor.'

'Moet je dat niet zelf doen?'

'Ik wil dat jij het doet. Jij hebt het nu het hardst nodig.'

Het regende een fijne afwisseling van de sneeuw het was lang geleden dat het had gesneeuwd nog even en het werd zomer, halleluja, je kon op een klip zitten met het bier in een bak die aan een touw in het water hing en die je alleen omhoog hoefde te hijsen halleluja er gaat niets boven zeegekoeld bier aan de schaduwzijde en daarna een paar lekkere whisky's je hoefde alleen maar te wachten tot de zomer en de volgende periode godzijdank wanneer de volgende periode zich aandiende zodat je ervan kon genieten zolang het duurde genieten zoals nu hij was bijna thuis hij wist waar hij zijn voeten neerzette misschien niet echt maar hij trapte in elk geval niet in de lucht of tegen de wolken hij had geen idee wat boven of beneden was het was lang geleden dat hij er zo slecht aan toe was geweest hij wist precies wat hij nu deed hij was kristaaaalhelder en wist wat hij deed hij had maar drie biertjes en twee whisky'tjes gedronken en dat waren niet zulke grote geweest iets meer whisky misschien maar absoluut niet meer dan de kwartfles die hij in zijn zak had gehad toen hij erheen ging.

Niemand noemt mij nog Bert Snert, niet nu, niet hierna, nooit meer!

Het was een goed gesprek geweest, hij herinnerde zich alles kristaaaalhelder, er viel verder niet veel meer te zeggen, er was niets meer om over te pingelen, gebeurd was gebeurd en daarna was er meer gebeurd en nog meer en nu was *Bart Smart* de baas.

'Ik weet niet wat er met de jongen is gebeurd,' had hij gezegd.

Hij had geen antwoord gegeven.

Ik weet het toch. Alsof ik het niet zou weten!

'Het is verschrikkelijk,' had hij gezegd.

'Dus wat doen we nu?'

Dat heb ik gezegd.

'Jij beslist,' had de ander geantwoord.

Ha! Ha!

Ik!

'Komt er een eind aan?' had de ander gevraagd.

Daar had hij ook geen antwoord op gegeven. De ander mocht best zweten. Dat was zijn verdiende loon.

27

Aneta Djanali ontmoette Agneta Hägg, de vrouw van Mattias. Sandra's chef had verward geleken, maar zijn vrouw was rustig.

'We hebben twee keer met ze afgesproken,' zei ze. 'Ik weet niet waarom we het niet vaker hebben gedaan. Het is verschrikkelijk wat er is gebeurd.'

Ze zaten in een villa in Örgryte. Het was geen opzichtig huis, maar het was wel duur. Ik zou alleen zo kunnen wonen als ik geld erf, dacht Djanali. Een sjeik van wie ik nog nooit heb gehoord, uit een dorp dat ik niet ken, in een land waarvan niemand weet dat het bestaat.

'Zou het kunnen dat uw man alleen met Sandra heeft afgesproken?'

'Dat is een directe vraag.'

'Soms gaat dat zo.'

'Volgens mij niet. Maar ik weet het natuurlijk niet zeker. Waarom zou hij dat hebben gedaan?'

'We onderzoeken alle mogelijkheden.'

'Is dit een mogelijkheid?'

'We vragen overal naar.'

'Als u vraagt of Mattias een affaire met Sandra heeft gehad, dan betwijfel ik dat. Die zou dan puur platonisch moeten zijn geweest.'

'Hoe bedoelt u?'

'Mattias is al een aantal jaren impotent. Het is een blokkade die hij niet kan oplossen. Of die wij niet kunnen oplossen, moet ik misschien zeggen. Is dat een direct antwoord?'

'Ja.'

'Moet u vragen of ik een relatie met iemand anders heb gehad?'

'Nee.'

'Waar komt uw naam vandaan?'

'Ik vermoed dat mijn ouders die verkeerd hebben gespeld. Het had eigenlijk Agneta moeten worden.'

'Aneta is mooier.'

'Dank u.'

'Sandra was een aantrekkelijke vrouw.'

Djanali knikte. Agneta Hägg was ook een knappe vrouw.

'Het is niet eerlijk,' zei Agneta Hägg. 'Wat een moeilijke baan hebt u.'

'Soms,' antwoordde Djanali.

'Ik zou nooit bij vreemden langs kunnen gaan om met ze te praten.'

'Soms nodigen we ze bij ons uit.'

Agneta Hägg glimlachte. Ze stond op.

'Ik neem aan dat we klaar zijn,' zei ze. 'Ik moet weg, zoals ik zei.' Ze keek naar Djanali, die nog altijd op de lichte leren bank zat. 'Laten jullie Mattias nu met rust?'

'Heeft hij het gevoel dat hij wordt achtervolgd?'

'Het is in elk geval niet leuk.'

Wij zijn dan ook niet van het entertainment, dacht Djanali. Ze stond op.

'Weet u verder nog iets over Sandra?' vroeg ze. 'Ging ze op haar werk met iemand om?'

'Ik werk daar niet.'

'Mattias vertelde nooit iets?' vroeg Djanali.

'Waarom vragen jullie dat niet aan hem?'

'Ik dacht dat u wilde dat we hem met rust lieten.'

'Ik weet niets van haar. Was dat maar zo.'

Siv Winter rustte. Angela was teruggekomen met Elsa en Lilly. De kinderen hadden oma even over haar wang gestreken en daarna was Winter met hen naar buiten gegaan. Ze stonden nu bij het strand. De engel op de hoge sokkel stak zijn armen uit naar zee. Het was alsof hij op de zee vertrouwde, of om erbarmen bad.

'Gaat oma dood, papa?' vroeg Elsa.

'Ze is heel ziek, meiske.'

'Waarom gaat ze dood?'

'We weten niet hoe het gaat, meiske.'

'Wij gaan toch niet dood?'

'Nee, nee.'

Gerda Hoffner was weer bij Manpower en hoefde deze keer niet in de lift rechtsomkeert te maken. Ze had om gesprekken met de werknemers gevraagd, met de mensen die Sandra goed hadden gekend of haar in elk geval hadden gezien, gehoord. Sandra en Jovan waren beiden in dienst van het bedrijf geweest, maar Jovan was hier zelden omdat hij in de hoofdstad werkte. De meeste mensen kenden hem niet. Sandra had haar baan als secretaresse zullen verruilen voor een pr-functie en daarnaast de verantwoordelijkheid zullen krijgen voor interne ontwikkelingsprojecten. Het was er nooit van gekomen, niet echt.

Hoffner zat in een rechthoekige vergaderzaal. Het was een komen en gaan van mensen, ze had het informeel willen houden. Dat was misschien geen goed idee, maar liever meer verhoren dan minder, meer gesprekken dan helemaal geen.

Ze sprak nu met Jeanette, jong, alert leek het, bereid carrière te maken, altijd een glimlach, ook wanneer dat niet gepast was. Het was Gerda opgevallen dat mensen die carrière wilden maken veel meer glimlachten dan anderen, een glimlach die 's ochtends vroeg al was opgeplakt en pas om middernacht of nog later weer werd afgedaan, waarschijnlijk bleef hij ook weleens de hele nacht zitten. Toen ze als kind een keer haar gezicht had vertrokken had haar moeder gezegd 'straks blijft je gezicht zo staan', en kleine Gerda had dat geloofd, een hele tijd, en mensen hadden haar jarenlang chagrijnig gevonden. Ze begon nu pas carrière te maken.

'Het is verschrikkelijk,' zei Jeanette nu. 'Ze was zo aardig.'

'Was ze tegen iedereen aardig?'

'Ja... Waarom zou ze niet tegen iedereen aardig zijn?'

'Kun je tegen iedereen aardig zijn?' vroeg Hoffner.

'Dat... moet toch?'

Je zou bijna cynisch worden, dacht Hoffner. Maar het is aardig als iedereen aardig is, word nooit cynisch, kleine Gerda.

'Het is goed om aardig te zijn,' zei ze.

Jeanette keek bezorgd, alsof ze tijdens de cursus iets had gemist.

'Met wie kon ze hier op haar werk het best opschieten?' ging Hoffner verder.

'Ze... kon met iedereen opschieten.'

'Hm.'

'Jovan kwam ook weleens.'

'Ja.'

'Maar hij was meestal in Stockholm.'

'Dat weet ik.'

'Hebt u Jens gesproken?'

'Jens?'

'Jens Likander. Werkte hij niet met Sandra aan een project? Iets met bijscholing?'

'Dat zou kunnen,' zei Hoffner.

'Dus u hebt hem ontmoet?'

'Nee, nog niet.'

Toen hij mij door het raam zag, wat een schok, volgens mij dacht hij dat ik niets zag, ik deed net alsof ik niets zag en wat viel er ook te zien, ik wist het toen immers nog niet. Het was die ochtend koud, brr.

Het is nu koud. Hier woon ik, mijn stulpje, waarom niet, ik ben bijna thuis, kijk het gaat goed, geen misstappen, nu mijn deur, misschien is het tijd om te verhuizen waarom ook niet ik woon hier nu al lang genoeg geen toekomst maar nu wel nu binnenkort een geweldige toekomst wat een tocht de deur is niet dicht vergeten het fornuis uit te zetten ha ha ha ik ruik geen rook heb trouwens ook al in geen eeuwen buren gezien waar zijn ze misschien weg voor altijd hé er loopt iemand achter mij hallo mag ik...

Jana rende, rende, draaide zich om, rende. Hij was terug op het eiland, hoe hij dat verdorie ook maar had kunnen besluiten. Eigenlijk was het niet moeilijk, hij was hier geweest toen het gebeurde, toen hij was gepakt, destijds had er ijs gelegen, nu lag dat er niet, hij wilde dat alles weer bij het oude was, er was niets gebeurd, alles kon opnieuw beginnen.

'Jana! Jana!'

Ze stoof over de brug, stoof terug, alleen zij tweeën waren buiten. De lucht was fris. Het was fijn in vrijheid te verkeren, dat snapte niet iedereen, dat waardeerde niet iedereen, wij hebben hier bij de IJszee echt wat te bieden, vrijheid! Zeg dat tegen de zwartjoekels in de woestijn, de vuile dictators, verdomme, ik zou zelf in opstand zijn gekomen, ik zou, ik zou.

Jens Likander zag er aardig uit, was misschien vijfendertig. Hij leek vriendelijk, alert.

'Het is lang geleden,' zei hij.

'Hoe lang geleden?'

'In elk geval voordat ze met ouderschapsverlof ging.'

'Wat was het voor project?'

'Gelijke behandeling van mannen en vrouwen.'

'Oké.'

'Dat is nu afgelopen.'

'Die gelijke behandeling van mannen en vrouwen?'

Hij glimlachte. Het was een prettige glimlach. Misschien zijn we even oud, dacht Gerda. Nu kijkt hij weer ernstig. Hij ziet er beter uit als hij ernstig is.

'Het is zo verschrikkelijk,' zei hij. 'Afschuwelijk gewoon.'

'Wanneer hebt u Sandra voor het laatst gezien?'

'Dat is ook best lang geleden.'

'Hoe lang geleden?'

'Waarschijnlijk wel een jaar. Langer.'

'Zo lang was ze toch niet met ouderschapsverlof?'

'Ik weet het eigenlijk niet,' zei Likander. 'Ik kende haar niet goed.'

'Waar was het?'

'Sorry?'

'Waar zagen jullie elkaar?'

'Hier op het werk natuurlijk.'

'Hebben jullie ook elders afgesproken?'

'Waarom zouden we?'

Hij leek oprecht verbaasd. Hij droeg geen ring. Sandra had er wel een gehad.

'Vindt u dat een schokkende vraag?'

'Bijna wel.'

'Begrijpt u waarom ik hem stel?'

'Nee.'

'We proberen in kaart te brengen... met wie Sandra omging. Met wie ze in haar leven contact had.'

'Dan moeten jullie met haar man gaan praten, Jovan.'

'Uiteraard. Kent u hem?'

'Nee, eigenlijk niet.'

'Wat bedoelt u daarmee?'

'Alleen als... collega. Maar hij is hier niet vaak.'

'Weet u met wie Sandra contact had?'

'Alleen van onze collega's hier. Maar dat kan iedereen u vertellen.'

'Oké.'

'Mijn god,' zei hij.

'Wat is er?'

'Het is zo verschrikkelijk.'

'Ja.'

'Het moet een gestoorde gek zijn geweest.'

Ze antwoordde niet.

'Wat een domme opmerking,' zei hij. 'Wie anders dan een gestoorde gek doet zoiets?'

Je hebt allerlei soorten gektes, dacht ze. Hij ziet er normaal uit. Hij maakt ook in een situatie als deze een normale indruk. Misschien is hij normaal.

'Mijn god,' zei hij weer.

Ze knikte, maar het was niet duidelijk waarom.

'Jullie pakken de dader toch zeker wel?' zei hij.

'Ja.'

'Kan dat lang duren?'

'Waarom vraagt u dat?'

'Ik wil dat dat... dat dat monster zo gauw mogelijk achter slot en grendel zit.'

'Dat willen we allemaal,' zei ze.

Hij keek haar aan. Het was een onderzoekende blik. Die was niet onaangenaam. In zijn ogen zag ze groen. Ongebruikelijk.

'Wat een vreemde baan hebt u,' zei hij.

'Niet voor mij.'

'Bent u al lang... detective?'

'Inspecteur bij de recherche heet het. En nee, nog niet zo lang.'

'Hoe word je dat?' vroeg hij.

'Nu vraagt u mij uit,' zei ze.

'Ja,' zei hij. Misschien zag ze een glimlach, misschien niet.

'Eerst ga je naar de Politieacademie,' zei ze.

'Er is geen kortere route?'

'Nee.'

'En daarna moet je laten blijken dat je slim genoeg bent om rechercheur te worden?'

'Daar gaat het niet om,' zei ze.

'Is het het tegenovergestelde?' vroeg hij.

'Zo ongeveer.'

'Dat geloof ik niet. Dan had u hier niet gezeten.'

'Waarom zit ik hier dan?' vroeg Hoffner.

'Omdat u uw werk doet,' zei hij.

'Dat is voor nu klaar,' zei ze en ze stond op.

Hij stond op.

'Je mag altijd terugkomen,' zei hij.

'Bedankt. Dat doe ik vast.'

'Ben je altijd aan het werk?'

'Sorry?'

'Ben je altijd aan het werk, of ben je ook weleens vrij?'

'Hoezo?'

'Zullen we een keer wat gaan drinken?' vroeg hij. 'Als je vrij bent dus.'

'Dat is snel.'

'Dit heb ik nog nooit eerder gedaan. Echt waar. Ik weet niet waarom ik... Waarom nu wel. Sorry.'

'Ik denk niet dat ik de komende tijd vrij ben,' zei ze.

28

Hij stond weer bij het raam. Hij was alleen in de mooie kamer. Regenwolken waren vanaf de bergen komen opzetten, er zou een storm losbar-
sten die in een paar minuten voorbij zou zijn. Zo ging dat hier. Het kon
zelfs wit worden op de grond, afgelopen september had de storm hagel-
stenen zo groot als sneeuwvlokken gebracht, keiharde sneeuwvlokken,
bomen op de Avenida Antonio Belón waren omgevallen, auto's waren
beschadigd geraakt, alles was wit geweest, wit, wit, wit. Het strand onder
aan de Avenida del Duque de Ahumada had in het noorden kunnen liggen, bij Kullavik, Billdal, Särö. Stora Amundö.

Het had Kerstmis kunnen zijn. Hij draaide zich om, probeerde zich te
herinneren wanneer het was geweest. Drie jaar geleden, besefte hij. Siv
zou op kerstavond het vliegtuig van Málaga naar Göteborg nemen. Was
dat zo? Vertrokken er op die dag vluchten? Vanuit Spanje wel.

Winter liep terug naar het bed en ging zitten. De slangen in haar neus
bewogen over haar gezicht, maar slechts een beetje. Ze sliep weer, daar
was hij blij om.

Hij dacht aan díe Kerstmis. Dat wilde hij niet, het was een groteske
herinnering, maar er viel in het hier en nu, in deze kamer, niet aan te
ontkomen: hier was geen bescherming, alleen een bizarre herinnering,
een herinnering aan leven en dood. Waarom denk ik daar nu aan? Ik
heb het verdrongen, Angela heeft het verdrongen, er is niets gebeurd, er
is met ons niets gebeurd, niets ernstigs. Ik heb het niet verdrongen. Ik
zie die klootzak van een Kerstman nu, hij kan op óns strand lopen, ons
strand hier, ons strand dáár. Ik wil het me niet herinneren, maar ik doe
het toch.

Het was goed begonnen, die keer. Het hadden de beste kerstdagen ooit
moeten worden, net als anders. Ook volwassenen kenden het gevoel van
verwachting dat bij Kerstmis hoorde, hij net zo goed; hij was in dat opzicht niet anders dan anderen, eerder het tegenovergestelde. Hij probeerde altijd een paar dagen van tevoren al vrij te nemen, zodat hij alvast
met het eten aan de slag kon gaan: de ham koken, de varkensribbetjes

voorbereiden, de gehaktballetjes braden, die volgens zijn eigen, extreem geheime recept waren gemaakt, de bietensalade maken, de rode kool in dunne reepjes snijden en met stroop koken, de Oostzeeharing bakken en inmaken met piment en ui, de 'nepkreeften' van Oostzeeharing en tomaat bereiden, net als de bokkingschotel, de mosterdharing, de sherryharing, de haring met ui en de gravad lax, hij deed alles zelf. Daarna plande hij de boodschappen voor de gerechten die kort van tevoren gemaakt moesten worden en op 24 december 's middags op tafel moesten staan: de knakworsten, de vers gerookte zalm, de gerookte worsten, de eieren voor de omelet met in room gebakken trechtercantharellen, de eieren die hij zou vullen met mayonaise, garnalen en dille, de aardappelen, ui en ansjovis voor Janssons verleiding, de geweldige ontdekking die bij geen enkel kerstbuffet mocht ontbreken, een alchemistisch wonder waarbij van eenvoudige ingrediënten grote kunst werd geschapen. Zo was het altijd, het eenvoudige was het grote, en het grootste moment van Kerstmis kwam voor hem op de dag voor kerstavond, wanneer hij 's avonds laat de gegrilde ham uit de oven haalde, warm en knapperig van buiten, er een dikke plak afsneed, die hij op een snee roggebrood met boter legde en besmeerde met scherpe grove mosterd die hij met een kanonskogel had fijngestampt, waarna hij de boterham met tranen in zijn ogen at en een bitter biertje en met komijn gekruide brandewijn dronk. *Come what may!* Hij was overal klaar voor, als hij dat moment op aarde maar kreeg.

Zo was het in de beste van alle werelden. En die keer zat hij daar helemaal in, in die wereld, hij stond in de markthal en wachtte geduldig tot zijn nummer op het bord zou verschijnen, het leek uren te duren, er stonden verschrikkelijk veel mensen bij de vleescounter, bij alle counters, maar hij was gelukkig, als hij hier stond rook hij allerlei geuren en zag hij overal heerlijkheden, hij verheugde zich op wat hem tijdens de feestdagen te wachten stond, over drie dagen was het al kerstavond, het was een tijd van verwachting, niet alleen een tijd voor de kinderen, maar een tijd voor iedereen die in dit universum leefde. Zijn mobiel ging. Hij keek op het display.

'Hallo, Bertil.'

'Je moet komen, Erik.'

'Komen? Ik ben net weggegaan. Ik sta al een halfuur bij Wedbergs in de rij. Dacht je dat ik mijn plek in de rij opgaf?'

'We hebben een brief gekregen.'

'Een brief?'

'Een kerstkaart zou je kunnen zeggen. Ik wil dat je die komt bekijken.'

'Maar ik moet varkensribben en van alles en nog wat kopen.'

'Kun je niet even voordringen? Je hebt tenslotte een politiepenning en zo. Zeg dat het een uitzonderingstoestand is.'

Ze hadden in Ringmars kamer gezeten. Ringmar had naar de kaart geknikt die voor Winter lag, een groter model kerstkaart van ansichtdik papier.

'Wat vind je ervan?'

Winter keek naar de kaart.

Hij zag een Kerstman, die voor een huis ergens in de wereld stond en iets in zijn hand vasthad, voor zich uit hield. Winter bracht de kaart dichterbij, bewoog hem heen en weer om de juiste scherpte te vinden, hij had nog geen leesbril nodig, wat een sensatie op zich was, hij concentreerde zich op het voorwerp in de hand van de Kerstman. Er zat een puntmuts op.

'Kun jij zien wat het is?' vroeg Ringmar.

'Het... lijkt een kerstham met een puntmuts,' zei Winter.

'Dat is het waarschijnlijk inderdaad,' zei Ringmar. 'En tegelijk ook weer niet. Draai maar om.'

Winter draaide de kaart om, las wat er op de achterkant stond.

RAAD EENS WAAR!

DRIE KOPPEN KLEINER!

RAAD DE TENEUR!

EEN KERST IN MINEUR!

De tekst leek gedrukt, geprint met een willekeurige rotprinter ergens op aarde.

Winter keek op.

'Sinds wanneer trekken wij ons iets aan van idioten, Bertil? Je weet dat die bij feestdagen altijd van zich laten horen. Hoe groter het feest, hoe groter de gekte.'

'Dat het gekte is, begrijp ik. De vraag is om wat voor soort het deze keer gaat.'

'Hoe bedoel je?'

'Ik heb langer naar deze foto gekeken dan jij, Erik,' ging Ringmar verder. 'Neem de tijd.'

Winter nam de tijd.

Hij vond dat de Kerstman er niet prettig uitzag. De Kerstman keek blij, maar hij leek niet vriendelijk. Hij leek helemaal niet vriendelijk.

Hij zag eruit als een moordenaar.

'Ik begrijp wat je bedoelt,' zei Winter en hij keek op.

'Dit heeft iets heel engs,' zei Ringmar.

Winter bestudeerde het huis: een gewone villa, het kon overal zijn, de vraag was of dat belangrijk was. De vraag was of iets van dit alles voor hen belangrijk was.

'We moeten eerst maar besluiten of we dit serieus nemen,' zei hij.

'En wat we kunnen doen als we het serieus nemen,' zei Ringmar.

'Niet veel,' zei Winter. 'De hoofdcommissaris zou om de grap lachen.'

'Net als de Kerstman op deze foto.'

'Die heeft de kaart hierheen gestuurd. Aan wie was hij gericht?'

'Heb ik dat niet gezegd? Aan jou.'

Winter bakte Oostzeeharing. Hij had de rugvin van de filets geknipt, die gemarineerd in Franse mosterd, eigeel en een beetje room, er dille tussen gelegd en ze door gezeefde volkorenbloem gehaald, en nu bakte hij ze in veel boter – dat moest in boter gebeuren, niet in olijfolie, dat zou zoiets zijn als de kerstham larderen met knoflook. Kerstmis was de tijd van het zware Noord-Europese cholesterol. De rest van het jaar kon iedereen die neigingen in die richting had zijn lusten onderdrukken, iedereen die de grijze schaduw van Martin Luther in zich niet kon loslaten.

Angela kwam de keuken binnen.

'Het ruikt verrukkelijk,' zei ze.

'Ik weet het.'

'Ik moet er een hebben. Nu!'

'God, Angela, ze moeten afkoelen, ik moet ze in de marinade leggen die daar staat, dat weet je, verpest de feestdagen nu niet met je Duitse gebrek aan respect voor tradities.'

'Mijn Duitse gebrek aan respect voor tradities?'

'Je ouders komen toch uit Leipzig?'

'Ha ha. Weet je niet dat tradities zo goed als uitgevonden zijn door de Duitsers?'

'Deze niet.'

'Daarom wil ik nu al een visje!'

'Oké, oké, ik wist dat je zou komen, ik heb er een paar extra gebakken.'

Er kwam iets de keuken binnenstuiven, twee keer, Elsa, vijf jaar, Lilly, anderhalf, stuivendkruipend.

'Wat doen jullie?' vroeg Elsa. 'Wij willen ook!'

'Oot!' riep Lilly.

'Ik wil ze nog marineren,' probeerde Winter. Hij wist dat de kinderen dol waren op gemarineerde haring. Het was geen kindereten, maar de traditie bleek sterk als je je kinderen al op heel jonge leeftijd gemarineerde Oostzeeharing liet eten.

'We willen vers gebakken vis,' zei Elsa. 'Mama mocht ook!'

Toen hij het politiebureau verliet, had hij aan de Kerstman voor het huis moeten denken. Dat huis kon overal staan. Toch hadden ze de foto naar alle makelaars in de stad gestuurd; als iemand wist waar huizen stonden en hoe ze eruitzagen, dan waren zij het wel. Zij hadden dit huis ooit aan iemand verkocht. Met een beetje geluk zouden de mensen nog een dag op kantoor zitten. Daarna ging alles dicht, absoluut alles in het land ging dicht, behalve misschien de Spoedeisende Hulp van het Sahlgrenska-universiteitsziekenhuis en het huis van bewaring van het Winterse universiteitspolitiebureau.

Als het al uitmaakte welk huis het was. Hij had het gevoel dat het huis slechts een illustratie was, net zoals de ham een symbool voor iets anders was, iets akeligs. Hij had geprobeerd te voelen of er nog iets anders was, iets meer, maar dat was hem niet gelukt, en vervolgens was hij thuis geweest en had de Oostzeeharing gepakt.

Naderhand, toen hij klaar was met koken, had hij met een porseleinen kopje met bisschopswijn in de woonkamer tegenover zijn vrouw gezeten en haar over de bizarre kerstkaart verteld.

'Hoe vaak blijkt zoiets serieus te zijn?' vroeg ze.

'Dat is een goede vraag.'

'Dat moet heel zelden zijn. Dat het serieus is, dus.'

'Wat bedoel je met serieus?'

'Dat dat waarmee wordt gedreigd ook daadwerkelijk wordt uitgevoerd,' zei ze.

'Het is weleens voorgekomen,' zei Winter.

'Bijna nooit, toch?'

'Maar de keren dat het wel gebeurde, waren heel akelig,' zei hij.

'Ik wil dat we dit jaar normaal Kerstmis kunnen vieren.'

'Natuurlijk, lieverd.'

'Ik wil het niet samen met een psychotische massamoordenaar vieren.'

'Ik ook niet.'

'We willen je niet met hem delen.'

'Dat zal niet gebeuren.'

'Ik vind het vervelend dat die rotkaart aan jou was gericht.'

'Ik ben vermoedelijk de bekendste politieman.'

'Ik maak geen grapje, Erik. Mag ik die kaart zien?'

'Het origineel ligt natuurlijk op de technische afdeling, maar ik heb een kopie.'

'Kun je die pakken? Ik wil hem zien.'

'Zei je zonet niet dat je dit jaar normaal Kerstmis wilde vieren?'

'Dat is niet aan mij, wel? Pak die foto nou maar.'

Hij stond op, liep naar de hal en pakte zijn aktetas van de zwart-wit geruite vloer. We zijn pionnen in een spel, schoot er door hem heen en het was niet de eerste keer dat hij dat dacht. Misschien moest hij de vloer laten vervangen door iets effens, iets wat geen enkele associatie opriep.

Hij liep met de aktetas terug naar de woonkamer. Ze had de deuren naar het balkon op een kier gezet. Het rook naar sneeuw en geel licht, winter en vorst. Het was een heerlijke geur. De stad was vol licht; de winter was een donker jaargetijde in Scandinavië, maar Kerstmis is bij ons de lichtste plek op aarde, dacht hij en hij hoorde een tram over het Vasaplein ratelen, een gezellig geluid, een vriendelijk geluid zo in de dagen voor kerst. Hij bedacht dat hij meer uien moest kopen, en meer room voor de cantharellen en Janssons verleiding. Hij besefte dat hij een onsmakelijke kaart in zijn aktetas had. Die had de gedachten aan de gegrilde ham verpest, de eerste plak, hij was er nijdig over, hij moest zich eroverheen zien te zetten.

Hij pakte de kaart en reikte haar die aan. Ze bestudeerde de foto. Ze lachte niet.

'Wat vind jij van de Kerstman?' vroeg ze, terwijl ze opkeek. 'Zijn uiterlijk?'

'Hij ziet eruit als een Kerstman.'

'Hij draagt zwarte laarzen.' Ze hield de foto voor hem omhoog. De Kerstman stond in zijn geheel op het trapje van de villa, hij droeg de traditionele rode broek, jas en muts en had een nepbaard, hij zag eruit als alle tienduizenden Kerstmannen die voor de kerstdagen door de stad liepen, maar hij droeg de verkeerde schoenen. 'Geen enkele Kerstman heeft zwarte laarzen.'

'Moeten ze wit zijn?' vroeg hij.

'Dit is geen grapje, Erik. Deze Kerstman ziet er levensgevaarlijk uit. Die ham in zijn hand is geen grapje.'

'Dat vind ik ook niet.'

'Wat wil hij?'

'Lees de achterkant maar.'

Ze draaide de kaart om, las, keek op.

'Ik ben het met je eens dat het geschift is.'

'Ja.'

'Hij zegt dus dat hij drie mensen zal onthoofden.'

'Ik ben blij dat onze kinderen slapen,' zei Winter.

'Ik ben je vrouw,' zei ze. 'En zoals je misschien weet, ben ik arts. Wij zien wel het een en ander.'

Misschien niet zo veel afgehakte hoofden, dacht hij, maar dat zei hij niet. Hij had er een paar gezien in een van de zwaarste zaken die hij had meegemaakt, een afgrijselijke zaak die ook bijna Angela het leven had gekost, en Elsa in Angela's buik. Hij wilde er niet aan denken, hij wilde niet gek worden.

'Ik vind het vervelend dat de kaart aan jou is gericht,' zei ze nog een keer.

De laatste ochtend op het werk voor Kerstmis. Hij nam getuigenverhoren over een schotenwisseling in de noordelijke stadsdelen door: vijf gewonden, drie brandende auto's, twintig in beslag genomen wapens. Een oorlog. Het leek daar steeds meer op een oorlogssituatie, met steeds kortere wapenstilstanden. Mensen waren doodgegaan. Als het zo doorging zou zijn afdeling niet voldoende zijn, dan zouden ze het leger moeten inzetten. Als dat gebeurde was het voor dit millennium afgelopen met de democratie.

Er werd op de openstaande deur geklopt en hij keek op. Ringmar stond in de opening en hij zag er vreemd uit, heel vreemd. Hij had iets is zijn hand.

'Nog een kerstkaart?' vroeg Winter. 'Weer voor mij?'

Ringmar knikte zonder iets te zeggen.

'Geef maar,' zei Winter en hij stond op.

Winter liep naar de deur en pakte de kaart aan. De tekst leek op de eerdere en was met krachtige letters over de hele kaart geschreven. Hij las.

GEEN VERTIER
MET KERST HIER!
EEN BLINDE INSPECTEUR
KERST IN MINEUR!

'O?' zei hij en hij keek op.

'De andere kant,' zei Ringmar met gespannen stem.

Winter draaide de kaart om. Het was een foto. Hij zag niet wat het was, hij wilde niet zien wat het was, het was... het was... Hij keek weer op, naar Ringmar.

'Wel, godver...'

'Dat kun je wel zeggen,' zei Ringmar.

Winter keek weer naar de foto. Een grijnzende Kerstman, ho ho ho, nu maar half in beeld, dichterbij dan de vorige keer, het kon dezelfde man zijn of een andere, zo goed was de kerstmanoutfit, die verborg alles, als gemaakt voor een moordenaar. De Kerstman hield een afgehakt hoofd in zijn hand, een perfect dodenmasker, een perfect schrikbeeld. Op het hoofd zat een puntmuts. De Kerstman had het hoofd door de muts heen vast, aan het haar leek het, maar er was geen haar te zien. Eigenlijk kon je niet zien of het hoofd van een man of van een vrouw was, het was totaal verwrongen, onmenselijk. De hals was kapot en droop van het bloed, het was werkelijk, het was binnen, je kon niet zien waar, hoe het eruitzag, wanneer het was.

'Kan het een pop zijn?' vroeg Winter.

'In dat geval is het verdomd knap gedaan,' zei Ringmar.

'Ze zijn knap,' zei Winter.

'Wie?'

'Bangmakers. Grimeurs. Poppenmakers. Film. Theater.'

'Dat klinkt hoopvol,' zei Ringmar.

Ringmar had al een besluit genomen, hij wist het, hij deed niet aan dromen, hopen op een monstermaker in de wereld van de fictie.

'Een blinde inspecteur, kerst in mineur,' las Winter weer. 'Is er iets wat we niet zien?'

'Dat bedoelt hij waarschijnlijk.'

'Geen vertier met kerst hier,' las Winter. 'De Kerstman lijkt het anders wel naar zijn zin te hebben.'

'Hij zal het slachtoffer bedoelen, dat heeft geen plezier.'

'Hoe moeten we het slachtoffer identificeren?'

Ringmar zweeg. Hij kon van alles zeggen, maar er was geen enkel goed antwoord, niet op dit moment, nu de Kerstman misschien al bezig was met de volgende onthoofding.

'Waar is het?' zei Winter bij zichzelf. 'Het is binnenshuis.' Hij keek Ringmar aan. 'Is dit het huis dat we hebben gezien? Is het daar gebeurd?'

De eerste foto lag naast Winter op tafel. Huisje, huisje klein, waar zou je kunnen zijn? Je bent niet van de afgelopen jaren, je lijkt eerder op iets uit de jaren zeventig, eind jaren zestig, waar ziet het er in Göteborg zo uit? We hebben luchtfoto's, we hebben plattegronden, we hebben ver-schrikkelijk veel informatie, maar slechts één huis.

'Hij heeft nog twee slachtoffers te gaan,' zei Winter. 'Een gezin?'

'Hij speelt een spelletje met ons, maar hij wil ook vertellen wie hij is,' zei Ringmar.

'Hij is de Kerstman,' zei Winter.

'Het beste kerstcadeau dat we hem kunnen geven, is dat we hem zo snel mogelijk oppakken,' zei Ringmar. 'Dat is wat hij wil.'

Die dag liep Winter via Heden naar huis, hij had frisse lucht nodig, alle frisse lucht die er in de stad was. Hij kwam verscheidene Kerstmannen tegen, een aantal was waarschijnlijk gestoord, maar één was erger dan alle anderen. De politie had alle denkbare middelen ingezet, in de registers naar mogelijke daders gespeurd, de foto's in Photoshop bewerkt, naar DNA en vingerafdrukken gezocht, maar het zwaardere sporenonderzoek moest door het Gerechtelijk Laboratorium in Linköping worden gedaan en zou de experts wegrukken van hun kerstviering. De grote vraag bleef bovendien onbeantwoord: wie was het slachtoffer? Het was heel ongebruikelijk dat ze een moord hadden maar de identiteit van het slachtoffer niet konden vaststellen. Wie miste deze persoon? Zaten de mensen die hem misten – het moest een man zijn – op dit moment op hem te wachten?

Hij zei niets tegen Angela toen hij thuiskwam.

Het was de dag voor kerstavond.

Hij moest nog druk aan de slag met het eten.

Hij moest kerstcadeaus inpakken.

Hij moest nog bisschopswijn maken.

Hij had een gezin.

Het was stil in het hele pand, een mooie honderdvijftig jaar oude patriciërswoning midden in Vasastan, geen halfoude villa ergens aan de rand van een rottige buitenwijk.

Stil in huis. Middernacht heerst, het is stil in de huizen. Hij had de gehaktballetjes klaar, met veel geraspte ui erdoor; dat was het hele verschil, maar je ogen gingen er tijdens het werk ook erg van tranen. De varkensribbetjes lagen in de oven, gaar als boter, mooi als een schilderij.

Hij paneerde en bakte, hij dacht alleen aan wat hij deed, het werk, verder absoluut niets: hij mengde een geklopt ei met Zweedse mosterd, smeerde het mengsel over de afgekoelde gekookte ham, strooide er paneermeel over, klopte het erop, schoof de ham in de oven, pakte hem eruit toen hij een mooi korstje had gekregen, liet hem afkoelen, merkte dat de ervaring dit jaar was verpest.

'Moeten we niet een stukje proeven?' vroeg Angela.

'Natuurlijk,' antwoordde hij.

'Je bent nogal stil sinds je thuis bent,' zei ze.

'Daar ben ik me niet van bewust.'
'Zijn er nieuwe ontwikkelingen in de zaak?'
'Het is geen zaak.'
'Is er iets gebeurd?' herhaalde ze.
'Nee,' antwoordde hij.

Winter kon niet thuisblijven. Het was kinderachtig om het geheim te houden voor Angela, kinderachtig. Hij hoefde haar de laatste foto niet te laten zien, het was niet iets waar levende mensen naar moesten kijken.

'Hij heeft weer van zich laten horen,' zei hij tegen haar. Het was kwart over zeven 's ochtends. De meisjes lagen nog te slapen, of deden alsof, ervan genietend dat vandaag de allerbelangrijkste dag van het jaar was, dat papa en mama naar hun kamer zouden komen met warme kinderwijn en saffraanbolletjes, en misschien ook al een heel klein kerstcadeautje.

'Hij heeft misschien al iemand vermoord,' zei hij tegen zijn vrouw. 'We weten het niet zeker.'

'Waarom niet?'

'Vraag me nu niet naar details, Angela.'

'Blijf je de hele dag weg?'

'Nee, nee. Iedereen is vanochtend op de afdeling, we moeten de zaak doornemen. Ik ben voor twaalven terug. Alles is klaar behalve Janssons verleiding.'

'Als je moet, dan moet je, Erik.'

'Fijn dat je het begrijpt.'

'Als je na twaalven terugkomt, zit er een ander slot op de deur.'

Iedereen was op de afdeling, het hele kernteam. Iedereen had het gevoel dat er nog iets zou gebeuren. Iedereen voelde zich hulpeloos. Er was te weinig tijd. De feestdagen duurden te lang, die verstikten alles. Zo voelden ze het nu.

'Ideeën, iemand?' vroeg Winter.

'Het is alsof je een naald in een hooiberg zoekt,' zei Fredrik Halders.

'Dank je Fredrik, erg opbeurend.'

'Wat wil je dan dat ik zeg?'

'Dat weet ik niet.'

'Er wordt straks in alle stadsdelen gepatrouilleerd,' zei Ringmar. 'De hoofdcommissaris was gul met mankracht.'

'Als we dat huis maar vinden,' zei Aneta Djanali.

Ze hoorden hollende voetstappen in de gang, voetstappen op weg naar hun vergaderruimte. Iedereen ging staan. Een collega van de receptie kwam binnen. Hij hield iets in zijn hand. Een envelop.

Winter liep snel naar hem toe en pakte die aan.

'Dit is net per koerier gebracht.'

'Waarvandaan?'

'Dat wist de koerier niet.'

'Maakt ook niet uit, dat komt later wel.'

Hij scheurde de envelop open, wat nou vingerafdrukken, op de andere kaarten had ook niets gezeten.

Hij keek naar een foto van een tram die langs een gebouw reed, vermoedelijk een foto die met een mobieltje was gemaakt. Onlangs, Winter zag sneeuw, kerstbomen, kerstverlichting, kerstversieringen bij winkels langs de straat, en een park. Dat was zijn park, het Vasapark, de tram reed door zijn straat. Hij herkende het nummer van de tram, die stopte voor zijn huis. Het was het pand waar hij woonde.

Hij draaide de kaart om.

KERST IS EEN

FEEST VAN

DE KINDEREN

ALS PAPA GOED

ZIJN BEST DOET!

Jezus christus. Hij keek op, keek weer naar de tekst, draaide de kaart om, keek op, allemaal binnen één tel.

'Erik, wat is er?'

'Hij is bij mij thuis,' hoorde hij zichzelf zeggen, als een verre stem uit de afgrond. 'Hij wilde dat ik weg was.'

Ringmar stoof op hem af en rukte de kaart uit zijn hand. Winter was al op weg naar buiten, terwijl hij Angela's nummer intoetste.

'Stuur alle mensen die we hebben naar het Vasaplein!' hoorde hij Ringmar via de interne telefoon in de kamer roepen. Winter was al in de gang, drukte zijn mobiel tegen zijn oor, er werd niet opgenomen, neem nou op, verdomme! Hij racete de trap af, er was geen tijd om op de oude mechanische reumatische lift te wachten, hij was nu bij de receptie, 'Blijf non-stop naar mijn huis bellen!' schreeuwde hij tegen de receptioniste achter het glas, ze knikte, begreep het zonder vragen te hoeven stellen, hij was buiten, voelde de koude wind in zijn gezicht, op zijn lichaam, hij begreep dat hij in zijn overhemd naar buiten was gestormd, zijn colbertje hing nog boven, hij had het niet koud, de adrenaline pompte door zijn lichaam, Angela had nog steeds niet opgenomen, hij was nu bij zijn

auto, deed hem rennend van het slot, de lampen van de Mercedes licht-
ten op in de kou, hij zat in de auto, startte terwijl het portier nog half
open was, scheurde dwars over de parkeerplaats, raakte een surveillancewagen die schuin op de rotonde was gezet, hij was op de Skånegatan,
nu met gillende sirene, hij had die rommel laten installeren toen hij jonger en zelfverzekerder was zodat de mensen zouden snappen dat hij een
politieman in functie was en geen gek, zodat ze opzij gingen, hij sloeg
rechts de Bohusgatan in, stak de Sten Sturegatan over zonder voor het
andere verkeer te stoppen, nam het fietspad dwars over Heden, het *tatie*
tatie van de sirene op zijn hardst, het galmde over heel Heden, het geluid
stuiterde tegen de grote oude gebouwen die om de open plek heen stonden, woningen als de mijne, dacht hij, lieve God, dacht hij, hier ging het
allemaal om, het ging aldoor om mij, ik mocht op kerstavond niet thuis
zijn, hij wist dat een goede agent ook op kerstavond naar zijn werk zou
gaan als het delict afschuwelijk genoeg was, als de dreiging groot genoeg
was, maar een goede váder zou dat niet hebben gedaan, nu wil die klootzak zien of ik echt goed ben, of ik hem kan tegenhouden, of ik niet...

De laatste gedachte wilde hij niet denken. Hij was nu in de Vasagatan,
passeerde met honderd kilometer per uur een tram, die stomme trams
die op rails reden, het was idioot om midden in de stad van die vastgeke-
tende beesten te hebben, te midden van alle verkeer, ze reden altijd in de
weg, hij passeerde er een, wist op een haar na een frontale botsing met
een tweede te voorkomen, de zijkant van de auto piepte, het was alleen
maar beschadigde lak, het was niets, het was iets wereldlijks, iets mate-
rieels, het kon worden vervangen, nu zag hij het Vasaplein, de vredige
plek die jarenlang zijn thuis was geweest, het thuis van zijn gezin, thuis
is een veilige plek, thuis betekent veiligheid, hoe heb ik ze alleen thuis
kunnen laten, dacht hij, hoe heb ik zo verschrikkelijk stom kunnen zijn,
ze alleen kunnen achterlaten, hoe heb ik dat kunnen doen, hoe heb ik
dat kunnen doen!

Voor de portiek wierp hij zich uit de auto, de deur stond open, wie
had die opengezet, de lift was niet beneden, hij stoof de trappen op,
hij voelde geen vermoeidheid, daar zorgde de adrenaline wel voor, hij
was nu niet bang, hij was nu dichterbij, met de ontgrendelde Sig Sauer
in zijn hand, hij kwam niemand tegen in het trappenhuis, was op de
derde verdieping, zag zijn eigen voordeur wagenwijd openstaan, hij zag
het versplinterde hout bij het slot, hij vloog naar binnen, landde in de
hal, nog altijd op zijn benen, nog altijd met het wapen in zijn hand, hij
schreeuwde iets wat hij zelf niet begreep, een klank uit de afgrond, tienduizenden jaren oud, het verdedigingsgeluid van de holbewoner, zijn

beschermersinstinct, soms een hulp, soms waardeloos.

Er kwam geen reactie.

Hij was overal in het appartement.

In de woonkamer lag het kerstmanpak.

Dat was alles.

Er waren geen lichamen in de woning. Geen hoofden. Geen bloed.

Winter was gek van de adrenaline, de spanning, de angst. Hij liep snel naar het balkon, keek omlaag, een tram kwam en ging, hij had iemand zien staan toen de tram kwam, die stond er nog toen de tram verdween, een gezicht keek naar hem omhoog, dat kon toeval zijn, het was geen toeval, de gestalte rende weg, keek nog een keer om, rende in noordelijke richting naar het Grönsaksplein en de markthal, rende, rende, Winter bleef doodstil staan, als vastgevroren, hij volgde de rennende moordenaar met zijn ogen, het was te ver voor een goed schot, andere mensen konden gewond raken, maar daar dacht hij niet aan, hij dacht aan de laarzen aan de voeten van de rennende man, het waren dezelfde laarzen, het waren de laarzen die Angela waren opgevallen, ze hoorden niet bij een kerstmanpak had ze gezegd en ze had gelijk, nu lag het pak in de kamer achter hem en de laarzen renden daarbeneden en nu schoot de in zwarte kleren gehulde gestalte zonder om zich heen te kijken de Allén op, van links kwam een tram met zijn tienduizend ton en stortte zich op het lichaam dat nog altijd op straat rende, op weg naar de veiligheid aan de overkant, en Winter zag hoe de ontklede Kerstman na twintig meter door de tram te zijn meegenomen, te zijn meegesleurd, zonder kaartje, eraf werd geworpen en voor het beest belandde, hoe hij werd overreden en onder het piepende blik en ijzer verdween.

Nooit meer ook maar één kwaad woord over trams, was Winters eerste gedachte.

Hij stond nog steeds op het balkon. Hij meende iets te horen, iemand riep iets, hij draaide zijn hoofd om en zag Angela met de meisjes vanaf het steakhouse op het Vasaplein aan komen lopen, ze wuifde, de meisjes wuifden, hij wuifde, hij werd zo overweldigd door gevoelens dat hij voor de zekerheid een paar passen achteruit deed, anders was hij zó van het balkon gesprongen en naar hen toe gevlogen om hen te omarmen, hun namen te zeggen zoals ze nu zijn naam naar hem riepen.

Later, toen ze ieder met een kopje met 's werelds sterkste bisschopswijn in de nacht zaten, zou Angela vertellen dat ze de meisjes had aangekleed toen hij weg was gegaan. Ze had niet thuis durven blijven, het was alsof er een stem tot haar had gesproken, en ze waren naar de markthal gewandeld, hadden een Duits zuurdesembrood gekocht en waren vervolgens naar een cafeetje gegaan waar ze zich met boekjes en spelletjes hadden vermaakt en naar alle Kerstmannen in de stad hadden gekeken. Zij had vooral op hun schoenen gelet. Ze waren naar het warenhuis NK gegaan en hadden de kersttalages bewonderd. Het was een goede ochtend geweest, zou ze zeggen.

Onderweg naar huis had ze overwogen naar het universiteitspark te gaan. Ze hadden aan de overkant van het Vasaplein gelopen toen ze een Kerstman hun portiek in had zien gaan. 'Au, wat hou je ons stevig vast!' had Elsa gezegd. Angela beweerde zich daarna niet veel meer te herinneren. Ze was met de meisjes naar het park gelopen en had geprobeerd hem te bellen, maar hij was aldoor in gesprek geweest. Ze had de dood hun portiek in zien gaan. 'En daarna zag ik jou op het balkon,' zou ze zeggen.

Hij stond weer op in de hospice aan de straat waarvan hij de naam niet wist, met de herinnering als koud zweet op zijn lichaam, de zwarte, akelige herinnering aan de dood die kwam en zich binnendrong.

Er waren kinderen bij betrokken geweest. Er gebeurde iets met hem wanneer er kinderen bij betrokken waren, iets wat zijn menselijkheid te boven ging, iets fysíéks.

Zijn gedachten gingen naar het huis bij de zee, vlak bij het eiland, het huis waar een kleine berg achter lag, het huis dat 's nachts alleen was, dat altijd alleen zou zijn en hij zou daar binnenkort zijn, een laatste keer, hij zou niet alleen zijn en het zou gewelddadig zijn.

29

Siv Winter zakte 's ochtends weg in een bewusteloosheid en dat was de laatste keer. Hij hield haar hand vast en meende dat hij een laatste kneepje voelde en dat was ongetwijfeld ook zo. Het raam stond op een kier naar het leven in de zon buiten, zo had ze het gewild, er reed een auto met een hoog toerental langs, er kwam een mooie lach voorbij, het klonk alsof die al ver had gereisd en nog verder door zou gaan, naar de bergen, langs het huis met de drie palmen. Ze hield op met ademen, hij kon het zien, nauwelijks horen. Hij voelde verdriet, maar het was niet heel erg. Voor de kinderen was het erger, misschien was het ook voor Angela erger dan voor hem.

'Nu kan ze samen met Bengt rusten,' zei hij.

'Ja,' zei Angela. 'Dat is goed.'

'Dat is heel goed.'

Na een tijdje liepen ze de kamer uit. Ze waren met z'n tweeën.

'We gaan naar een café,' zei hij. 'Ik heb dorst als een paard.'

'Ik heb ook wel ergens zin in,' zei ze.

Het was stil op straat toen ze naar buiten kwamen. Het rook er naar zon en cement, schuin aan de overkant werd gebouwd, maar Winter had niemand bezig gezien terwijl zij hier waren. Hij was hier niet zo lang geweest. Hij keek naar de tweede verdieping, eigenlijk de eerste, waar het raam van Sivs kamer nog altijd op een kier stond. Hij had gedacht dat het deze keer afgelopen zou zijn, en hij had gelijk gehad. Hij was nu wees, maar dat was niet anders, hij was niet de belangrijkste persoon hier.

Ze vonden in een wijkje bij de jachthaven een klein café dat na de modernisering van Puerto Banús was gebleven. Hij bestelde twee biertjes van de tap. Ze gingen op de twee spijlenstoelen bij het enige tafeltje op straat zitten. Ze waren de enige gasten, het café was net opengegaan. De vrouw achter de bar maakte in snel Andalusisch ruzie met iemand aan de telefoon.

'Vast een tienerdochter,' zei Angela. 'Het meisje is niet naar school gegaan. Zegt dat ze hoofdpijn heeft.'

'Ik hoor het,' zei hij. '*Cabeza.*'

Hij nam een slok bier. Zij ook.

'Hoe gaat het, Erik?'

'Ik weet het niet,' zei hij. 'Het is fijn hier gewoon even te zitten.'

'Dat vind ik ook,' zei ze.

'Ze had geen pijn,' zei hij. 'Dat is goed.'

'Ja.'

'Vijfenzeventig is aan de jonge kant,' zei hij. 'Ze was er nog niet klaar voor om nu al uit te checken. Ze hield van het leven.'

'Inderdaad.'

Twee mannen van middelbare leeftijd liepen langs hen heen naar binnen. Ze bestelden koffie en brandy. De een zei iets tegen de ander over voetbal. Málaga had opnieuw geld gekregen om een echt elftal te kopen, maar op termijn zou het toch niets worden.

'Alles verandert hier nu voor ons,' zei ze na een tijdje.

'We blijven niet voor eeuwig,' zei hij.

'Jij moet nu zeker terug?'

'Ik kom gauw weer. Niet alleen voor de begrafenis.'

'Dat weet je niet.'

Nee, hij wist het niet. Maar dingen gebeurden, er gebeurden altijd dingen, hij leerde steeds weer iets bij.

De mobiel in zijn borstzakje bromde. Hij keek op het display.

'Het is Bertil,' zei hij. 'Vind je het goed als ik opneem?'

'Natuurlijk,' zei ze, 'als je dat zelf wilt.'

'Hallo?'

'Hoe gaat het bij jullie?'

'Voor nu is het voorbij, Bertil.'

'Ik leef met jullie mee.'

'Dank je, dat weet ik.'

'Omhels Angela van me.'

'Dat zal ik doen. We zitten net ergens wat te drinken.'

'Ik mocht Siv heel graag.'

'Ze mocht jou ook heel graag, Bertil.'

'Ik bel je later wel.'

'Nee, waarom belde je, behalve om te horen hoe het hier ging?'

'Toen ik in Tångudden was... was er iemand die me in de gaten hield. Ik weet het zeker, hij ging er als een speer vandoor toen ik me kenbaar maakte. Het moet hetzelfde individu zijn geweest dat jij vanaf het winkelcentrum met de auto bent gevolgd.'

'Waarschijnlijk wel.'

'Waarom laat hij zich zo zien? Daar heb ik veel over nagedacht.'

'Misschien doet hij het expres.'

'Nee, volgens mij wil dit individu niet gepakt worden.'

'Het is iets dwangmatigs,' zei Winter. 'Hij wil ons een stap voor zijn.'

'Dat is het ook niet, Erik. Er is meer.'

'Weet je wat ik een tijdje terug had? Ik moest opeens aan de Kerstman denken.'

'Shit.'

Winter zag dat Angela haar wenkbrauwen had opgetrokken. Hij wilde haar niet aan die kerst herinneren. Dat had hij nu wel gedaan. Ze was zelf een paar keer over de gebeurtenis begonnen. Misschien was het wel de doorslaggevende reden waarom ze twee jaar geleden met zoveel enthousiasme naar de zonnekust was verhuisd. En nu met enthousiasme bleef.

'Over jezelf laten zien gesproken,' zei Winter.

'We krijgen geen mededelingen, als je de foto niet meerekent.'

'Robertsson,' zei Winter.

'Sorry?'

'Bert Robertsson. Wat spookt hij op dit moment uit?'

'Hij zuipt of hij is nuchter, neem ik aan,' zei Ringmar.

'Ga vandaag nog een keer met hem praten,' zei Winter. 'Hij heeft me niet overtuigd.'

'Heeft een van de individuen in deze zaak ons van zijn schuld of onschuld kunnen overtuigen?'

'Je zegt vaak "individu", Bertil. Waarom doe je dat?'

'Dat voelt voldoende onpersoonlijk.'

'Ga nou maar bij Robertsson langs.'

Ringmar en Halders gingen naar het huis van Robertsson. Niemand deed open toen ze aanbelden. Halders bonsde op de deur. Ze wachtten. Ringmar belde nog een keer aan. Ze konden het geluid duidelijk horen, als Robertsson zichzelf niet in coma had gezopen, moest hij het ook horen. Ze belden hem op zijn beide nummers, maar hij nam niet op.

'Dit is een noodsituatie,' zei Halders en hij forceerde in een mum van tijd het slot. Hij was een expert, hij had altijd een setje lopers bij zich, en dit was een oud slot.

Ze liepen de kamers door maar Bert Robertsson was er niet. Het huis was zo netjes als je maar kon wensen.

'Ik had op het ergste gerekend,' zei Ringmar.

'Erik waarschijnlijk ook,' zei Halders.

'Maar waar is hij?'

'En met wie?'

'Hij had het gevoel dat hij werd achtervolgd. En niet door ons.'

'De krant is vanochtend ook niet rondgebracht. Erik heeft iets aange-voeld.'

'De man is bang. Misschien wel meer dan dat.'

'En nu?'

'Nu gaan we naar Långedrag.'

Halders reed over de Torgny Segerstedtsgatan, om de haven Hins-holmskilen heen, vanaf de Saltholmsgatan naar de Sextantgatan.

Natuurlijk woonde Egil Torner aan de Sextantgatan. Alleen, een we-duwnaar.

De relatie met zijn dochter was verstoord geweest. Was dat opgelost? Kon het worden opgelost? Sandra kon het niet vertellen.

Egil Torner stond buiten te wachten toen ze kwamen. Ringmar had vanuit Brottkärr gebeld.

Toen ze in noordelijke richting waren gereden, had de zon zich laten zien, die kreeg met de dag meer zelfvertrouwen. Nog even en we kunnen zonder sokken en schoenen op pad, had Halders gedacht toen hij ter hoogte van Fiskebäck zijn zonnebril op had moeten zetten.

'Ik ga op dit tijdstip meestal een eindje wandelen,' zei Torner.

'Dan doen we dat,' zei Ringmar.

'Misschien kunnen we straks even praten,' zei Torner.

Ze liepen door de straatjes naar de jachthaven, kwamen langs een klei-ne werf, liepen over een steiger naar het clubhuis van de zeilvereniging GKSS. Het restaurant op de eerste verdieping was open. Dit was een an-der milieu dan bij de werf van Tångudden, groter en rijker, iets om aan toeristen te laten zien, aan zeilers. Verderop was Långedrags Värdshus herrezen in een nieuw gebouw, verrekte trendy, duur als de neten zonder dat waar te maken, dacht Halders op dit moment; hij had vorige zomer met Aneta en de kinderen in het restaurant gegeten en was er daarna nooit meer naartoe gegaan.

Ze liepen over een van de steigers. Er lagen nog een paar boten in het water, overlevenden van de laatste ijstijd.

'Ik ben deze plek beu,' zei Torner toen ze aan het eind waren gekomen.

'Bedoelt u de haven?' vroeg Ringmar.

'Alles,' zei hij.

'Waarom?' vroeg Halders.

'Daar valt niet zomaar één antwoord op te geven.'

'Vertel ons dan een stukje.'

'Ik voel me hier niet thuis. Oké, ik woon hier nog wel, maar het is alsof het te laat is om te verhuizen.'

'Kwam Sandra hier op bezoek?' vroeg Ringmar.

Torner draaide zich naar hem toe.

'Waarom vraagt u dat?'

'Hoe goed konden u en uw dochter met elkaar overweg?'

'Wat heeft hij gezegd?'

'Wie?'

'Jovan, natuurlijk.'

'Wat had hij moeten zeggen?'

'Vraagt u dat aan mij?' zei Torner.

'Ja.'

'Iets ongunstigs over mij.'

'Waarom zou hij dat doen?'

'Hij... paste hier niet. Dat begreep hij. Daar maakte hij gebruik van.'

'Waar maakte hij gebruik van?'

Torner antwoordde niet. De veerboot naar Denemarken kwam in de Älvsborgsfjord voorbij, ter hoogte van de Nya Älvsborgsvesting. Het leek alsof Torner graag aan boord had gezeten.

'Door hem keerde ze zich tegen mij,' zei Torner met zijn blik nog altijd op het schip gericht.

'Hoe deed hij dat?'

Torner keek eerst naar Ringmar en toen naar Halders.

'Als je maar slecht genoeg bent, is niets onmogelijk,' zei hij.

'Wat bedoelt u met slecht?' vroeg Halders.

'Dat vraagt u mij?' zei Torner. 'Jullie zijn toch de experts op dat gebied?'

'In dat geval is iedereen een expert,' zei Halders.

'Expert van zijn eigen slechtheid,' zei Torner.

'Hoe ziet die van u eruit?' vroeg Ringmar.

'Die is heel banaal,' zei Torner. 'Toen ik jong was, hield ik me alleen met mezelf bezig. Ook toen ik een gezin kreeg. Alles draaide om carrière en geld, alles was heel oppervlakkig.'

'Is dat slecht?'

'Onkunde, arrogantie, het is allemaal hetzelfde. Sandra's oudere broer heeft zelfmoord gepleegd, weten jullie dat? Natuurlijk weten jullie dat, het is een feit. Martin heette hij. Depressie werd als verzachtende omstandigheid aangevoerd, maar wat weet ik ervan? Hij verdween in dit water, het water dat jullie hier voor jullie zien. Toen heb ik mijn bootleven naar Tångudden verplaatst, dat is niet hetzelfde water, het wordt afgeschermd door de Västerberg.' Torner keek Ringmar aan. 'Ik neem aan dat u zelf kinderen hebt. Volwassen kinderen.'

'Ja.'

'Hoe is uw contact met ze?'

'Mijn dochter belt mij en ik bel haar. Ik heb niet zo'n goed contact met mijn zoon.'

'Waarom niet?'

'De een of andere banale vorm van slechtheid,' zei Ringmar. 'Ik heb me suf gepiekerd.'

'Kunnen we nu teruggaan?'

'Hebt u nog contact gehad met Jovan?'

'Niet sinds de begrafenis. Ik heb u daar gezien. U en iemand die ik niet kende. Jullie waren met zijn tweeën.'

'Ja.'

'Hebben jullie iemand gezien die er niet zou moeten zijn?'

'Dat heb ik u ook al eens gevraagd,' zei Ringmar.

'Ik vraag het nu aan u.'

'Ik kan daar geen antwoord op geven,' zei Ringmar.

'Dat is hetzelfde als een nee,' zei Torner. 'Er was niemand die eruitzag als een moordenaar.'

'Hebt u uw kleinkind gezien?'

'Niet sinds de begrafenis. Dat is een van de dingen waar ik nu aan denk. Wanneer ik haar zal zien. Ik wil haar zien.'

'Dat kunt u nu doen,' zei Ringmar. 'We kunnen er samen heen gaan.'

'Morgen,' zei Torner en hij liep terug naar de wal.

Gerda Hoffner zat in de vergaderruimte en had alle papieren op tafel uitgespreid. Ze bedekten het hele oppervlak, als post-its op een muur. Op dit moment was dit haar manier van werken, de dossiers chronologisch ordenen, op gesprek en tijdstip, een systeem waarvan ze niet wist waar het vandaan kwam. Ze documenteerde wat ze met de foto's deed, sprak in wat ze dacht, liep heen en weer, werd niet gestoord.

Ze had gehoopt dat er op de eerste verdieping van Mars' huis iets zou zijn achtergelaten. Ze had gedacht dat er een voetspoor op de glimmende vloer zou hebben gestaan, de schaduw van een voetspoor misschien, meer niet, maar Torstens mensen hadden het niet gevonden. Toch had ze de gedachte nog steeds niet losgelaten, alsof er wel degelijk iemand was geweest, alsof ze op dat punt gelijk zou krijgen en dat ze het allemaal zouden begrijpen, eindelijk, dat het mogelijk zou zijn ook dit te begrijpen.

In het tuinhuisje hadden ze een peuk gevonden, maar er was niets waarmee ze de sporen konden matchen. Ze hadden geen mes, geen wapen. En dat wilde ze zien; een wens die misschien bizar, vreemd was. Een mes of iets groters, met roest die niet was verdwenen, afgeveegd, weggestroomd. Het kon nu op de bodem van de zee liggen. Ze dacht niet dat dat het geval was. Het mes was er, zoals je weet dat de sleutel waarnaar je op zoek bent er is, die ligt ergens te wachten.

Haar mobieltje ging, het was intern.

'Ik heb iemand voor je aan de lijn, Gerda, een man,' zei de telefoniste.

'Oké, verbind maar door.'

Ze hoorde een stem: 'Ja, hallo! Hallo?'

'Met Gerda Hoffner,' zei ze.

'Hallo, met Jens. Jens Likander.'

'Hallo, Jens.'

'Ik vroeg me af of je plannen hebt voor vanavond.'

30

De chauffeur die hem naar de stad reed was van de zwijgzame soort en Winter was daar blij om. Het compenseerde de tabaksgeur in de auto. De chauffeur was een relatief jonge man. Hij zou de vijfenzeventig waarschijnlijk niet halen. Winter zag het pakje sigaretten, hield zijn mond over de lucht, wat moest hij ook zeggen.

Voor het hoofdkantoor van de Swedbank aan de Södra Hamngatan stapte hij uit en betaalde. Hij liep de hoek om.

Ringmar stond voor Alströms konditorei te wachten.

'Ik ben al even binnen geweest. Onze stamtafel is vrij. Ik heb mijn sjaal erop gelegd.'

'Wat goed van je. Dus je hoefde nu geen bejaarden weg te jagen.'

'Hoe was je reis?'

'Lang en ongemakkelijk.'

Ringmar deed een pas naar voren en omhelsde Winter.

'Dank je, Bertil,' zei Winter vlak bij Ringmars oor.

Ringmar liet hem weer los.

'Ze hebben nog tompoezen,' zei hij, terwijl hij zich omdraaide naar de deur.

'We kunnen Robertsson niet vinden,' zei Ringmar. Ze zaten aan het tafeltje bij het raam. 'Ik heb het laten doorgeven aan de surveillancewagens. De collega's van Frölunda zijn ook op zoek. Misschien helpt het.'

'Ik denk het niet.'

'Hoezo niet?'

'Robertsson is dood. Misschien vinden ze iemand die hem onlangs nog heeft gezien, maar daar krijgen we hem niet mee terug. Hij heeft zich bij Robin gevoegd.'

'Je lijkt akelig zeker van je zaak.'

'Ja. Die jongens hadden geen schijn van kans.'

'Tegen wie?'

'Ik kan zijn gezicht niet zien,' zei Winter.

'Misschien zijn het er meer,' zei Ringmar.

'Misschien wel, ja.'

'Ik heb Sandra's vader weer gesproken.'

'En?'

'Niets voor ons.'

'In welk opzicht?'

'Een ongelukkige onschuldige,' zei Ringmar.

'Onschuldig?'

'Hieraan.'

'Ik heb Torsten vanaf het vliegveld in Málaga gebeld,' zei Winter. 'We hebben materiaal, maar we hebben geen mensen. Hij was niet gefrustreerd. Het is gewoon een feit.'

'Levende mensen, bedoel je.'

'Schuldige mensen, ja.'

'Daar komen wij met onze speurzin in beeld,' zei Ringmar.

'Ik zal deze gesprekken missen als het zover is,' zei Winter.

'Zover komt het niet. Zo banaal zijn wij niet. Wij zijn toch geen gewone mensen, Erik.'

'Nu klink je zoals ik.'

Ringmar prikte in zijn tompoes. Hij had hem voor de helft op. Geen van beiden leken ze trek te hebben in hun gebakje. Winter liet zijn koffie bijna onaangeroerd staan, hij had in het vliegtuig al te veel gehad.

'Runstig wandelt weer met de pup,' zei Ringmar.

'Ziet het er natuurlijk uit?'

'Volgens de recherche zien ze er alle twee gelukkig uit, vooral hij.'

'Dat is heel goed. We hebben hem gerehabiliteerd.'

'We zullen Runstig nog wel vaker zien. Hij lijkt graag op Amundö te komen.'

'Ben jij daar nog geweest?'

'Nee, niet na jouw vertrek.'

'Laten we er nu heen gaan,' zei Winter en hij stond op.

Het voelde als heel lang geleden. Winter had de afgelopen dagen door zijn hele leven heen en weer gereisd. Dit was als iets in een andere incarnatie, maar slechts gedurende een paar tellen. Daarna kwam alles terug, de beelden van wat hij had gezien toen hij in het huis naar binnen was gegaan en waarom hij nu hier stond, waar zijn werk uit bestond.

Deze dag was de lucht van lood, als maakte die deel uit van het dak van het huis.

Winter liep de kinderkamer binnen, ging voor het raam staan en keek naar buiten.

Iemand buiten zag mij toen ik hierbinnen stond.

Toen ik de vrouw en haar kinderen had vermoord.

Hij draaide zich om, liep door de kamer, naar de hal, de woonkamer, terug naar de hal, naar de slaapkamer, naar de hal, terug naar de kinderkamer. Ringmar was boven. Winter hoorde zijn voetstappen, ze klonken... ongerust.

Hij ging weer voor het raam staan.

Ik ben hiernaartoe gegaan om haar te vermoorden. Om met haar te praten. Haar terecht te wijzen. Nee. Haar te vermoorden. Haar te straffen.

De kinderen zagen me.

DE KINDEREN ZAGEN ME.

Wat moest ik doen?

Iedereen zag mijn wapen.

WAT MOEST IK DOEN?

Ik ben hier naar binnen gegaan.

Ik wist dat hier een klein kind lag.

Ik was hier al eens eerder geweest.

Het ledikant stond hier. Bij het raam. De kribbe stond hier.

Buiten zag ik iemand.

Iemand zag mij.

Hierbinnen was geen licht.

Er was licht in de hal.

Dat was genoeg.

Er kwam iemand voorbij. Ik stond hier. Iemand herkende mij.

Iemand kwam gewoon voorbij. Er viel niets te zien.

Ik wist het niet zeker.

'Erik!'

Hij hoorde Ringmars stem van boven komen, als een boor door de vloer.

Hij liep de trap op. Hij hoefde de treden niet meer te tellen.

Ringmar stond bij het raam in Eriks kamer.

Hij knikte naar het tuinhuisje, dat halverwege op de berg stond. Het was heel duidelijk, het leek heel dichtbij.

'Zie jij wat ik zie?' vroeg Ringmar.

Winter zag het silhouet van iemand in het huisje, een schaduw die twee van de mooie ramen bedekte.

'Ik sta hier nu al een tijdje,' ging Ringmar verder, 'en hij heeft niet bewogen.'

'Verstijfd van schrik,' zei Winter.

'Van iets anders,' zei Ringmar.

Winter kneep zijn ogen samen, keek. Er zat iemand in het huisje, alle contouren kwamen overeen met een individu.

'Blijf jij staan, dan ren ik erheen,' zei hij.

Hij draaide zich om, holde door de kamer, de trap af, de woning uit, naar de tuin van de buren, die waren weer naar de zon vertrokken, de helling op, naar het tuinhuisje, opende de deur, zag de rug van degene die daar zat, wist al wie het was, zag Ringmars gezicht achter het raam, Ringmar zag dat hij er was en verdween. Winter liep over de lekkende houten vloer en keek naar de gestalte die daar zat, iemand die Bert Robertsson heette. Er hing een sliert speeksel uit zijn mond die tot aan zijn borst kwam, het leek een truc waar hij lang op had geoefend. Zijn ogen waren dicht, het rook sterk naar alcohol in het tuinhuisje. Robertsson ademde gelijkmatig de slaap van de stomdronkene, perfect geplaatst op een simpele stoel en steunend tegen de muur, op zich al een kunst, met een lege fles blended whisky op de vloer, een vredig beeld. Winter hoorde Ringmar nu de heuvel op sjokken, hij kwam naar binnen en Winter draaide zich om.

'Het was iets anders, Bertil. Zijn medicijn.'

'Leeft hij nog?'

'Hij is straalbezopen, maar hij leeft, ja.'

'Waarom is hij hiernaartoe gegaan?'

'De enige plek waar hij goed zicht had.'

'Zicht waarop?'

'Degene die hem in de gaten hield.'

Ringmar stond nu naast Winter.

'Hij lijkt lekker te dromen,' zei Ringmar. 'Ik dacht dat we hem aan de hemel van de krantenbezorgers waren kwijtgeraakt.'

'Ik droomde vannacht dat ik ergens in een stad op een boerderij met een binnenplaats zat te schrijven,' zei Winter. 'Het had in Kungsladugård kunnen zijn, maar de stad was veel groter. Er zaten een paar onbekenden aan tafel te praten en ik schreef op wat iemand zei. Dat weet ik nog, en ook de precieze bewoording. Dat is voor mij heel ongebruikelijk.'

'En hoe luidde die bewoording?'

'Er is een verschil tussen de werkelijkheid en dat wat wij ervan zien.'

'Dat was de zin die je opschreef? In je droom?'

'Ja.'

'En heb je er wat aan?'

'Het klinkt banaal, maar ik betwijfel of het dat ook is.'

Gerda Hoffner had met Jens Likander afgesproken in een café in Linné. Ze kende de tent niet, ze ging zelden naar cafés, maar dit zag er gezellig uit, groot, open en licht in de grijze schemering. Omdat ze te vroeg was geweest, was ze even naar binnen en weer naar buiten gegaan en had een eindje door de wijk gelopen, waar het nog heel druk was. Het was bijna alsof het voorjaar in de lucht hing, het rook naar leven.

'Sorry dat ik zo voortvarend ben,' zei hij.

'Ik doe dit ook voor het eerst,' zei ze.

'Het is na werktijd,' zei hij.

Ze zei niets. Ze had geen goed antwoord.

'We gaan het niet over ons werk hebben,' zei hij glimlachend. 'Wat wil je drinken?'

'Ik weet het niet. Een biertje. Leuke tent, dit.'

'Ik ken de eigenaar. Volgens mij hebben ze wel lekkere drankjes.'

'Ik hou het toch maar gewoon bij een biertje.'

Hij gebaarde naar de barkeeper, die knikte. Ze leken bevriend. Misschien woonde Likander hier na werktijd. Maar hij zag er niet uit als een nachtbraker. Hij zag er... open uit, net als het café, open en licht. Ze moest extra voorzichtig zijn. Ze had geen tijd.

Ze was al heel lang niet met een man samen geweest. Daar had ze tot nu toe niet bij stilgestaan.

Ze kregen hun flesjes bier, een soort dat ze niet kende. De barkeeper opende ze aan tafel, schonk twee tulpglazen in, zette die voor hen neer op onderzetters versierd met palmbomen, het was het thema van het café, iets tropisch op een onopvallende manier, ze herinnerde zich nu dat deze tent Western & Oriental heette.

'Kom je uit de stad?' vroeg hij.

'Ja, dat kun je wel zeggen. Jij ook?'

'Ja. Guldheden.'

'Wij woonden in Kungsladugård toen ik klein was.'

'Daar is het mooi,' zei hij.

'In Guldheden ook.'

'Als je het Doktor Friesplein mooi vindt,' zei hij glimlachend.

'Dat vind ik inderdaad,' zei ze. 'Het is... echt.'

'Je hebt gelijk,' zei hij en hij hief zijn glas. 'Echt. Proost dan maar.'

Ze hief haar glas, zei niets, nam een slok. Het bier was een beetje zoet, dat had ze ook verwacht. Haar oom Willy in Stuttgart zou het meteen hebben uitgespuugd. En ruzie hebben gemaakt met de barkeeper.

'Op het werk zijn we allemaal nog steeds van slag,' zei hij.

'Dat begrijp ik maar al te goed.'

'Maar we zouden het niet over het werk hebben.'

'Soms is het moeilijk om dat te vermijden.'

'Krijg je veel vragen?'

'Waarover? Van wie?'

'Van de... mensen. Vrienden. Over je werk. Het is best ongewoon.'

'Er valt weinig over te vertellen.'

'Nee, uiteraard.'

Ze dronken weer.

'Het is soms vast zwaar om niemand te hebben met wie je kunt praten,' zei hij en hij zette zijn glas neer. 'Wanneer je thuiskomt bijvoorbeeld.'

'Om niemand te hebben met wie je er niet over kunt praten, bedoel je?'

Hij glimlachte. Hij snapte het.

'Wil je nog een biertje?' vroeg hij.

'Nog niet in elk geval.'

'We kunnen later ergens gaan eten als je wilt.'

'Waar dacht je aan?'

'Tja, we zouden naar Pelle kunnen gaan. Daar hebben ze elke avond een eenvoudige daghap. Best lekker.'

'Laat me er even over nadenken,' zei ze.

'Dat heb ik niet gedaan,' zei hij.

Eindelijk kreeg Djanali de andere vriendin van Sandra Mars aan de lijn.

'Met Liz Berg.'

Djanali stelde zich voor.

'Het was niet makkelijk u te pakken te krijgen,' zei ze.

'Hebben we elkaar een tijdje terug niet al gesproken?'

'Heel kort.'

'Is er weer iets gebeurd?'

'Ik wilde het graag over Sandra's sociale contacten hebben.'

'Sorry?'

'Met wie ze omging.'

'Ze ging niet met veel mensen om. Dat wilde ze zelf zo.'

'Had ze een man ontmoet?'

Het werd stil in de hoorn.

Djanali herhaalde de vraag.

'Bedoelt u of ze ontrouw was?'

'Dat weet ik niet. Ik vraag alleen of ze een man had ontmoet. In haar vrije tijd. Of op haar werk. Of ze u daar iets over heeft verteld.'

'Ze... Ik weet het niet... Misschien had ze wel iemand ontmoet.'

'Hoe weet u dat?'

'Dat kan ik niet goed uitleggen.'

'Waarom hebt u dat de eerste keer dat we elkaar spraken niet verteld?'

'U vroeg er niet naar.'

'Lieve help,' zei Djanali.

'Het spijt me als ik iets fout heb gedaan.'

Het spijt me, het spijt me. Het is net zo goed mijn schuld, meer mijn schuld.

'Zou u er iets concreter over kunnen zijn? Heeft ze een naam genoemd?'

'Nee.'

'Hoe zag hij eruit?'

'Dat... Dat weet ik niet meer.'

'Denk erover na. Ik bel later vanavond nog een keer.'

31

Er zat een man op het bankje in de speeltuin. Hij was alleen. Hij keek niet hun kant op toen ze voorbijkwamen.

'Maar dat is Krol,' zei Winter.

Ze liepen naar Robert Krol toe. Hij draaide zich langzaam naar hen om. Er stonden tranen in zijn ogen.

'Het is hier tegenwoordig zo stil,' zei hij. 'Er komen helemaal geen kinderen meer.'

'O ja?' vroeg Ringmar.

'Kijk maar om je heen,' zei Krol. 'Het is een plek van rouw. Ik mis de kinderen. Hoe gaat het met Greta?'

'Sorry?' zei Winter.

'De kleine,' zei Krol. 'Greta.'

'Met haar gaat het goed. Ze is bij haar vader.'

'Ik mis de kinderen,' zei Krol weer en hij stond op. 'Ik zag dat jullie bij het oude tuinhuisje van de familie Carlberg waren.'

'Wij zijn overal in deze zaak,' zei Winter.

'Ik zag dat er iemand zat toen ik langsliep.'

'Een zuipschuit,' zei Ringmar. 'Ben je niet gaan kijken?'

'Nee.'

'Waarom niet?'

'Mensen zitten er weleens uit te rusten, om het zo maar te zeggen. Dat gaat mij niet aan.'

'Wat voor mensen?'

'Je hebt het zelf net gezegd.'

'Zuipschuiten? Is dat echt al eens eerder gebeurd?'

'In deze idylle, bedoel je?'

'Waarom zouden ze helemaal hiernaartoe komen?' zei Ringmar.

'Hoe heeft hij dit tuinhuisje gevonden?'

Ringmar haalde zijn schouders op.

'Iemand die jullie kennen?' vroeg Krol.

'Jullie krantenbezorger,' zei Winter. 'Die kende de weg en is in al zijn ellende vast daarom hierheen gegaan.'

'Hier verzamelen we ons allemaal,' zei Krol.

'Heb je gezien of er weleens een man bij Sandra op bezoek kwam?' vroeg Ringmar.

'Hier?'

Ringmar knikte.

'Nee,' zei Krol. 'Hoe had ik dat moeten zien?'

'Jij lijkt alles te zien,' zei Winter.

'Nee, nee, en ik heb genoeg gezien, genoeg gehoord. Ik ga niet meer naar deze speeltuin. Ik denk dat ik nu maar binnen blijf.'

Een ambulance reed langzaam voorbij. Krol volgde hem met zijn blik. Winter liep achter de auto aan.

'Is die voor de zuipschuit?' vroeg Krol.

'We konden hem zelf niet meenemen,' zei Ringmar.

'Geven jullie geld uit aan dat stuk verdriet?' vroeg Krol en hij begon te lopen, in de richting van de zee.

Gerda Hoffner wilde niet ergens een hapje gaan eten. Het was tijd om naar huis te gaan. Het was gezellig geweest.

'Ik vond het leuk,' zei Jens Likander en hij stak zijn hand uit. Ze stonden op de Linnégatan. De trams stormden voorbij.

'Wat formeel,' zei ze.

'Vind je me saai?'

'Nee.'

Hij keek naar zijn hand.

'Ik weet niet waarom die omhoogschoot,' zei hij. 'Misschien een zenuwtrekje.'

'Ben je zenuwachtig?'

'Dat was ik vanavond van tevoren wel een beetje, ja.'

'Het is nog nauwelijks avond.'

'Ik ben nu niet zenuwachtig,' zei hij.

'Ik ook niet.'

'Het is geen goed begin,' zei hij, 'zenuwachtig zijn, bedoel ik.'

'Begin waarvan?'

'Dat weet niemand,' zei hij.

'En nu moet ik gaan.'

'Ik loop met je mee naar het Järnplein.'

'Oké.'

'Ik kan ook met je mee naar huis lopen, als je dat wilt.'

'Dat is ver. Dat wil ik niet op mijn geweten hebben. Ik neem de tram.'

Ze waren nog altijd niet gaan lopen. Er kwam een ambulance zonder sirene langs, waarschijnlijk onderweg naar het Sahlgrenska-universiteitsziekenhuis, of het SU zoals steeds meer mensen zeiden. Ze was voor diverse dingen tegelijk in het SU behandeld, voor ernstig trauma nadat ze een hele tijd opgesloten had gelegen, op de dood had gewacht, naar steeds zwakkere geluiden had geluisterd. Ze dacht dat dat nu allemaal achter haar lag, maar waarschijnlijk was dat niet zo. Het zou nooit meer worden zoals voor die tijd, ze zou nooit meer worden wie ze was geweest.

'Ik neem de tram,' herhaalde ze, met onnodig luide stem.

Winter en Ringmar reden naar Tångudden. Het was avond, die was snel gevallen. De kranen van Arendal aan de andere kant van de rivier waren silhouetten van reuzen in het vuile licht, met grijptangen als handen die gaten in de duisternis rukten.

Winter ging in het boothuis staan.

'Waarom kwam Sandra hier?' vroeg hij aan de muren.

Hij wendde zich tot Ringmar.

'Wat zegt Torsten?'

'Ze is hier geweest. Geen sporen van iemand anders.'

'Hij was voorzichtig.'

'Het kan toeval zijn.'

'Hier waren ze samen,' zei Winter, als bij zichzelf. 'Hier was geen kwaad.'

'Ze hadden geen reden om zich te verstoppen,' zei Ringmar.

'Niet hier in elk geval,' zei Winter.

'Waar ging het mis?'

'Tussen hen? Hm.' Hij keek weer rond, maar er viel niets te zien, alleen een omsloten oppervlak dat niet langer een functie zou vervullen, vreugde zou geven, vrijheid zou bieden. Sandra's vader had het boothuis voorgoed verlaten. Hij zou de stad voor het buitenland verruilen. Grote kans dat het de zonnekust werd. 'Wat ging er mis tussen hen?' herhaalde hij.

'Jaloezie?'

'Wie?' vroeg Winter en hij stapte het grind voor het boothuis op. Het blonk zwart en wit in het oeroude elektrische licht van de jachthaven. 'Wie?'

Ringmar keek naar het gebouw dat een boothuis en een Thais restaurant was. Hij zag twee hoofden achter de vettige ramen, het leek alsof ze een soort aureool hadden, alsof er binnen iets in de vette lucht zweefde.

'Misschien waren ze tot op het laatst samen,' zei Winter. 'Echt samen.'

'Ik kan je niet helemaal volgen,' zei Ringmar.

'Ze hielden tot op het laatst van elkaar,' zei Winter. 'Er is niets tussen hen gebeurd.'

'Een passiemoord,' zei Ringmar.

'Niet zoals wij denken,' zei Winter, 'of zoals we geacht worden te denken.' Hij gebaarde met zijn hand naar het Thai Grand Palace. 'Nu gaan we een praatje maken met onze getuigen.'

Lans hand schoot voor haar mond toen ze het restaurant binnenstapten.

'We komen niet eten,' zei Ringmar. 'Ik zie dat jullie bijna sluiten.'

Lan riep iets in het Thai.

'Hij is het!' zei Peggy.

'Hè?' zei Ringmar.

'Ze zegt dat hij de man is die hier met Sandra was,' zei Peggy met een knikje naar Winter. 'Hij heeft hetzelfde profiel.'

'Ik was het niet,' zei Winter.

'Dit is mijn collega,' zei Ringmar. 'Hij is hier al eens eerder geweest.'

'Precies... zo,' zei Lan in het Zweeds.

I'm not the one,' zei Winter.

Ze wilden net in hun auto stappen toen Peggy het restaurant uit kwam, wuifde en naar hen toe liep.

'Ja?' zei Ringmar.

'Het kwam door zijn oor,' zei ze.

'Zijn oor?'

'Ze herkende hem aan zijn oor,' zei Peggy en ze knikte naar Winter aan de andere kant van de auto.

'Maar hij heeft beide oorlellen,' zei Ringmar.

'Lan heeft het de vorige keer verkeerd gezegd; ze bedoelde dat het ene oorlelletje langer was dan het andere. Begrijpt u?'

'Nee.'

'Zoals bij haar oom. Hij miste geen... oor. Ze waren alle twee gewoon... verschillend. Zijn oren dus.'

'Heb je nog meer verkeerd vertaald, Peggy?'

'Nee... ik denk het niet.'

'Zoals dat de vrouw helemaal niet met iemand anders was?'

'Nee, nee. Hij was erbij.'

'En Lan zou hem herkennen?'

'Ja.'

'Ze heeft hem net herkend.'

'Het is... moeilijk,' zei Peggy. Ze keek verdrietig.

'Sorry,' zei Ringmar. 'Het is heel moeilijk.'

'Ik zal nog een keer met haar praten,' zei Peggy.

'Je hebt mijn telefoonnummer,' zei Ringmar.

Ze stapten in en reden de Hästeviksgatan op. Peggy liep terug. Het gebouw leek op iets uit een heel oude film.

'Hier stonden vroeger een heleboel mooie bomen,' zei Winter. 'Die zijn nu allemaal weg.'

'Zonde,' zei Ringmar.

'Ik heb dus een dubbelganger,' zei Winter.

Aneta Djanali belde Liz Berg. Die nam op nadat de telefoon twee keer was overgegaan.

'Ik bel iets eerder,' zei Djanali.

'Ze... Sandra... had meer van de stad gezien.'

'Ja?'

'Ik heb erover nagedacht, zoals we hadden afgesproken. En volgens mij zei ze dat ze in de gelegenheid was om nu iets meer van de stad te zien. Zo omschreef ze het ongeveer.'

'Hoe bedoelde ze dat? Meer van de stad?'

'Het was...'

'Welke delen van de stad?'

'Dat weet ik niet.'

'Was ze alleen?'

'Nee... Dat was waarschijnlijk waar ze op doelde. Verder wilde ze er niets over kwijt. Maar misschien zou ze dat nog doen. Dat dacht ik, dat ze meer zou vertellen.'

'Over degene met wie ze omging?'

'Ja. Misschien.'

'Wat zei ze over hem?'

'Ze zei niets over hem.'

'Zijn jullie uit geweest in de stad?'

'Nee.'

'De familie had een boothuis bij Tångudden. Heeft ze dat verteld?'

'Nee.'

'Wat zei ze over de Amundövik?'

'Dat ze daar weg wilde.'

'O?'

'Ze voelde zich er alleen.'

'Zei ze dat?'

'Zo heb ik het geïnterpreteerd.'

'Zei ze er verder nog iets over? Over de Amundövik?'

'Ik denk dat ze bang was. Ik moet er sinds ons gesprek steeds aan denken.'

Winter bestudeerde de foto's van de plaats waar Robin Bengtsson was vermoord, Robins húís. De bloedfoto's.

Het wapen hadden ze niet gevonden, het scherpe wapen. Het was niet hetzelfde wapen. Torsten Öberg was er zeker van, en hij kreeg steun van de patholoog-anatoom. De steekkanalen waren anders, de steken door de kleding: dit was een kleiner wapen, een andere snede, niet zo scherp. Het had langer geduurd voordat Robin dood was. Er waren meer steken nodig geweest dan de moordenaar had voorzien. In die zin leek het verloop niet op de moorden aan de Amundövik, maar dat was niet bewust gebeurd, dacht Winter.

Robins moordenaar wist misschien niet hoe het er in het huis aan zee uit had gezien.

Hij was er niet geweest.

Hoe hangt alles met elkaar samen? Winter liep naar de Panasonic op de vloer en zette Bill Frisells *History, Mystery* weer aan. Daarna ging hij zitten en keek naar een foto.

Robin zag er op het moment van sterven verbaasd uit, alsof hij toch niet had gedacht dat zijn laatste uur was geslagen. Dat het iemand anders overkwam. Alsof hij iets anders had verwacht. Iemand anders. Een vriend, een glimlachende vriend.

Twee loslopende monsters. De een is mijn dubbelganger. *Doppelgänger.* Wordt ingezet in crisissituaties. Er is een samenwerking. Die kunnen we nog niet zien. We hebben meer nodig, iets gewelddadigs, maar op een andere manier. Op een andere manier, dacht hij weer. Er is geen samenwerking. Dit zijn twee vormen van kwaad die losstaan van elkaar.

Op tafel rinkelde de telefoon schel, het klassieke geluid van vroeger dat bioscoopgangers de stuipen op het lijf kon jagen. *Herr Kommissar! Herr Kommissar!* De laatste angstkreet door de telefoon in *Das Testament des Dr. Mabuse* van Lang. Angela had de film een keer op een herfstavond meegebracht, ze hadden er laat naar gekeken en voor het eerst in tijden was hij door een film geraakt, de film was bijna even akelig als de werkelijkheid, misschien kwam het door de afstand in tijd, het zwart-witte licht, de gezichten die bij leven al grotesk waren. De inspecteur kon niet echt helpen.

'Ja?'

'Hallo, met Aneta. Ik hoorde dat je er nog was.'

'Ik ben nog met Robin bezig.'

'Ik heb Liz Berg gesproken, Sandra's vriendin. Ze zei dat Sandra bang was.'

'Ze zei zeker niet voor wie?'

'Zoals ik het begreep, ging het over de Amundövik.'

'Was Sandra thuis bang?'

'Zo heb ik het begrepen.'

'Jovan?'

'Dat heb ik gevraagd. Ik heb haar zonet nog een keer gebeld. Maar Liz kon niet zeggen of Sandra Jovan bedoelde.'

'En Liz wist niet wie het anders kon zijn?' zei Winter.

'Nee. Het was alleen een gevoel. Er was iets aan de hand met Sandra.'

'Je moet nog maar een keer met Liz praten,' zei Winter. 'Ze moet er nog wat langer over nadenken.'

Christian Runstig liep zonder stil te blijven staan langs het Opalplein, draaide zich na tweehonderd meter om, ging terug, bleef doorlopen, probeerde niet naar de nevelige lichten verderop te kijken, nam snel de Grevegårdsvägen naar de Näsetvägen, ging in zuidelijke richting verder langs de oude school, passeerde de voetbalvelden, stopte pas toen hij de baai had bereikt, Välen zoals die heette, dat wist hij, hier had hij als kind gespeeld, gevist, toen was het anders geweest, geen zwarten die je bang maakten als je naar huis ging.

Wat er op het Opalplein was gebeurd, had hem de stuipen op het lijf gejaagd, dat was iets om over na te denken. Het was in zijn hoofd gebeurd en alleen daar, het was *scary*, heel erg *scary*. En wat er daarna was gebeurd... en daarvoor...

Hij boog zich voorover en vond een kleine steen op de natte grond, bijna een moeras, gooide hem zo ver als hij kon, hoorde dat de steen het oppervlak raakte, een rustig geluid, zoals wanneer een fuut onder water verdwijnt. Hij had hier futen gezien, hij had ze zelfs namen gegeven, misschien was het die zomer geweest toen hij negen was, de beste zomer, voordat alles naar de verdommenis ging, het was de laatste zomer geweest. Voordat hij overal zo boos op werd. Voordat iedereen gestoord werd. Hij pakte nog een steen en gooide die in het zwart waar het water was, dat stond natuurlijk in verbinding met de baai bij Askim, het kwam langs het verdomde verdómde Amundö. Alles was met een goede daad begonnen, hij zou een pup voor Liv kopen, haar verrassen.

Winter nam even een kijkje bij Bert Robertsson in het huis van bewaring, een kijkje, wat een schattige uitdrukking, alsof hij hem wilde instoppen.

'Kennelijk is het maar een lichte vergiftiging,' zei hij tegen Robertsson, die met zijn hoofd in zijn handen op het bed zat.

Robertsson keek op.

'Ik heb in elk geval een black-out,' zei hij. 'Hoe ben ik daar terechtgekomen?'

'Kun je je helemaal niets herinneren?'

'Ik herinner me dat ik op weg naar huis was en daarna weet ik niets meer.'

'Dus iemand heeft je naar de Amundövik gebracht?'

'Dat moet haast wel.' Hij keek Winter aan. 'Hebt u weleens een echte black-out gehad?'

'Niet van alcohol.'

'O ja, u bent agent, u krijgt op uw donder, dat is onderdeel van het werk. Maar volgens mij liegt u.'

'Lieg ik?'

'Met chique drank gaat het ook, hoor. Beter zelfs. Of erger. Dure whisky is het ergst.'

'De drank van de duivel,' zei Winter.

'Hè?'

'Ik noem het de drank van de duivel.'

'Oké, oké, noem het zoals u wilt.'

'En ik geloof geen woord van wat je zegt, Bert.'

Gerda Hoffner maakte een kopje kruidenthee, dat werkte meestal rustgevend, zoals ook op de verpakking stond. Ze was onrustig. Nee, dat was het niet, het was iets anders, iets wat ze niet begreep. Het had natuurlijk met die man te maken. Ze dacht terug: ze hadden elkaar ontmoet toen zij hem had gevraagd te komen, hij was een van de mensen die ze had verhoord, hij was niet eerder in het onderzoek voorgekomen, hij was gewoon een werknemer zoals alle andere, een slachtoffer zoals alle andere mensen die bevriend waren geweest met Sandra.

Er waren geen bepalingen die het haar verboden om een keer met iemand af te spreken die tijdens een vooronderzoek was verhoord, een van de duizend, het was niet zo dat ze in het huis van bewaring hadden zitten praten en dat ze hem daarna had meegenomen naar een café, dat hij in de rechtbank had gezeten en dat ze hem daarna had meegenomen naar huis.

Ze zou Jens niet meenemen naar huis, hou op.

Ze zou niet met Jens meegaan naar huis, hou op.

Ze dronk van haar thee. De radio mompelde op de achtergrond, gewoon een coulisse van geluid, het was rustig, ze had de radio altijd aan, luisterde nooit.

De tram reed proestend de Sannabacken op, rustig. Een avondregen sloeg tegen het raam, rustig. Toen ze aan de Amundövik dacht, besefte ze dat ze er even niet aan had gedacht, een minuut lang was er een pauze in haar gedachten geweest, dat was rustig geweest.

Je kunt iemand niet een knal tegen zijn hoofd geven door meteen vanaf het begin teksten te scanderen – de luisteraar moet aan het proces wennen – we begrijpen langzaam dat zich achter de ongewone geluidsstructuur van het stuk een methode verschuilt – de muziek van Coltrane is niet abstract, maar wordt gedeeltelijk gestuurd door mededelingen die hij wil overbrengen.

Coltrane was zijn mantra buiten het bereik van de microfoon begonnen: ... *supreme... love supreme... a love supreme,* de producent zet de microfoon goed, wij horen alles, het spontane opdreunen na de partij van de tenorsaxofoon, de plotselinge stem van Coltrane zelf, alsof dat het enige logische was, het enige logische vervolg.

De muziek weerklonk door de woning, luid en helder, gestuurd door boodschappen die Winter probeerde te horen. Dat had hij eerder gedaan. Het was hem eerder gelukt.

Zijn mobieltje knipperde. Hij zette het geluid zachter.

'Angela.'

'Hoe gaat het met je?'

'Ik ben net thuis.'

'Dat vroeg ik niet.'

'Het gaat wel.'

'Ik ben vandaag met de meisjes bij Virgen del Carmen geweest.'

'Goed.'

'Het wordt goed,' zei ze. 'De begraafplaats is nu net zo mooi als... toen.'

'Nu zijn we echt gebonden aan Marbella. Is er al een uitspraak van de rechtbank?'

'Morgen.'

In Spanje werd de beslissing over een begrafenis formeel door de rechtbank genomen. Het tempo in Spanje was nu anders dan in de late jaren dertig. Siv zou het goed hebben op de Cementario Virgen del Carmen, in een dennenbos ten noorden van de stad, dichter bij de witte berg.

'Het is alsof ik John op de achtergrond hoor,' zei ze.

'Alleen hij en ik zijn hier.'

'En mr. Glenfarclas, 21 jaar jong.'

'Een kind nog maar,' zei Winter. 'Pure kinderroof.'

'Laat hem dan staan,' zei ze.

'Absoluut,' zei hij.

'Hoeveel vingers heb je vanavond gedronken?'

'Geen één. Ik zei toch dat ik net thuis was.'

'Wordt het laat vanavond?'

'Het is al laat,' zei hij.

'Blijf niet té laat op.'

'Er staat iets te gebeuren,' zei hij.

'Vannacht?'

'Binnenkort. Weer iets gewelddadigs.'

'Ik wil niet dat je erbij bent,' zei ze. 'Ik wil dat het ophoudt.'

'Binnenkort,' zei hij. 'Heel binnenkort.'

Hij schreef scenario's op zijn laptop, de documenten boven elkaar, naast elkaar, de mappen. De namen. De chronologie. Ze vervloeiden, maar niet om de juiste reden, niet omdat er verbanden waren. Het werd moeilijker voor hem om te zien.

Het geruis in zijn hoofd was erger geworden. Dat kwam niet door de muziek. Het kwam door hemzelf. Het was een constant geraas.

Hij schonk nog een glas whisky in, maar anderhalve vinger, dat was niets. Dat drupje zou zijn hoofd waarschijnlijk wel stil krijgen. Hij dronk, het smaakte naar honing en sherry, het kon Sevilla zijn, hij kon tijdens de Semana Santa op een balkon in Sevilla staan, met liefde voor alles, met Siv aan zijn zij op het balkon, ze zouden beiden naar het volk zwaaien dat nu het hare was, ze was nu een van hen, dezelfde aarde nu, moeder, mama, hij kon het niet zeggen, had het bijna nooit gedacht, moeder, 'Siv' was makkelijker, was altijd makkelijk geweest. Hij nam nog een slok, ze zouden elkaar weer zien, het afscheid op de begraafplaats was slechts het begin, *death is not the end*, er was een God, waarom zou er geen God zijn, hij was in Spanje zelfs groter, net zoals de zon er groter was dan waar ook. Siv zou weldra in de aarde worden gelegd, Gods gewijde aarde, rood, dat niet haar lievelingskleur was, vooral niet op verkiezingsposters. Moeder. Wie is er zoals jij.

Hij stond op om zijn gedachten tot stilstand te dwingen, de ellende in zijn hoofd werd er erger van, nu een snelweggedender langs de bulderende zee. Een paar weken geleden had hij achter de Shell-pomp aan de Bangatan een bord van de Zweedse tinnitusvereniging gezien en het geruis was meteen sterker geworden, zulke stomme rotborden moesten verboden worden, hij was niet een van hen, zou dat ook nooit worden, hij zou daar nooit heen gaan, dit zou vanzelf ophouden.

Hij tilde de fles op, er zat nog altijd drank in. Hij had nog niet zoveel gedronken, het was nog niet zo laat, nog geen drie uur, in de kamer riep Coltrane iets naar hem, hij hoorde niet wat, zijn hoofd maakte te veel lawaai, zijn moeder schreeuwde iets, Angela, de kinderen, de andere kinderen, ze schreeuwden. Hij schonk in, geen dom gedoe met vingers, alleen een slokje voor de smaak, hij lachte, dat was een goede omschrijving.

Coltrane sprak tegen hem, maar door zijn zogeheten tinnitus kon hij de boodschap niet horen. Hij liep naar de stereo-installatie en zette het volume harder, harder, harder, nu was het beter, veel beter, zo moest het zijn, hij had het vermogen van de installatie nooit echt goed getest, wanneer het belangrijk was zoals nu, het geluid was fenomenaal, luid, helder en duidelijk, het veegde al het andere weg, alles, hij ging in de fauteuil zitten, dronk en luisterde, het was geweldig, hij had nog nooit gedurfd de tenorsaxofoon van Coltrane op dit volume te beluisteren, hij leunde achterover, sloot zijn ogen en dacht aan wat er morgen zou gebeuren, dat hij dichterbij zou komen dan ooit, dat hij het zou weten, dat er nog iets zou gebeuren, iets wat net zo sterk was als wat hij nu beleefde. Hij luisterde. Hij verdween, kwam terug, verdween weer. Er was iets. Hij hoorde nóg iets, dwars door de muziek heen. Een ander ritme, alsof Elvin Jones plotseling anders was gaan spelen, of dat er op bovennatuurlijke wijze nóg een drummer in de studio was opgedoken. Hij stond op, dat ging goed, er zat een ander ritme in de muziek, een idiotenritme, *bonk bonk bonk,* het kwam ergens anders vandaan, niet uit de muziek maar uit een andere kamer, hij liep een rondje door de woonkamer maar daar was het niet, het kwam niet van de straat beneden, hij liep naar de hal en het ritme werd sterker en harder, het kwam bij de deur vandaan, hij liep er langzaam heen, iemand wilde naar binnen, *bonk bonk bonk,* hij hoorde nu een bel boven het gebons op de deur uit, wie ging er verdorie om halfvier 's ochtends bij iemand op bezoek, hij had gekeken hoe laat het was, dat moest je altijd doen, zou het gewelddadige nu gebeuren, dat wat hij had zien aankomen, dat waarvan hij wist dat het zou komen?

Hij stond achter de deur. In het trappenhuis zei iemand iets tegen iemand anders. Ze waren dus met zijn tweeën. Hij had altijd geweten dat ze met zijn tweeën zouden zijn.

'Ja?' schreeuwde hij door de deur heen.

Het gebons hield op.

'Wat is er?' riep hij, nu met zachtere stem.

'Wie is daar?' hoorde hij door de deur heen.

'Wat?' riep hij.

'Wie is daar?' zei een mannenstem aan de andere kant. Dat was toch wel vreemd.

'Erik Winter!' riep hij. 'Ik ben Erik Winter,' zei hij met zachtere stem.

'Zou je zo vriendelijk willen zijn de deur open te doen?'

'Waarom?'

'Doe alsjeblieft open.'

Hij had geen spionnetje meer, dat was er niet van gekomen toen ze de deur vervingen. Maar verdomme, natuurlijk kan ik wel opendoen, waarom zou ik mijn eigen deur niet open kunnen doen, eens kijken wat voor gekken hier in het uur van de wolf naartoe zijn geslopen.

Hij trok de deur wagenwijd open.

Er stonden twee agenten in uniform in het trappenhuis, een man en een vrouw. Ze leken niet verkleed. Ze kwamen hem vagelijk bekend voor.

'Ken ik jullie?' zei hij. 'Ik ben Erik Winter.'

'Ja... sorry,' zei inspecteur Vedran Ivankovic. 'Er zijn een aantal meldingen binnengekomen over... storende muziek hier.'

'Storende muziek? Het is verdomme John Coltrane!'

'Het is heel erg luid,' zei inspecteur Paula Nykvist. 'Echt heel erg luid. En het is bijna vier uur 's nachts.'

'Halfvier,' zei hij.

'Maar toch,' zei ze.

'Ik ben aan het werk,' zei hij.

De mannelijke collega knikte. Hij begreep het. Ze begrepen het alle twee.

'Kan het misschien toch wat zachter?' vroeg ze. 'De buren klagen.'

'Ja, ja,' zei hij en hij greep naar de deurkruk en die gleed bij hem weg, maar hij ging meteen rechtop staan, uiteraard.

'Oeps, alles goed?' vroeg de man.

'Het is laat,' antwoordde Winter. Hij zei 'Welterusten' en sloot de deur.

33

Hij stond om halfacht op. Buiten scheen de zon, zijn hoofd brandde toen hij het balkon op liep om lucht te krijgen. Hij trok zijn ochtendjas dichter om zich heen. Het koper op de daken van de huizen glom. De bergen in de verte waren vaag groen. Op een andere dag zou het mooi zijn geweest, een bekrachtiging van het leven zelfs, verheffend.

Nooit meer.

Glenfarclas was een drank voor gentlemen. Iets wat je meer opsnoof dan dronk.

Hij was een gentleman.

Vooral tegenover zijn collega's.

Nooit meer.

Verzachtende omstandigheden? Ja en nee.

Hij liep de woonkamer weer in en liet de balkondeur openstaan. De stereo-installatie glom in kwaadaardig groen. Hij zette hem uit, liep naar de keuken, maakte een sterke café au lait, ging aan tafel zitten, zette de laptop aan, die hij kennelijk vannacht hier had laten staan, liet de koffie zijn lichaam schoonspoelen, een illusie, het voelde beter, de vrees steeg naar het plafond, hij zette het keukenraam open en liet haar wegzweven over de binnenplaats, over de koperen daken.

Een uur lang las hij uitdraaien van verhoren, onderstreepte passages en maakte aantekeningen in een zwart notitieboekje.

Vervolgens regelde hij vervoer. Dit was de laatste keer dat hij dat zou moeten doen. Hij belde niet om een surveillancewagen maar om een taxi, waarschijnlijk uit schaamte, hij kon het zich best veroorloven, een lage straf. Er zaten nog wat keeltabletten in een doosje in een van de vier colberts die in de gang hingen. Hij controleerde of zijn zonnebril in zijn binnenzak zat.

Jens Likander belde Gerda Hoffner om tien uur. Ze was bezig getuigenverklaringen van Robins buren in Frölunda samen te stellen. Het materiaal was mager. In gedachten zag ze een beeld: drie gestalten die hun handen voor hun oren, ogen of mond hielden.

'Ik moet je zien,' zei hij.

'Toe nou.'

'Het is niet wat je denkt. Het gaat over Sandra.'

'Wat wil je vertellen?'

'Kunnen we ergens afspreken?'

'Heb je echt wat te vertellen, Jens?'

'Ik denk het wel. Ik heb aan haar gedacht.'

'We kunnen het telefonisch afhandelen.'

'Ja...'

Misschien beging ze een vergissing. Misschien viel er iets te horen. Het kon niet verkeerd zijn met hem af te spreken. Misschien wílde ze dat wel.

'Oké, we spreken ergens af,' zei ze. 'Had je een speciale plek in gedachten?'

Winter stond bij het raam in de kinderkamer. Hij hoorde kindergeschreeuw, hij hoorde voetstappen. Katers verscherpten je zintuigen. De tinnituszenuw siste in zijn achterhoofd, schuin achter zijn rechteroor, maar het was nu niet onaangenaam.

In zijn hoofd hoorde hij meer schreeuwen en stemmen, twee volwassen stemmen. En meer voetstappen.

Robert Krol liep buiten op straat, ging voor het huis staan, precies zoals Winter had geweten. Krol deinsde terug toen hij Winter achter het raam zag staan. Het licht was uitstekend, ook precies zoals Winter had geweten.

Krol stak zijn hand op in een groet.

Winter stak zijn hand op.

Krol liep weg.

Winter ging naar de trap.

'Wacht,' riep hij.

Krol draaide zich om, draaide zich toen weer terug en liep verder.

Bij de speeltuin had Winter hem ingehaald.

'Waarom bleef je niet staan? Je hoorde me toch?'

Krol stond nu stil.

'Dus jullie moeten mijn leven helemaal sturen?' vroeg hij.

'Wat bedoel je?'

'Je ruikt naar alcohol.'

'Mijn keeltabletten zijn op.'

'Is dat een antwoord?' vroeg Krol.

'Ik dacht dat je met je wandelingen was gestopt,' zei Winter.

'Woon je hier nu?'

'Je lijkt agressief.'

'Ik ben het alleen zo beu.'

'Wat ben je beu?'

Krol antwoordde niet.

'Wat ben je beu?' herhaalde Winter.

'Dat er blijkbaar nooit een eind aan komt. Dat dit nooit wordt opgehelderd.'

'Je zou kunnen helpen.'

Krol deed een pas achteruit, alsof hij Winter dan beter recht aan kon kijken. Hij liet zijn blik na tien tellen los, dat was een lange tijd.

'Ben je hierheen gekomen om dat te zeggen?'

'Ja.'

'Ik heb alle tests doorstaan waaraan jullie me hebben blootgesteld. Als je bewijzen hebt, laat die dan zien, anders kun je de pot op.'

Krol begon weer te lopen. Winter legde een hand op zijn arm.

'Robert.'

'Ja, wat is er?'

'Verberg je iets?'

'Nee, nee, nee.'

'Je kende Sandra een beetje. Heeft ze iets gezegd?'

'Wat zou dat dan moeten zijn?'

'Dat ze bang was.'

'Was ze bang? Wanneer?'

'In de periode voor de moord. Vlak daarvoor.'

'Nooit iets over gehoord. Ze heeft in elk geval nooit iets tegen mij gezegd.'

'Oké.'

'Het was niet makkelijk moet ik zeggen om daar iets te horen,' zei Krol. Winter zag de schaduw van een glimlach op zijn lippen. 'Of te zeggen.'

'Sorry?'

'Het was er nogal lawaaierig, om het zo maar te zeggen. Misschien niet gepast nu... maar de jongen rende vaak de trap op en af en, tja... er woonden kinderen, hè?'

Winter knikte.

'Buiten is het rustiger, om het zo maar te zeggen.'

Winter knikte weer.

'Nu moet ik gaan. Mijn vrouw wacht met de koffie.'

Ze dronken een kopje koffie in de bar van Absalon.

'Een beetje te vroeg voor bier,' zei hij. 'En jij hebt dienst.'

'Jij werkt toch ook?'

'Zeker weten.'

'Waar wil je het met me over hebben, Jens?'

'Ik had de indruk dat ze... Sandra... Dat het niet zo goed met haar ging.'

'Waarom dacht je dat?'

'Het is een gevoel. Iets... Ik weet het niet.'

'Heb je niets concreters?'

'Eigenlijk niet.'

'Kende je haar zo goed dat je dat gevoel kon hebben?'

'Ik ben gewoon sensitief.'

'Je neemt me toch niet in de maling, hè?'

'Nee.'

Hij keek ernstig.

'Wat zei ze erover?'

'Ze zei er niets over.'

Hoffner knikte.

'Kan dat jullie helpen?' vroeg hij.

'Alles kan helpen,' zei ze.

'Je moet het zeggen als je het... belachelijk vindt dat ik je heb gebeld.'

'Ik vind het niet belachelijk.'

'Sinds wij... elkaar kennen heb ik veel aan haar gedacht... of beter gezegd, aan wat er is gebeurd... en dan realiseer ik me dat jij je daarmee bezighoudt.'

'En wat denk je dan?'

'Dat het gevaarlijk kan zijn.'

'Dat denk ik niet.'

'Niet?'

'Het is bijna nooit gevaarlijk.'

'Wat een antwoord,' zei hij glimlachend. 'Dat wordt een klassieker.'

'Wanneer, Jens?'

'Wanneer wij elkaar weer zien,' zei hij en hij glimlachte opnieuw.

Winter zag hem over de parkeerplaats aan komen lopen. De hond holde tien passen voor hem uit. Toen het dier Winter in de gaten kreeg, draaide het zich om en rende vliegensvlug terug naar het baasje.

'Geprogrammeerd om te vluchten voor gevaar,' zei Winter.

Ze waren tegenover elkaar blijven staan.

'Ik had zelf ook zin om te gaan rennen,' zei Runstig.

'Dat heb je al gedaan.'

'Jij ook,' zei Runstig.

'Ik ben hier met vreedzame bedoelingen naartoe gekomen,' zei Winter.
'En die zijn?'
'Dat kan ik niet uitleggen.'
'Valt er iets uit te leggen?'
'Ik denk het wel. Bijvoorbeeld waarom je hier bent.'
'Mag ik niet meer op Amundö komen? Dat wist ik niet.'
'Ik ben alleen verbaasd,' zei Winter. 'Ik dacht dat dit de laatste plek op aarde zou zijn waar je weer naartoe zou willen.'
'Vraag Jana maar,' zei Runstig en hij keek naar pup. Die zat keurig naast hem.
'Ik vraag het jou, Christian.'
'Jana heeft het hier naar haar zin. Ik... Het is oké om hier te zijn. Het gaat niet om mij. Ik ben vergeten waar het om ging.'
'Dat geloof ik niet.'
'Wat mezelf betreft. Ik ben het vergeten.'
'Wat doe je tegenwoordig? Wanneer je niet met Jana aan het wandelen bent, dus.'
'Niets bijzonders.'
'Ben je boos?'
'Niet speciaal.'
'Mooi.'
'Gisteren zag ik een negerfamilie en ik voelde niets bijzonders.'
'De volgende keer noem je ze misschien niet eens negers.'
Jana was bij hen weggelopen, naar het eiland, ze draaide zich om, haar blik was duidelijk.
'We moeten verder,' zei Runstig.
'Tot ziens,' zei Winter.
'Dat hoop ik niet.'

34

Ze stonden op het hoogste punt. Hij kon alles zien. Hij wist niet hoeveel Jana kon zien, maar het belangrijkste was wat híj kon zien. En er was op zee van alles te zien, goud, zilver en ijzer, allemaal ongerept moois, dacht hij. Hij zag de huizen beneden. Er kwamen en gingen wat auto's, ze bewogen als kevers. Enkele mensen bewogen er als mieren. Dat is wat we zijn, dacht hij, meer worden we nooit. Dit is het beste perspectief dat we op onszelf kunnen hebben.

Jana was ondertussen op weg naar beneden. Hij ging achter haar aan. De hemel brak open als een gat, blauw, blauw, blauw als een belofte van iets anders, iets beters.

Ze liepen door de wei. Hij wist dat de paarden binnenkort terug zouden komen, ze waren er al geweest toen hij nog klein was – niet dezelfde paarden natuurlijk, maar ze hadden er net zo uitgezien, fjordenpaarden, de mooiste, hij had er als kind een willen hebben. Hij had gedacht dat hij later met paarden of in de visserij zou gaan werken, of beide.

Hij stond nu op de brug. Jana was al naar de overkant gestuiterd en een flink eind het fietspad op gerend.

'Jana! Jana!'

Ze reageerde niet. Misschien was hij te lang weg geweest, precies in de periode dat hij Jana had moeten leren wat goed en fout was. Liv had er geen puf voor gehad en de hond was tenslotte een tijdje ergens anders geweest, misschien hadden ze geprobeerd haar te verhoren, ha ha.

Hij wilde niet dichter naar het húís toe gaan. Hij wilde terug naar de eenzame parkeerplaats en wegrijden met de enige auto die daar stond. Dat was wat hij op dit moment wilde.

Hij liep het fietspad op. Hij kon Jana in de verte zien, hij had haar moeten aanlijnen. Ze stond voor een huis links, ze draaide zich om en stoof weer naar hem terug. Het was een klein huis met slapende heggen aan de voorzijde, door een hek kon hij stukken gazon en aarde zien, Jana had aarde aan haar poten.

'Kom hier, hond,' zei hij en hij tilde haar op. Ze rook naar aarde en gras en zee en wilde dieren, en hij vond het heerlijk.

Een gespecialiseerde technicus zat samen met Peggy en Lan achter de computer. Op het scherm was het een komen en gaan van gezichten, delen van gezichten, het werd in een paar tellen kunst, je kon associaties leggen met de allergrootste.

Lan had schuw naar Winter gekeken toen hij de kamer op het politiebureau binnen was gekomen, alsof híj de dader was, wat ze ook zeiden, wat ze haar ook probeerden wijs te maken. Dit was het Westen, daar was alles mogelijk.

Peggy zei iets in het Thai tegen Lan, in Winters oren klonk het als *Kun sabai dii ruu, Lan? Garouna poudd cha cha*, maar het was ongetwijfeld iets anders, het was een melodie in zijn gekwelde oren, Peggy probeerde haar zus gewoon gerust te stellen.

Lan antwoordde iets. Peggy keek naar Winter.

'Je lijkt niet heel erg op hem, zegt ze.'

'Ze hoeft zichzelf niet te corrigeren omdat ze denkt dat ik dat wil,' zei Winter. 'Als ik op die man lijk, dan is dat niet anders. Het kan een voordeel zijn.'

'Hij was jonger,' zei Peggy.

'Mooi.'

'Maar jij ziet er ook jonger uit. Hoe oud ben je?'

'Ik ben een vijftigplusser.'

'Dat zou je niet zeggen.'

'Dank je wel, Peggy.'

'In Thailand zijn mannen van over de vijftig oud,' zei ze. 'Ze zien er oud uit.'

'Ik heb gewoon geluk gehad,' zei hij.

Maar niet lang meer. Heb ik onlangs niet gedacht dat je op je vijfenvijftigste het gezicht hebt dat je verdient? Hoe dan ook denk ik het nog een keer. Dat is al over drie jaar, drie jaar van gematigdheid.

'Dat is hem!' hoorde hij Lan roepen.

Winter keek naar het gezicht op het scherm, dat nu af was. Hij zag zichzelf. Erik Winter.

Torsten Öberg krabde in zijn baard. Het was een korte en mooie baard, het leek alsof hij ermee was geboren, alsof de baard een deel van zijn persoonlijkheid was geweest dat al helemaal klaar was voor de toekomst.

'De snede is verschrikkelijk scherp geweest, maar op sommige plekken begint het mes bot te worden,' zei hij, 'alsof de dader het niet heeft geslepen of niet goed heeft verzorgd. Er zat ook roest op.'

Ze waren beneden, op de technische afdeling. Het was alsof ze in een futuristisch laboratorium zaten.

'Een lange snede,' zei Winter.

'Ja, het kan een lang mes zijn, maar ik denk eerder aan een zwaard, misschien een sabel.'

'Hm.'

'Misschien iets exotisch?'

'Exotisch?'

'Iets van een andere cultuur dan de westerse.'

'Keuze genoeg,' zei Winter.

'We zijn ermee bezig.'

'Maar geen katana bij de arme Robin,' zei Winter.

'Een katana is sowieso te lang,' zei Öberg.

'Je snapt wat ik bedoel.'

'In Frölunda is een korter mes gebruikt, scherp als de dood. Een jacht-mes, denk ik. Een breed lemmet, een korte snede. Een effectief wapen.'

'En geen vingerafdrukken,' zei Winter.

'Inderdaad.'

'Maar het kan dezelfde dader zijn.'

'Natuurlijk.'

'Het is lastig om met een zwaard bij een winkelcentrum rond te lopen.'

'Dat valt wel mee,' zei Öberg.

'Zou het kleine beetje DNA van Robins overhemd genoeg kunnen zijn?'

'Ja. De dader is vergeten om niet uit te ademen.'

'Het kan ook iemand anders zijn, een maat die langskwam en wat te drinken kreeg.'

'Nee, en dat weet je. Ik ben best trots op dit materiaal.'

'Maar we moeten toch wachten. Kun jij wachten, Torsten? Ik niet.'

'Ik moet wel. En ondertussen werken we met wat we hebben en waar we wat mee kunnen.'

'Ik hoef niet te wachten,' zei Winter en hij stond op.

'Wees voorzichtig.'

'Zo voorzichtig als ik maar kan.'

'Meer nog, Erik. Meer nog.'

Bert Robertsson belde een geheim nummer. Hij realiseerde zich ineens dat zijn telefoon misschien werd afgeluisterd, maar dat was toch zeker onmogelijk? Hij hing op, pakte zijn prepaidmobieltje en toetste het nummer nog een keer in.

'Ja?'

'Waar was je opeens?'

'Nergens.'

'Ik heb je toch gehoord! Je stond achter me.'

Geen antwoord.

'Daarna herinner ik me niets meer.'

'Denk daaraan.'

'Waaraan?'

'Je leeft, nietwaar?'

'Ik ben er zelf naartoe gegaan,' zei Robertsson. 'Zou je me gedragen hebben?'

'Er komt geen volgende keer. Je weet waartoe ik in staat ben. Je weet het nu.'

'Ik kan alles vertellen.'

'Je krijgt een heleboel jaar, Bert. Wil je dat?'

Robertsson antwoordde niet. Zijn mond was droog. Hij wist wat dat betekende.

'We moeten een deal kunnen sluiten,' zei hij, 'jij en ik. Ik kan ook een deal met de politie sluiten.'

'We zijn hier niet in Amerika.'

'Ik kan je niet zomaar laten lopen.'

Het was stil in de hoorn. Robertsson hoorde een vaag geluid, alsof de ander buiten stond, was het een instrument, iemand die buitenshuis speelde? Het klonk als auto's, een roep en nog iets anders, als een markt, een groot plein.

'Oké, laten we iets afspreken zodat we erover kunnen praten.'

'Geen streken.'

'Als ik iets anders had gewild, hadden we nu niet met elkaar gesproken, Bert.'

'Wat stel je voor? Een parkeergarage om middernacht?'

'Iets veel beters.'

Winter klopte op Ringmars deurpost. Ringmar keek op van zijn scherm.

'*Permesso?*'

'Kom binnen, Erik.'

Winter liep naar binnen en ging op de stoel bij Ringmars bureau zitten.

'Shit, we kunnen deze compositietekening niet rondsturen,' zei Ringmar.

'Dat is geen compositietekening, dat ben ik.'

'Daarom juist.'

'Ik zou Robert Krol voor verhoor willen ophalen.'

'Opnieuw?'

'Hij is nog niet hier geweest.'

'Vertrouw je hem niet?'

'Hij verbergt iets.'

'Misschien verbergt hij zijn eigen verwarring en verdriet,' zei Ringmar. 'Hij woont daar tenslotte.'

'Dat wil hij niet verbergen,' zei Winter.

'Is het niet beter om daarheen te gaan?'

'Dat heb ik al een paar keer gedaan.'

'Wil je dat ik meega?'

'Nee...'

'Hoe gaat het, Erik?'

'Waarmee?'

'Je ziet er moe uit.'

'Dat kan ik van jou niet zeggen.'

'Eenzaamheid leidt soms tot lange nachten.'

'Hm.'

'Daar weet ik alles van.'

'Dat spijt me voor je.'

'Je ziet eruit alsof je een kater hebt.'

'Klopt. Die begint nu te zakken.'

'Pas maar op.'

'Spreek je nu ook uit ervaring?'

Ringmar keek hem aan.

'Heb je wel eens van ontkenning gehoord?'

'Nooit.'

35

Ze hadden alle twee lucht nodig en verlieten de gigantische werkplek die het nieuwe politiebureau zou worden, een schittering in grijs, de lievelingskleur van het futurisme, zichtbaar vanaf de maan.

'Heerlijke nieuwe wereld,' zei Ringmar toen hij de Skånegatan op reed.

'Ik hou er wel van wanneer je optimistisch bent, Bertil.'

'Er is veel om blij mee te zijn, weet je.'

'Dat is inderdaad zo.'

Hij keilde een platte steen vanaf zijn lievelingsplek in het zand, een-twee-drie-vier-vijf-zes, ha! De zee was rustig, kalm als ijs, hoewel het ijs naar de bodem was gezonken.

'Doe dat nog eens!'

Ringmar pakte een steen van de juiste grootte en slingerde die weg. Hij zonk bij het eerste contact met het water en kwam nooit meer boven.

'De verkeerde techniek, Bertil.'

'Dat kan me niet schelen. Ik kreeg pijn in mijn schouder.'

'De verkeerde techniek.'

Winter liet nog een virtuoze worp zien.

'De meeuwen klappen voor je,' zei Ringmar.

'Dat zijn mijn vrienden.'

'Ga je dat huis ooit nog eens bouwen?'

'Ja.'

'Wat zegt je gezin?'

'Hetzelfde als jij.'

'Daarna hoef je niet half West-Zweden te doorkruisen om steentjes te keilen.'

'Ik weet het.'

'Je kunt hier tot ver in de toekomst staan.'

'De oude man en de zee.'

'We kunnen hier samen staan.'

'Dat is nog ver weg, Bertil.'

'Voor jou wel.'

'Er is voor ons nog veel te doen.'

'Zo meteen zit je weer in Spanje. Dit was niet meer dan een bezoekje aan de werkelijkheid.'

'Ik ga terug als dit voorbij is.'

'Wanneer is het voorbij?'

Winter keek op zijn horloge.

'Morgenmiddag om zestien uur nul nul,' zei hij. 'Of de dag erna, maar op dezelfde tijd.'

'Oké, als jij het zegt. Maar daarna ga je zo snel mogelijk weg. En dan bedoel ik niet voor de begrafenis.'

'Ik wil dat je meegaat, Bertil.'

'Naar de begrafenis? Nee, nee. Die is voor de familie.'

'Daar hoor jij bij.'

'Niet bij mijn eigen,' zei Ringmar. Hij pakte een steen en liet die met een lange beweging uit zijn hand glijden, een-twee-drie-vier-vijf, ver over het zwarte oppervlak tot de steen onzichtbaar werd, nog altijd draaiend in de lucht, onmogelijk te stoppen.

'We gaan samen,' zei Winter. 'Dat zullen we nodig hebben.'

'Ik hou er wel van als je pessimistisch bent.'

'Zie het als een vakantie.'

'Waarvan?'

'Van het leven,' zei Winter en hij pakte weer een steen, die was perfect, als gemaakt om ermee te keilen. 'Maar ik heb te kort geleefd om daar echt veel van af te weten.'

'Zolang je steentjes kunt keilen, leef je.'

'Het leven is slechts een vakantie van de dood, Bertil.'

'Moet ik daaraan denken tijdens een begrafenis?'

'Je moet aan het leven denken.'

'Daar denk ik vrijwel constant aan. Ik probeer al het goede te zien dat het leven brengt.'

'Dan moet je maar flink genieten.'

'Ja. Die stenen hebben het eeuwige leven.'

'Het zijn dode dingen, Bertil.'

'Maar ze hebben verdomd veel snelheid.'

'Het heeft die stenen tien miljoen jaar gekost om het strand te bereiken. Maar ze komen terug.'

'Het klinkt alsof je kater minder wordt.'

'Ik heb me nog nooit zo goed gevoeld, *pardner*.'

Winter liet de steen midden in de perfecte beweging los en die schampte het oppervlak in de verte, na dertig meter, hij bleef schampen, alleen maar schampen, steeds weer, steeds verder, de baai in, langs de meest zuidelijke punt van de zuidelijke scherenkust, over de zee, het Skagerrak, de Noordzee, de Vissersbank, hij voelde het in zijn arm, hij wist het.

Bert Robertsson verliet het rijtjeshuis in Södra Brottkärr te voet. Hij dacht aan het oude geld dat hij van zijn moeder had geërfd, waardoor hij alle jaren als een prins had kunnen wonen. Daar wilde hij mee doorgaan. Hij had het geld nodig, nietwaar? Hij deed eigenlijk niets crimineels. Hij had niets gedaan. Hij zou minder gaan drinken, misschien zelfs stoppen, hoe moeilijk kon dat zijn?

Hemelsbreed was het niet ver, te voet bijna net zo dichtbij, vrijwel linea recta naar het westen, hij rook de geur van de zee al op de Byvägen.

Hij zag geen mens toen hij via de klippen naar het kleine strand liep. De zon schitterde op de scheren, het was de mooiste dag van het jaar tot nu toe. Bij een rots lag een plastic emmer. Voor hem stonden de ruïnes van een zandkasteel; het moest groot zijn geweest toen het nog intact was. Er had een prins in kunnen wonen. Het kasteel moest een restant van de zomer zijn. Hij was al in geen jaren op dit strand geweest. Niet veel mensen kenden deze plek. De ander wel. Hij bezat misschien een van de huisjes, kleedhokjes waren het eigenlijk, ze kostten vermoedelijk net zoveel als zijn rijtjeshuis, die klootzak kon best betalen, hij kon nog zo hard zweren dat hij onschuldig was, maar betalen zou hij.

Er lag een kano op het land, die glansde van roodbruin hout, hij leek nieuw, net gearriveerd.

Achter hem kraakte er iets en hij draaide zich om; het was de deur van een van de huisjes, die was blauw geschilderd, het zag er mooi uit, versleten en gebleekt door de winden van de seizoenen.

De ander kwam naar buiten.

'Welkom,' zei hij.

'Zo klinkt het net alsof dit van jou is. Het strand dus.'

'Ik ben een van de eigenaren.'

'Hoeveel mensen kunnen er in zo'n kleedhokje?'

'Dat heb ik nooit uitgeprobeerd. Dat is als uitproberen met zijn hoevelen je in een Volkswagen past.'

'Is dat huisje van jou alleen?'

'Jazeker.'

'Wat zou je ervoor krijgen als je het verkocht?' vroeg Robertsson.

'Geen idee.'

'Dat moet je dan uitzoeken. Want dat bedrag wil ik hebben.'

'Zouden we het daar nu niet over hebben?'

'Ben je hier in de kano naartoe gekomen?'

'Is er een andere manier? Wil je een tochtje maken?'

'Met de kano? *Nice try.*'

'Ik wil je geen kwaad doen.'

'Ik jou ook niet.'

'Vijftigduizend,' zei de ander.

'Vijftigduizend wat?'

'Vijftigduizend kronen.'

'Vijftigduizend euro,' zei Robertsson.

'Ik dacht dat we zouden praten. Dat jij wilde praten.'

'Praten over wat een leven waard is? In dat geval kunnen we vijftig miljoen zeggen.'

'Ik ben onschuldig, dat weet je.'

'Heb je dat ook tegen Robin gezegd?'

'Ik heb Robin nooit gezien.'

'Hij jou wel.'

'Dat zei hij, ja.'

'Maar hij heeft jou niet verteld dat hij het mij ook heeft verteld.'

De ander stond nog altijd in de deuropening. Robertsson kon in de schaduw binnen een houten muur zien, dingen die op haken leken, het maakte niet uit hoe het er binnen uitzag, het huisje was geld waard, hoe het er verdomme ook maar uitzag.

'Jullie zijn niet meer dan een stelletje zwervers,' zei de ander nu. 'En gelukszoekers, omdat jullie zelf niets kunnen. Jullie zijn leugenaars. Jullie hebben tegen de politie gelogen. Jullie dachten alleen maar aan het geld dat jullie konden verdienen door te dreigen en te chanteren. En je hoeft maar naar Robin te kijken om te weten wat er gebeurt als je tegen de politie liegt.'

'Als hij jou niet achter dat raam had gezien, had hij nu nog geleefd.'

'Ik heb hem uitgelegd wat ik daar deed. Ik heb het jou uitgelegd. Ik ging even bij de kleine meid kijken en toen ik wegging, leefden ze allemaal. Dat was de laatste keer dat ik daar was.'

'En toen je naar buiten kwam,' zei Robertsson, 'zag hij je weer.'

'Dat weet ik.'

'Misschien heb ik je ook wel gezien.'

'Chantage is erfelijk onder krantenbezorgers.'

'Wij zien alles.'

'Je bent een zielig type.'

'Het bedrag is nu honderdduizend euro. Dat is lang geen miljoen. Je kunt het je makkelijk veroorloven.'

'Ik heb mijn geld voor andere dingen nodig. Ik heb niets gedaan.'
'Voor andere dingen? Ga je een gezin stichten of zo?'
'Inderdaad.'

Winter las de moordbijbel. Hij dacht aan God. Bestaat God? dacht hij. Ja, hij moet bestaan, in elk geval bestaan zijn kerken. Ik vind ze bijna allemaal mooi. Ik ben sinds ik thuis ben niet in de Vasakerk geweest. Dat is een vergissing. In een kerk zijn bijna altijd antwoorden te vinden, het is er stil genoeg, het is er altijd stil, ook wanneer er wordt gezongen of gebeden. Ik bid niet, ik bad niet toen Siv overleed, ik moet bidden.

Hij las een rapport van Gerda Hoffner, keek naar de foto die ze had gemaakt van een geplastificeerde mededeling die aan een boom had gehangen.

'Hallo. Aardig en keurig stel zoekt woonruimte in de omgeving, een deel van een villa of een appartement. We helpen graag mee in de tuin. Kleine maar lieve zoon. Prachtige vierkamerflat in Olskroken. Financiën op orde.'

Vervolgens een telefoonnummer.

Hij toetste het in.

Een vrouw nam op met haar voornaam, Eva.

Hij stelde zich voor.

'Ja...?' zei Eva.

'Ik zie dat jullie in de buurt van Amundö woonruimte zoeken. Hoe gaat het?'

'Hoe weet u dat?'

'Er hing een briefje. Dus het is geen geheim, neem ik aan?'

'Nee, natuurlijk niet.'

'Lukt het een beetje?'

'Nee, tot nog toe niet in elk geval.'

'O? Wel iets op het oog?'

'Nee, op dit moment helaas niet. Even leek het alsof we een klein huis konden huren, maar de eigenaar veranderde van gedachten.'

'Een klein huis?'

'We hadden het in eerste instantie voor een jaar kunnen huren, maar de man besloot niet te verhuizen.'

'Wanneer was dat?'

'Dat hij van gedachten veranderde?'

'Dat jullie dat huis werd aangeboden.'

'Dat was eind januari, vlak nadat we de briefjes hadden opgehangen.'

'En wanneer veranderde hij van gedachten?'

307

'Dat was best vreemd. Slechts een paar dagen later, hoogstens een week. Ik weet het niet meer precies, maar het was vlak erna. Dat geluk was van korte duur.'

'Werd dat huis door een echtpaar te huur aangeboden?'

'Ja, een man en zijn vrouw. Ik heb alleen met hem gesproken.'

'Was hij oud of jong?'

'Ik heb hem nooit ontmoet. Maar hij klonk al wat ouder.'

'Hebben jullie het huis wel gezien?'

'We zouden het dat weekend gaan bekijken, maar toen was het al te laat.'

'Hoe heette hij?'

'Ik heb het ergens opgeschreven, als ik het papiertje niet heb weggegooid. Kan ik terugbellen?'

36

Winter sprak Gerda Hoffner in de vergaderruimte. Hij had haar gevraagd te komen. Er hing een kaart van West-Göteborg aan de ene muur. Op het whiteboard waren in verschillende kleuren een aantal namen opge- schreven. Langs de andere muur stonden diverse whiteboards op een rij, vol tijden en locaties.

Ze kwamen hier allemaal elke dag, maar zelden tegelijk. Winter liep elke dag overal langs, schreef iets op.

'Ik heb een vrouw gesproken die Eva Jais heet,' zei hij. 'Komt die naam je bekend voor?'

'Nee, niet een-twee-drie.'

'Ze had bij de Amundövik briefjes opgehangen omdat ze op zoek was naar woonruimte, voor zichzelf, haar man en een lief zoontje.'

'O ja.'

'Goed dat je het had genoteerd.'

'Dank je.'

'Ik zag je notitie vandaag. Heb ik goed begrepen dat je er niets mee had gedaan?'

'Ik... moest met iets anders aan de slag. Ik wilde het doen. Ik doe het meteen.'

'Ik heb zelf gebeld,' zei Winter. 'Ze is op zoek naar de naam van de man van wie ze een huis kon huren.'

'Is dat doorgegaan?'

'Nee, het is niets geworden.'

'En zij belt ons terug?'

'Zo snel mogelijk.'

'Betekent het iets?'

Zodra ze dat had gezegd, had ze er natuurlijk spijt van. Wat een stom- me vraag. Hij ziet er moe uit, alsof hij geen tijd heeft om zijn medewer- kers de meest basale, simpele dingen te leren, en hij heeft niet de energie om op idiote vragen antwoord te geven.

'We zullen zien,' zei Winter.

'Ik...' begon ze te zeggen, maar hij was al op weg naar buiten. Het was de vriendelijkste reprimande die ze ooit had gehad. Dat was nog wel het ergste.

Bert Robertsson stond in de schaduw naast het badhokje of hoe je het maar moest noemen. Misschien zou hij het overnemen, het gewoon van de ander overnemen.

'Ik accepteer geen creditcards,' had hij zojuist gezegd.

'Er moet een manier zijn om tot overeenstemming te komen,' had de ander gezegd. Robertsson had de vertwijfeling in zijn ogen gezien, mogelijk ook dat het angst was, nu hij aan de rand van de afgrond stond, zonder uitweg, wat hij op dit moment ook allemaal maar voelde. Dan moet hij me doodslaan. Maar dat lukt hem nooit. Ik heb even gedacht dat hij degene is die Robin heeft vermoord, maar hij kan het niet zijn geweest, dat was natuurlijk dat monster dat ook die vrouw en die kinderen om zeep heeft geholpen.

'Oké, oké, geef me nu maar tweehonderdduizend en dan zijn we klaar,' zei hij. 'Dat is schandalig goedkoop om je carrière te redden. En misschien je leven!'

'Ik begrijp nog altijd niet hoe je kon weten dat ik daarbinnen was.'

'Robin had je al eerder gezien. Wist je dat niet? Hij wist waar je woonde.'

'Natuurlijk.'

'Heb je het geld bij je? Je zou het meenemen!'

'Het ligt binnen.'

'Ik wacht hier.'

De ander ging het huisje in, door de stand van de zon leek het binnen nu zwart. Waar de ander stond was het zwart, aan de andere kant van de zee-engte was het zwart, silhouetten van bomen en struiken op Lilla Amundö, hij draaide zich die kant op terwijl hij met één oog de deur in de gaten hield, hij was bereid, hij kon...

De stoot trof hem precies in zijn onderrug, alsof hij werd getackeld, een duw kreeg, een slag, een schok die geen pijn deed, hij hoorde zelfs de ademhaling achter zich; hij vroeg zich af of er een tweede deur in het huisje zat, aan de achterkant, wie had dat kunnen denken, goed geolied en stil, en overal zacht zand, nat zand, sluipzand, de ander moest nu op blote voeten lopen, die worden vuil.

Winter liep over Heden en realiseerde zich hoe lelijk deze plek was, zelfs in de schemering, hoeveel dingen er in Göteborg lelijk waren die eigenlijk mooi en functioneel konden zijn, hoe verschrikkelijk het er bij

310

de kanalen uitzag, dat het er altijd zo had uitgezien, terwijl de politici en de zakenlui de zogeheten Evenementenroute schoonhielden, het beursgebouw, de Gothia-torens en het pretpark Liseberg, een halve kilometer verkeersopstopping, en voor bedrijven, de welgestelden en soms de toeristen kropen, terwijl ze de burgers van de stad in hun sop lieten gaarkoken, wat een gezeur, het kan me niet schelen maar het kan me wel schelen, dit is ook mijn stad, ik bescherm die stad, míjn stad, iedere gek zou de infrastructuur beter hebben gepland, Fredrik, Aneta, Bertil, Christian Runstig.

Er prikte iets in zijn borst. Hij pakte zijn iPhone.

'Angela.'

'Waar ben je?'

'Ik loop over Heden.'

'Is er nog iets gebeurd?'

'Er gebeurt aldoor van alles.'

'Hoe bedoel je?'

'Misschien gebeurt er morgen nog meer. We kunnen het dan bespreken.'

'Bespreken? Oké. Heb je plannen voor vanavond?'

'Dat weet ik nog niet. Ik zou boodschappen moeten doen, maar ik heb geen zin. Misschien ga ik bij Manfred's eten.'

'Doe hem dan de groeten. En Giorgio.'

'Dat zal ik doen. Hoe gaat het met jullie?'

'We zijn de laatste dingen aan het regelen.'

'Wat zeggen de meisjes?'

'Ze zijn stil.'

'Het komt later. We moeten met Elsa en Lilly praten. Nog heel lang moeten we dat doen.'

'Die zin klopt niet.'

'Ik ben toch met een Duitse getrouwd?'

Ze antwoordde niet.

'We moeten met elkaar praten,' zei hij. 'Ik zou bij jullie moeten zijn. Ik ben er gauw.'

'Wees voorzichtig vandaag. Morgen. De dag erna.'

'Iedereen zegt dat ik voorzichtig moet zijn. Torsten vandaag ook al.'

'Daar is een reden voor.'

'Ik ben zelf de grootste reden,' zei hij. 'Ik weet het.' Mijn eigen grootste vijand, dacht hij, maar dat was niet waar. 'Hoe zou ik niet voorzichtig kunnen zijn?' zei hij.

Ze kon het niet loslaten, niet loslaten. Het betekende niets, maar ze wist dat dat niet waar was, alles betekende iets, het was een ambtsovertreding om haar werk niet te doen, dingen te laten liggen. Aan de andere kant ben ik wel degene die dat briefje heeft gezien, dacht ze, maar dat is niet genoeg, Gerda, dat is niet genoeg. Hij had gelijk gehad, maar hij had het misschien niet hoeven zeggen, hij had zelf al uitgezocht wat uitgezocht moest worden, hij had niets hoeven zeggen, maar als hij dat niet had gedaan was hij een watje geweest, dan leer je geen klap, hij was zo vriendelijk, hij had niet zo correct hoeven zijn, hij is niet altijd correct, het is erger dat hij dat tegen mij wel was, hij was heel vriendelijk tegen mij, ik heb hem teleurgesteld, mijn god, je zou iemand moeten hebben met wie je erover kunt praten, eventjes maar, tegen de muur praten, Gerda, ga naar huis en praat tegen de muur, tegen de tv, de koelkast, mijn koelkast is geen stil wezen.

Ze stond midden op het Kungsportsplein, zich er niet van bewust dat ze daarheen was gelopen, als in een trance bijna, in een droom. De grote ontmoetingsplek, vooral op dit tijdstip. Ze zag diverse stelletjes die elkaar omhelsden, zij had hier gewacht, hij had gewacht, nu liepen ze naar de bars, de restaurants, de cafés, daar zaten al mensen, ze kon hun gezichten door de ramen zien, dat was niet moeilijk, het was overal licht, de lichtste plek van de stad, met veel eetgelegenheden, veel te veel, één lunchrestaurant was genoeg geweest, een dagschotel, vis of vlees, een uitgaansverbod na zessen voor stelletjes, ook voor singles trouwens, je zou toch nergens naartoe kunnen, en thuis heb je de muur, die is er altijd, wacht altijd.

Ze had de telefoon al in haar hand. Ze... nee. Ze wilde hem net weer in haar handtas stoppen toen hij ging.

'Hallo?'

'Hoi. Met Jens. Jens Likander.'

'Het werkt,' zei ze.

'Wat?'

'Je naam stond op het display.'

'Ha ha.'

'Kan ik je ergens mee helpen, Jens?'

'Joh, wat een formele vraag.'

'Dit is toch een formeel gesprek?'

'Ja... Wat ben je aan het doen, Gerda?'

Had hij haar al eens Gerda genoemd? Ze herinnerde het zich niet.

'Op dit moment sta ik op het Kungsportsplein.'

'Ga je ergens heen?'

'Ik ben al ergens,' zei ze.

'Ik bedoel vanavond.'

'Dat soort plannen heb ik niet,' zei ze.

'Heb je zin om bij mij te komen eten? Ik ben een fantastische kok.'

'Ik denk het niet.'

'Misschien kunnen we ergens afspreken?'

'Is je nog iets te binnen geschoten? Over Sandra?'

'Nee, helaas.'

'Oké.'

'Dus, zullen we zo ergens afspreken?'

'Waar ben je nu?'

Ze hoorde dat hij in een auto zat.

'Ik ben op weg naar de stad. Moest vandaag in Varberg zijn. Ik rij nu langs Askim. Over een kwartier kan ik bij het standbeeld van Karl ix zijn.'

'Dat red je nooit.'

'Wedden?'

'Ik wed niet.'

'Nu zie ik winkelcentrum Frölunda Torg,' zei hij.

'Je moet ook nog parkeren,' zei ze.

'Dat zit er niet bij in,' zei hij. 'Ik rij gewoon tot aan het standbeeld.'

'Dat mag niet. Ik ben politieagent.'

'Dit is een weddenschap!'

'Een weddenschap is niet gedecriminaliseerd,' zei ze. 'En inmiddels is er anderhalve minuut verstreken.'

'Ik rij langs Flatås.'

'Met welke snelheid?'

'De snelheid die nodig is.'

'Als je te snel rijdt, geldt de weddenschap niet.'

'Wat een boel voorwaarden.'

'Je moet je gewoon aan de wet houden.'

'Hou jij je altijd aan de wet, Gerda?'

'Is dat een vraag die je aan een agent stelt?'

'Absoluut,' zei hij. 'De geschiedenis staat bol van de foute agenten, maar daar hoor jij niet bij.'

'Dank je.'

'Nu kom ik langs de Botanische Tuin. Het Linnéplein volgt zo.'

'Misschien ben ik hier niet meer als je komt,' zei ze.

'*You'd better be*,' zei hij. 'Je hoort me aankomen.'

37

Jovan Mars reed naar de Amundövik, maar maakte eerst een stop bij het badstrand van Askim. Hij droeg Greta helemaal naar het water en liet haar haar handen erin steken. Ze krijste van angst en vreugde. Ze waren alleen op het strand. Er waren zelfs geen vogels aan de hemel. Alleen wij, dacht hij, zo zal het zijn.

Hij droeg het kind terug, zette het in de kinderstoel en reed in zuidelijke richting, de Fjordvägen op, het was niet ver, maar het leek wel heel ver en te lang geleden. Als Greta groot was, zou hij een oude man zijn. Dat was pas over verschrikkelijk veel jaar. Hij mocht onderweg niet slapen, hij mocht nooit meer slapen. Nog even en ze begon te praten en ze zou verhalen willen horen, vertel, vertel! Erik en Anna wilden spookverhalen horen, enge dingen over gemene heksen en gemene tovenaars, monsters, moordenaars, kannibalen, hij moest al zijn fantasie gebruiken, maar de werkelijkheid overtreft het verzinsel altijd, bedenk wat je wilt, maar ik kan het erger maken dan jij kunt dromen.

Hij ging vlak bij de brug staan. Er stond maar één andere auto op de parkeerplaats. Die was als een zwarte tekening in de schemering. Het water tussen de eilanden was stil. Op de eilanden zelf bewoog niets. Op de vaste wal bewoog niets. Ze waren nog altijd alleen op de wereld. En hier hield de wereld op.

Hij maakte de gordel los en tilde Gerda uit haar stoeltje. Ze keek hem met nieuwsgierige ogen aan, alsof hij iemand anders was geworden, maar nee, hij was het maar, er zat niemand anders in hem.

De speeltuin zag er verlaten uit, die is verlaten, dacht hij, al sinds toen. Later dit voorjaar komen de kinderen terug, maar niet nu. Hun ouders willen hier niet naartoe, willen het zich niet herinneren, willen er niet aan herinnerd worden. Het is de ene vervelende herinnering op de andere, dat is niet leuk.

Hij zette Greta in een kinderschommel en duwde haar voorzichtig, ze lachte, hij duwde nog eens, nog eens, ze lachte weer.

Ze waren niet langer alleen.

Hij had hem niet gezien.

Hij zei niets.

'Je bent dus terug,' zei Robert Krol.

'Eventjes maar.'

'Ben je in het huis geweest?'

'Nee, we zijn hier net. Daar gaan we niet heen.'

'Ik begrijp het.'

Greta keek naar Krol. Hij keek naar haar vader.

'Ze is gegroeid.'

'Het gaat snel,' zei Jovan.

'Ja, dat is zo.'

'Ik denk dat ik hier wegga,' zei Krol.

Mars knikte.

'Dat lijkt me het verstandigste,' zei Krol.

'Wat vindt Irma ervan?'

'Ik heb het haar niet verteld,' zei Krol.

'Dus een klein detail moet nog worden geregeld.'

'Een klein detail, ja.'

'Heb ik je bedankt, Robert?'

'Vast wel.'

'Nee. Dank je. Dank je, namens mijzelf en namens Greta. Dank aan Irma.'

'Ik zal het haar zeggen.'

Mars keek om zich heen. Hij zag geen andere mensen, ze waren er maar met zijn drieën, als drie overlevenden, dacht hij, zo ziet het eruit, drie personen die na de oorlog overeind staan, al zit Greta.

'Misschien dat we toch nog even naar het huis gaan,' zei hij.

'Wil je dat ik meega?'

'Wil je dat zelf?'

'Ik loop er vaak langs.'

'Dan gaan we.'

Hij voelde het bloed bij zijn slapen kloppen toen hij het huis zag, nog maar tien meter, hij was er niet klaar voor. Het was alsof hij voor het eerst terugkwam.

'Heb je je sleutel bij je?' vroeg Krol.

'Natuurlijk.'

'Ja, het is jouw huis.'

'Robert, ik was er niet!' Hij had zijn stem verheven en Greta aan het schrikken gemaakt. 'Ik was er nooit,' zei hij met zachtere stem.

'Je kunt jezelf geen verwijten maken voor iets wat je niet hebt gedaan, Jovan. Denk liever aan wat je wel hebt gedaan.'

'Ik zou een idioot zijn als ik dat niet deed.'

'Alleen jij bent er nu nog.'

'Dat weet ik. Daar hoef je me niet aan te herinneren.'

'Mis je haar?'

'Wat is dat nu voor vraag?'

'Ik mis haar elke dag,' zei Krol.

Hij stond voor Style aan de overkant van de Hamngatan en toeterde als een ijscowagen. Ze zag zijn grijnzende gezicht, als een lichte bal in de vallende schemering. Hij stak zijn arm omhoog en wees op zijn horloge. Ze wist het al, ze kon ook klokkijken, het was hem gelukt.

Ze laveerde tussen de bussen, trams, auto's, fietsers en voetgangers door, het Kungsportsplein was in het afgelopen halfuur nog meer het middelpunt van de wereld geworden.

'Waar naartoe?' vroeg hij toen ze voorin ging zitten.

'Maakt niet uit,' antwoordde ze.

'Het Götaplein?'

'Ha ha.'

'Even naar het water?'

'Ja, graag. Het lijkt een mooie zonsondergang te worden.'

'De goeie ouwe zon. Ze laat zich pas in de minuten voordat ze vertrekt voor het eerst zien.'

'*The Goodbye Girl*,' zei ze.

'Precies.'

Ze waren nu op de Oscarsleden. Norra Älvstranden aan de overkant glom van alle lichten, kom hierheen, kom hierheen. De portaalkraan liet zijn beste grijns zien. Daar was alles pais en vree.

'Zullen we naar Röda Sten gaan?' vroeg hij.

'Ja, waarom niet?'

'Daar ben ik al een hele tijd niet geweest,' zei hij.

'Elk weekend,' zei ze.

'O?'

'Als ik vrij ben. Ik ga er meestal een kopje koffie drinken, of gewoon een eindje lopen. Ik woon er niet zo ver vandaan.'

'Ga je dan in je eentje koffiedrinken?' vroeg hij.

'Dat moet je niet vragen,' zei ze.

'Sorry. Stom van me.'

'Ik vraag jou ook niet waarom je in je eentje rondrijdt.'

'Alleen als ik werk,' zei hij.

'Zoals vandaag,' zei ze.

'Zoals vandaag.'

'Maar niet nu.'

'Nee, niet nu.'

Ze waren ondertussen in het gebied gearriveerd, de oude fabrieken, de oude brouwerij, het nieuwe hotel, de lange opening naar het water, wreed en mooi, de klippen, de rode steen, de graffiti, de mensen die naar het verkeer op de rivier stonden te kijken, de zeevogels in de baai bij het café, een paar kinderen die achter ze aan renden.

'Ze hebben een fietspad langs Nya Varvet aangelegd,' zei hij, 'helemaal tot aan Tångudden.'

'O, dat wist ik niet.'

'Heel mooi,' zei hij.

'Ik dacht dat je zei dat je hier een hele tijd niet was geweest?'

'Ha ha. Jij onthoudt ook alles. Nee, ik fiets altijd onder de brug door, dan kom ik niet langs Röda Sten.'

'Aha.'

'Fiets jij?'

'Dat klinkt net als "Dans jij?"'

'Dans je?'

'Alleen op David Bowie.'

Eva Jais belde Erik Winter in het begin van de avond terug.

'Hij heet Robert Krol,' zei ze, 'de man van wie we woonruimte zouden huren.'

'Dank u.'

'Hebt u er wat aan?'

'Nogmaals bedankt,' zei Winter.

Fredrik Halders had de hele dag geprobeerd Bert Robertsson te bereiken, de dag ervoor ook. De klojo had niets van zich laten horen. De voicemail van zijn mobiele telefoon had aangestaan, maar die was nu dood.

Halders reed naar Brottkärr. Er deed niemand open toen hij aanklopte bij het ellendige rijtjeshuis. Het had een grondige renovatie nodig. Nog even en het was te laat. Halders belde aan, maar hij hoorde niets. Stuk.

Nu bevond hij zich in de situatie dat een belangrijke getuige niets van zich liet horen en thuis niet opendeed. Het vooronderzoek werd omringd door geweld, was in gang gezet door zeer ernstig geweld.

Ze waren nu allemaal wanhopig.

Er is een antwoord. Het is een puzzel. Het is geen mysterie. Alle verbanden zijn te leggen, alle stukjes zijn er. Een daarvan bevindt zich hier, achter deze deur. Wat moet een wanhopige hoofdinspecteur doen?

Halders opende de deur, een van de makkelijkere sloten om open te breken.

Binnen was het donker, alle gordijnen waren dicht en buiten schemerde het. Hij had zijn handschoenen al aan, zocht naar de lichtschakelaar in de hal, vond die, liep van de ene kamer naar de andere en deed overal de lampen aan. De kamers leken opgeruimd, maar niet gericht, alsof iemand slechts een poging had gedaan, meer niet, maar zo zag het bestaan van een kwartaaldrinker er waarschijnlijk uit, pogingen en verliezen, pogingen en mislukkingen. Robertsson had laveloos aan de Amundövik gezeten. Of iemand had het beste met hem voor, of iemand wilde hem iets aandoen. Iets ertussenin was er niet.

In de koelkast stond bier, minstens dertig flesjes Hof, een goede keus als je op een grenzeloze manier sterkedrank dronk, *alcooliques sans frontières*, waar ben je verdorie, wat ligt daar, hij heeft aantekeningen laten liggen, hij rekent er niet op dat er iemand bij hem inbreekt, vooral niet de politie, wat hebben we hier, we hebben cijfers en letters.

38

Christian Runstigs hele lichaam voelde stijf, hij had te lang stilgezeten, te lang op een brits in het huis van bewaring gelegen, problemen gehad met zijn maag, een zelfmoordpoging gedaan.

De jongen schopte zijn bal naar het eenzame doel. Er kwam geen eind aan. Soms scoorde hij. Runstig had honderden keren van achter zijn raam naar de ellende staan kijken. Nu regende het op de bal, het doel en de jongen.

'Ik ga even naar buiten,' zei hij.

'Het regent.'

'Dat geeft niet.'

'Jana houdt niet van de regen.'

'Ik kan haar niet altijd meenemen als ik iets ga doen, Liv.'

'Wat ga je doen?'

'Even naar buiten. Dat zei ik toch?'

Halders probeerde te ontdekken wat het gekrabbel op de papieren betekende. Robertsson, als hij het was, natuurlijk was hij het, had iets op een papier geschreven en was daarna op een ander vel verdergegaan en zo maar door, alsof er een systeem in zat, maar dat leek toch niet het geval te zijn. Het waren geruite A4'tjes die uit een blok waren gescheurd dat ook op de versleten salontafel lag. Toen ik klein was, vond ik het leuk om op ruitjespapier te schrijven, dacht Halders, dat had ik liever dan gelinieerd papier, je kon meer doen wat je wilde. Hij zag cijfers, dat betekende geld, misschien een datum, Robin Bengtssons naam stond er diverse keren op, twee keer onderstreept, de laatste keer naast een paar cijfers en dat moest een datum zijn, de dag waarop de kleine rotzak was overleden.

Het handschrift was bibberig, of beter gezegd onvast, niet alles, maar het meeste wel, alsof Robertsson dronken was geweest toen hij de pen had vastgehouden.

Er waren twee pijlen op een van de vellen getekend en die wezen naar een... tja, wat was het verdomme... een symbool... initialen... Halders kon er op dit moment niets van maken, het kon net zo belangrijk zijn als een delirium duiden, maar het stond er nu eenmaal. Hij zag getallen, honderdduizend en nog wat, een half miljoen en nog wat, misschien waren het flessen, misschien was het geld, van iemand voor iemand, misschien hoop, iets voor iets, een geheim, een groot, stom geheim.

Het betekende iets. Toen hij nog een keer naar alle vellen papier keek, dook het symbool weer op, bijna net zo slordig getekend als de eerste keer. Het leek iets nazistisch. Twee symbolen: na het ene stond een vraagteken, na het andere een uitroepteken.

De jongen schopte de bal in het doel, met zijn linkervoet in de rechterkruising. Christian haalde de bal op. Het was opgehouden met regenen, de zon was er meteen, alsof ze ongeduldig in de deuropening had gewacht tot ze vandaag nog een laatste keer mocht schijnen.

'Ik kan wel een tijdje in het doel staan,' zei Christian.

'Oké.'

'Je moet wel van buiten het strafschopgebied schieten, anders ben je te dichtbij.'

'Oké.'

'Toe dan!'

Hij stopte de eerste bal. Zijn handen brandden, de jongen schoot goed, honderdduizenden uren trainen wierp vruchten af.

Hij gooide de bal terug. De jongen schoot weer, de bal glipte bij de ene paal het doel in, maar hij raakte hem met zijn vingertoppen, vingerafdrukken, dacht hij, ik ben toch niet zó stijf.

'Mooie actie,' zei de jongen.

'Dank je. Hoe heet je?'

'Miros.'

'Oké. Ik heet Christian.'

'Jij woont hier, hè?'

'Ja, natuurlijk.'

'Ben je op vakantie geweest?'

'Waarom vraag je dat?'

'Ik heb je een tijdje niet gezien.'

'Ik heb vastgezeten.'

'In de gevangenis?'

'Nee, voor het zover kwam, mocht ik alweer weg.'

'Ik heb de politieauto's gezien.'

'Ja.'

'Dus je hebt niets gedaan?'

'Nee, nee.'

'Mooi. Mag ik een keer met je hond wandelen?'

'Eh... ja.'

'Hoe heet hij?'

'Het is een zij. Jana.'

'Wat voor ras is het?'

'Dat... ben ik vergeten.'

'Ik zoek het thuis wel op,' zei Miros. 'Ik heb een boek over honden.'

'Kunnen jullie geen hond kopen?'

'Mijn moeder is allergisch.'

'Oké, Miroslav Klose, leg die bal maar weer neer.'

Miros legde de bal weer neer, hij had kuiten als een volwassen vent en schoot keihard midden in het doel, maar hoog, een moeilijke plek voor een keeper, vooral als de keeper op weg is naar de ene paal, wat ze vaak is, of hij. Maar Runstig bleef staan, hij zag de bal komen, een kanonskogel, hij stak zijn armen omhoog, boog naar achteren maar bleef op de lijn staan, en vervolgens voelde hij de kracht als een verschrikkelijke slag toen de bal zijn armen raakte en voldoende van richting veranderde om tegen de lat te schieten en weer weg te stuiteren, hij hoorde het gejubel van Miros, zag de bal ver ver het veld op stuiteren, werd zich bewust van de doffe pijn in zijn onderarmen en handen, alles op een en hetzelfde moment. Het was het gelukkigste moment van zijn leven.

Ze waren naar Nya Varvet gewandeld en toen weer teruggegaan. Vlammende luchten achter het eiland Vinga. De veerboot naar Duitsland kwam langs. Die was onderweg naar haar *Heimat*, ze dacht niet langer zo, had dat misschien wel nooit gedaan. Dit was haar thuis, de Sannabacken, Röda Sten, Amundö. Manpower.

'Ga je vaak naar Duitsland?' vroeg hij.

'Waarom zou ik?'

'Dat weet ik niet. Het was een domme vraag.'

'Nee, een dom antwoord. Duitsers zijn dol op hun eigen land, maar jij kunt niet weten dat je een andersoortige Duitse bent tegengekomen. En ik ben ook Zweedse.'

'Een dubbele nationaliteit?'

'*Natürlich.*'

'Ik zou graag Duits kunnen spreken.'

'Echt waar?'

'Misschien... Ik heb er niet over nagedacht.' Hij glimlachte. 'Maar het zou leuk zijn.'

'Ik kan je wel een paar woorden leren.'

'Die ken ik al. *Noch ein Bier.*'

'Daar kom je een heel eind mee.'

'Je hoeft in elk geval niet te verhongeren.'

'*Bier ist Brot.*'

'Dat verstond ik ook.'

Ze liepen nog een eindje door. Er stopte een bus bij het Sofitel-hotel. Mensen stroomden naar buiten, voornamelijk ouderen, vooral ouderen reizen, vijfenzestigplussers, ik hoor wat ze zeggen, ik versta elk woord, Hannover, aha, uit Hannover, *Liebe auf den dritten Blick.*

Winter ging weer naar de technische afdeling. Er was iets onafgemaakts tussen hen, tussen Torsten en hem, iets wat nog niet was opgelost. Iedereen deed wat hij kon. Het was niet genoeg. Met vermoedens kwam hij er deze keer niet uit, lukte het hem niet, er liep een dunne grens bij de moerasgronden van de argeloosheid.

Torsten Öberg stond in de kamer, midden in de werkelijkheid.

'Zijn de hoeveelheden DNA van de LCN-DNA-analyses echt niet voldoende?'

'Nee.'

'Er is een X in dit onderzoek.'

'Het kan iemand zijn die we al hebben getest,' zei Torsten.

'Daar wordt het allemaal nog frustrerender van, hè?'

'Niet als jij een bekentenis weet te krijgen.'

'Kun je er nog een keer gaan kijken?'

'Op de bovenverdieping?'

'Ja.'

'We wisten de eerste keer al wat we deden,' zei Öberg. 'En de tweede keer ook.'

'Ik weet het, ik weet het.'

'En daarna hebben er diverse mensen door het huis gelopen.'

'Daar denk ik juist aan.'

'Behalve je collega's en jij, bedoel je.'

'Ja. De X is er geweest.'

'Zo klinkt het alsof je het over haar man hebt. De Marsman.'

'Hij is er geweest, maar ik denk niet aan hem. Ik denk aan de man die terugkeerde. Hij heeft toen een vergissing begaan. Die vergissing moeten we zien te vinden.'

'Denk je aan iemand in het bijzonder?'

'Ik weet alleen dat hij eruitziet als een dandy.'

Toch was hij niet zeker. Hij hoefde er niet als een dandy uit te zien, hij hoefde dat niet te zijn. Winter dacht aan de X.

'Ik ga er nog een keer heen,' zei Öberg. 'Drie maal is scheepsrecht.'

Geen spoor van Robertsson. Halders had foto's gemaakt van zijn vondsten en geregeld dat het rijtjeshuis onopvallend werd geobserveerd. Robertsson was nergens.

'Op de bodem van de zee,' zei Halders.

'Misschien heb je gelijk,' zei Winter.

'Ik heb altijd gelijk.'

'De zee is diep.'

'Hij houdt zich ergens schuil,' zei Ringmar. 'Doodsbenauwd.'

'Niet zo benauwd dat hij niet probeerde wat bij te verdienen,' zei Halders. 'Wat vinden jullie van de krabbels?'

Hij had de originelen meegenomen. Er waren grenzen aan hoe voorzichtig je moest zijn.

'Als het een symbool is, moet het ergens te vinden zijn,' zei Winter. 'Bij hem thuis, bijvoorbeeld.'

'Ik had geen tijd om te zoeken,' zei Halders.

'Dat moeten we langs de officiële weg doen. Ik ga wel even met Molina praten.'

'Het lijken initialen,' zei Ringmar. 'Twee hoofdletters.'

'We zijn een eindje op weg!' zei Halders.

'Twee letters die elkaar overlappen,' zei Winter.

'Hij was dronken,' zei Halders.

'Dat betekent dat hij onvoorzichtig was,' zei Winter.

'Ja, er moet een reden zijn waarom hij de naam niet voluit heeft geschreven. Als het een naam is.'

'De pijlen wijzen naar hem,' zei Winter. 'Als het een naam is, dan is het een naam die wij graag willen weten.'

'We kennen hem al,' zei Ringmar. 'Hij zit ergens in ons vooronderzoek.'

'Is dat geen J?' vroeg Halders. 'De eerste, of die daar naar links wijst?'

'Misschien.'

'Hebben we een J in de bijbel?' vroeg Ringmar.

'Jozef,' zei Halders.

'Jovan,' zei Winter.

'Ik zou je willen uitnodigen voor een etentje bij Sjömagasinet,' zei hij toen ze voor het restaurant stonden.

'Daar ben ik niet op gekleed,' zei ze.

'Jawel, hoor.'

'Dit is zo'n eetgelegenheid waar je niet zomaar naartoe gaat, daar moet je je op voorbereiden.'

'Dat is je dan deze keer bespaard gebleven.'

'Ik wil niet worden uitgenodigd.'

'Oké, dan nodig jij mij uit,' zei hij.

Er stopte een taxi voor de ingang. Er kwamen vier mensen uit, twee mannen en twee vrouwen, ze waren er allemaal op gekleed, goed voorbereid, niet te oud. Iemand lachte. De hakken van de vrouwen waren te hoog, er waren grenzen. Zij behoorde tot de platvoeten. Hij schonk haar een glimlach, een blik van verstandhouding tegenover het clubje uit de taxi. Nu waren ze binnen, kussen op de wang, ze kon hier vanavond niet naartoe, misschien nooit.

'Ik... kan je uitnodigen voor een kop thee met een boterham,' zei ze.

'Dat klinkt gezellig. Waar gaan we heen?'

Hij leek geen grapje te maken.

'Naar mijn huis, dacht ik.'

'Nog gezelliger.'

'Maar we moeten kaas kopen. De Coop bij de zwemvijver is nog open.'

'De zwemvijver,' zei hij.

'Heb je daar herinneringen aan?'

'Nee, helaas niet.'

'Iedereen die hier in de buurt is opgegroeid, heeft herinneringen.'

'Ik probeer ze te sorteren,' zei hij. 'Anders wordt het me te veel.'

'Ik heb het over je jeugd,' zei ze.

'Ik ook.'

'Ja... Oké.'

'Misschien dat we het er een keer over kunnen hebben. Maar niet nu. Nu gaan we kaas eten!'

'Met geroosterd brood,' zei ze. 'Ik heb marmelade.'

'Ik ben er klaar voor,' zei hij.

Winter belde Robert Krol. Hij wilde hem vragen hoe het met de verhuisplannen ging. Hem misschien uitnodigen om naar de Skånegatan te komen. Hem erop voorbereiden dat Torsten nu in de Amundövik was, voor het geval Krol zich afvroeg wie er was als hij langsliep, naar het huis keek, verder wandelde.

Er werd niet opgenomen. Het was een tijdstip waarop mensen normaal gesproken thuis zijn, in elk geval als ze wat ouder zijn. Krols vrouw was er ook niet. Ik heb haar nooit ontmoet, dacht Winter. Zij heeft voor Greta gezorgd, dat was goed. Krol gaat altijd in zijn eentje wandelen. Misschien is ze gehandicapt. Ik moet het haar vragen, nee, dat kan natuurlijk niet. Ik moet haar bij hen thuis spreken. Ik moet hem twee dingen vragen.

Het ene is waarom iemand over iets liegt waarvan iedereen weet dat het waar is.

Hij keek weer op zijn horloge. Het was tijd om naar huis te gaan. Hij belde nog een keer, er werd niet opgenomen, hij belde Torsten 'ik ben toch niets anders van plan en het zal interessant zijn om bij lamplicht te werken' Öberg.

'Ja?'

'Sta je bij het raam, Torsten?'

'Dat zou je kunnen zeggen.'

'Staat er iemand buiten?'

'Ja, al een tijdje.'

'Is hij alleen?'

'Ja.'

'Oké,' zei Winter.

'Wie is het?'

'Robert Krol.'

'En dat weet jij zonder hier te zijn?'

'Honderd procent zeker.'

'Het is vermoedelijk iets dwangmatigs in die man.'

'Het is hoe dan ook iets.'

'We blijven hier niet lang meer, Erik. Dan krijgt Krol rust.'

'Hm.'

'Net als jij, mijn vriend.'

'Dat heb je al eens gezegd. Fijne avond, Torsten.'

Winter belde Krol. Er werd niet opgenomen. Hij bleef met de telefoon in zijn hand zitten, hoorde die in de verte overgaan tot de verbinding van uitputting werd verbroken.

39

Het was een lange avond, het licht bleef hangen, wilde de rand van de wereld niet verlaten, niet in zee vallen, niet door de hemel worden opgeslokt. Hij had Jana aangelijnd, geen ongelukken nu, niet hier.

Ze waren een auto tegengekomen, het enige wat had bewogen.

Het huis lag in het duister, er scheen geen licht op, hij had het sinds tóén niet meer gezien, was hier sinds tóén niet meer geweest, waarom was hij hier nu, hier zouden ze niet heen, ze zouden naar het eiland, Jana was dol op het eiland. Het was alsof ze wist dat het voorjaar eraan zat te komen, dieren wisten dat misschien, die hadden geen meteoroloog nodig die voor een kaart op de tv stond te gokken, die vanaf de zijkant met zijn handen over de computerbeelden tastte, vaag naar de binnenlanden van Norrland wees terwijl hij het over Öland had, verdorie.

Hij was alleen op straat, een straatje maar, een zijweggetje van een grotere weg, mooi verlichte huizen, ze waren hem tóén nauwelijks opgevallen, het had willekeurig waar kunnen zijn maar dat was het niet, het kon nooit willekeurig waar worden.

Het was een mooie avond, maar er was niemand buiten. Misschien was dat sinds de moorden zo. Hij was langs een speeltuin gekomen en het was moeilijk om je die vol met kinderen voor te stellen. Zo dacht hij. Hij dacht aan Miros. Misschien zou hij een ster in het Poolse nationale elftal kunnen worden, het Zweedse zou hij afwijzen.

Het Zweedse is geen *big deal*, dacht hij. Wat is er zo mooi aan het Zweedse nationale elftal?

Het huis was als een zwart gat in de avond, een herinnering aan de hel. Een ander klein huis op de heuvel stond als een silhouet tegen de rode lucht ver weg in het westen. Het leek een speelhuisje, iets wat vergeten was toen de kinderen 's avonds naar binnen waren gegaan.

A love supreme, a love supreme, a love supreme, a love supreme, Winter zat doodstil voor zich uit te staren, de balkondeuren stonden open, buiten de geluiden van de avond, een thuisland. De stem van Coltrane als een groet over de decennia heen, 1964, toen was ik vier, drie jaar later was Coltrane dood, in 1967, leverkanker. 'Ik beken mij tot alle religies op aarde,' had hij een jaar eerder gezegd.

Zijn mobiel kroop als een schorpioen over de salontafel, ogen die naar hem knipperden.

'Ja?'

'Met Torsten.'

'Dat zag ik.'

'Ik ben net weg. We hebben iets. Ik moest alleen nog wat dingen checken in de auto.'

'Wat hebben jullie?'

'Een vingerafdruk aan de onderkant van de vensterbank in de kamer van de jongen. Boven. Hij lijkt identificeerbaar.'

'Een vingerafdruk?'

'Die zat er de vorige keer niet. Jij bent het toch niet, hè? Aan de onderkant van de vensterbank.'

'Nee.'

'We hebben ook een LCN-DNA-analyse gedaan, maar zoals je weet duurt dat even. De vingerafdruk kun je morgenmiddag krijgen. Het is de middelvinger, dat is vaak zo. De meest gedachteloze vinger.'

'Dank je, Torsten.'

'Je intuïtie klopte.'

Winter antwoordde niet. Hij dacht aan het raam, de ramen. Toen hij er de eerste keer bij had gestaan, had hij gedacht dat ze hem in de toekomst antwoorden zouden geven.

'Ik kwam een vent met een hond tegen,' zei Öberg.

'Ja?'

'Onze vriend van het huis van bewaring, jouw maat, Runstav.'

'Runstig.'

'Ja. Hij liep met zijn hond over het weggetje. Is hij daar gaan wonen?'

'Niet dat ik weet.'

'Als het wel zo is, zou je dat moeten weten.'

'Waar ging hij naartoe?'

'Geen idee, maar hij liep in de richting waar ik vandaan kwam.'

'Interessant.'

'Dus nu kun je zeggen dat ik ook bij de AED hoor,' zei Öberg.

'Je krijgt niet twee keer salaris, Torsten. Bedankt voor alles wat je hebt gedaan. We spreken elkaar morgen.'

Ze had kaas gekocht, de beste jong belegen soort die ze bij de kleine Konsum-supermarkt nog hadden, niet hetzelfde als bij de markthal, maar oké.

'Heb je zin in worst?' vroeg ze. 'Er is Smålandse worst. Met cognac-aroma.'

'Nee, dank je, ik rij,' zei hij.

'Ha ha.'

'Sorry,' zei hij.

'Het is menselijk,' zei ze.

'Gaat het nu beter met je?'

'Wat... Wat bedoel je?'

Ze stonden bij de koeling. Die maakte een vreemd geluid, zuchtend.

'Je leek je... ergens zorgen over te maken toen ik je zag. Op de Hamngatan.'

'Nee, het was gewoon iets van mijn werk.'

'Het is niet leuk om zoiets mee naar huis te nemen.'

'Nee.'

'Gaat het nu beter?'

'Ja.'

En het was beter, het werd beter vanaf het moment dat ze de kaas had gekocht, of eerder, toen ze langs de rivier hadden gelopen, of nog eerder, op de Hamngatan, bij het standbeeld van Karl IX, toen ze iemand had gehad om mee te praten.

'Als je erover wilt praten...' zei hij.

'Er valt niets te bepraten,' zei ze, 'en het meeste is bovendien geheim.'

Het was winter geweest, hij was hierheen gereden, zij had opengedaan, de kinderen waren erbij geweest, de pup, een baby had gehuild, zij had hem binnengelaten, de kinderen waren ergens anders, ze had iets gezegd, wat had ze ook alweer gezegd... Ik ben Jana gewoon hierheen gevolgd, ze weet dat ze hiervandaan komt, dieren weten dat soort dingen, ze vinden zonder sextant de weg naar huis, al zijn ze aan de andere kant van de wereld.

Hij was niet langer alleen. Verderop, waar de tuin van het huis ophield, stond iemand. Een schaduw. Het was alsof die uit de onderwereld omhoog was gekomen. Hij bewoog niet. Was het de politie? Een bewakingsbedrijf? Bewaakten ze deze plek nog steeds?

Iemand die hem achtervolgde, waar hij ook maar naartoe ging. Ze vertrouwen me nog altijd niet en ze hebben verrekte gelijk, dacht hij, ik vertrouw mezelf niet.

De schaduw bewoog.

Jana begon te blaffen. Het was alsof er iets groots in de omgeving barstte. Het geluid greep de wind, greep de bomen.

'Stil, Jana. Stil!'

De hond hield op met blaffen. Ze deinsde terug voor de schaduw, verdomme. Kroop naar achteren. Een waakhond van niets. Maar hij was niet bang. Er was hier niets meer om bang voor te zijn.

De gestalte stond nu onder de waardeloze straatlantaarn, in het vuile, pissige, zurige licht. Het was een man die al een hele tijd leek mee te gaan.

'Wie bent u?' vroeg hij. 'Wat doet u hier?'

Het klonk niet vriendelijk. Runstig was allergisch voor mensen die niet vriendelijk waren, die meteen onvriendelijk waren. Het was alsof zijn keel dik werd, alsof iets hem het ademen bemoeilijkte.

'Ik laat mijn hond uit, dat ziet u toch.'

'Ik ken u niet.'

'Ik u ook niet.'

'We zijn hier voorzichtig met vreemden.'

'Is dit privéterrein?'

'Nee.'

'Nou dan.'

'Waarom staat u hier?'

'Wat bedoelt u?'

'Waarom staat u voor dit huis?'

'Waarom staat u hier zelf?' vroeg Runstig. 'Wie bent u? Wat doet u hier?'

'Ik woon hier.'

'Bent u van de plaatselijke burgerwacht?'

'U kunt hier weggaan wanneer u maar wilt.'

'Ik blijf misschien wel even.'

'Ik kan de politie bellen.'

'Ik laat me niet bang maken, ouwe.'

'U bent op de verkeerde plek.'

'Ik weet alles over deze plek,' zei Runstig.

De ander zei niets. Hij had iets gekregen om over na te denken. Het was overal stil. Jana was stil. Ze verborg zich achter hem.

'U hoort hier niet thuis,' zei de schaduw. Hij was een paar passen naar achteren gelopen, de schaduwen weer in gestapt.

'Dat weet ik,' zei Runstig.

'Maar ik herken die hond. Zij hoorde hier wel thuis.'

'Ze is bang voor u.'

'Ik weet hoe ze heet.'

'Ze heet Jana.'

'Nee, ze heet anders.'

'Hoe weet u dat?'

Maar de schaduw draaide zich om en liep weg, vloeide met elke pas meer samen met de duisternis.

'Hoe weet u dat?' riep Runstig opnieuw de duisternis in, naar de geluidloze stappen. 'Hoe weet u dat Jana een vrouwtje is?' vroeg hij.

Gerda Hoffner deed het licht in haar appartement aan. Ze had de dag tevoren schoongemaakt, gelukkig. Geen slipjes op de keukenstoelen of een rij kousen in de badkamer. Een schone wc-bril. Geen zwarte randen in de badkuip. Geen opgedroogde havermoutpap in de gootsteen, al was dat hoe dan ook niet waarschijnlijk omdat ze dat nooit klaarmaakte.

'Leuk,' zei hij.

'Leugenaar,' zei ze.

Later, toen de kaas op het brood was gelegd en was opgegeten, zaten ze in het halfduister van haar woonkamer naar de trams te luisteren.

'Heb je zin in een muziekje?' vroeg ze.

'Nee, ik hou van de stilte.'

'Dan zijn we stil.'

'Zo bedoelde ik het niet.'

'Je zou mijn muziek toch niet mooi vinden,' zei ze. 'Duitse industriemuziek. Kraftwerk, Marcus Schmickler.'

'Dat klinkt interessant. Neem je me in de maling?'

'Een beetje maar.'

'Ik vind je spannend, Gerda.'

'Op welke manier?'

'En dan bedoel ik niet omdat je bij de politie werkt,' ging hij verder.

'Oké. Ik luister.'

'Spannend,' zei hij. 'Veel meer weet ik op dit moment niet.'

'Veel meer valt er misschien niet te weten. En je komt een heel eind als je spannend bent.'

'Ja. Ik zou ook graag willen dat iemand mij een... beetje spannend vond.'

'Dat ben je ook, Jens. Heel spannend.'

'Je kunt beter spannend dan gespannen zijn,' zei hij.

'Ben je gespannen?'

'Nee, ik dacht aan jou...'

'Ik ben niet gespannen.'

'Je was wat gespannen toen we elkaar zagen.'

'Dat hebben we nu toch opgehelderd?'

'Jawel...'

'Niet genoeg, vind je?'

'Ik wil alleen maar dat het goed met je gaat.'

'Het gaat goed met me.'

'Mooi.'

'Alles is goed,' zei ze.

'Het kan nog beter worden,' zei hij. 'Ik sta nu op en kom naast je op de bank zitten, sla mijn arm om je heen en omhels je,' zei hij en hij kwam overeind.

Ze liet hem op de bank plaatsnemen. Hij legde zijn arm om haar heen, losjes, respectvol. Ze rook zijn geur, een vage deodorant, of cologne, of aftershave, en iets zuurs in de verte, als... wier, als de zee, meer zout dan zuur.

Ze draaide zich naar hem om en keek naar zijn profiel. Hij tuurde door het raam naar buiten, straatlantaarns die in de wind heen en weer bewogen boven de begraafplaats.

'Je doet me aan iemand denken,' zei ze.

'Een leuk iemand, hoop ik.'

'Je lijkt een beetje op mijn chef.'

'Ik hoop dat hij er goed uitziet.'

'Jullie zien er alle twee goed uit.'

'Hoe heet hij?'

'Maakt dat wat uit?'

'Is het geheim?'

'Erik Winter.'

'Ah.'

'Ken je hem?'

'Nee, maar ik heb wel over hem gehoord. Hij is niet bepaald onbekend in de stad.'

'Nee.'

'Was je eerder vanavond van slag omdat hij met jou ruzie had gemaakt, kleintje?'

'Noem me alsjeblieft niet zo.'

'Maar jullie hadden een discussie gehad.'

'Het was nogal stom,' zei ze. 'En het was niet eens mijn fout. Het was eerder mijn verdienste.'

'Waar ging het om?'

'Dat kan ik niet zeggen. Maar het was onrechtvaardig.'

'Dat is het vaak,' zei hij en hij sloeg zijn arm om haar schouder. Dat was niet onaangenaam. Ze voelde zijn vingers door haar blouse heen, pezig, lang, slechts een lichte druk.

Ze voelde iets in haar buik, ook dat was niet onaangenaam. Het verwarde haar. Ze voelde zijn hand weer.

'Maar hij was heel vriendelijk,' zei ze en ze draaide zich naar hem toe. Weer zag ze alleen zijn profiel. Dat had ze misschien niet verwacht, dat de Sannabacken op dit moment interessanter zou zijn dan zij.

'Ze zijn vaak vriendelijk,' zei hij.

'Chefs?'

'Ja.'

'Dat is toch goed?'

'Soms is het niet meer dan een spel,' zei hij. 'Eigenlijk kun je niemand vertrouwen.'

'Nu klink je wel een beetje drastisch, Jens.'

Hij keek haar glimlachend aan, zijn gezicht kwam dichterbij, ze voelde zijn hand op haar rug, hij glimlachte weer.

'Soms ben ik drastisch,' zei hij.

Ze antwoordde niet. Misschien dat hij nu drastisch zou worden, maar op een goede manier, een fijne manier, een vriendelijke manier. Ze legde haar hand op zijn arm. Het was alsof ze een stuk ijzer aanraakte. Hij was gespannen. Misschien was hij onervarener dan hij eruitzag. Zij was ook niet bepaald een prof in bed. Hij ademde nu iets heftiger, dat was natuurlijk. Zij deed dat ongetwijfeld ook.

'Winter deed het goed,' zei ze, 'maar hij kan snel boos worden.'

'Winter rijdt snel als...' zei hij en toen hield hij abrupt zijn mond.

'Wat?'

'Niets,' zei hij.

'Jawel, je zei iets over Winter. Dat hij snel rijdt als... wat?'

'Nee, ik zei dat ik in de winter snel rij als... verdomme, maar ik wil niet vloeken. Daar houden we toch niet van, Gerda?'

Winter had de dode schorpioen nog in zijn hand. Er was meer. Hij kon alleen niet bedenken wát. Het was Runstig niet. Die ging nergens heen. Hij wilde zien, iedereen wilde zíén, maar de afdruk boven in het huis was niet van Runstig, dat kon niet.

De papieren die Halders uit Robertssons rijtjeshuis had meegejat lagen voor Winter. Halders zou er met een aantal mensen nog een keer naartoe gaan voor een legale huiszoeking, misschien was hij er al wel. Winter keek naar de symbolen, of initialen; de eerste kon een J zijn, maar ook een omgekeerde C, of gewoon een kriebel. De tweede kon een L zijn, geschreven door iemand wiens geduld op was, de letter liep naar beneden, ging als het ware stuk.

Het enige wat je nodig had, was een beetje fantasie, wanhopige fantasie.

JL

Welke JL's hebben we?

Hij bladerde op zijn computer van bestand naar bestand, de namen verschenen chronologisch op zijn scherm, maar ze hadden geen JL verhoord, hij had hier geen enkel vers verhoor, de laatste dag moest nog worden bijgewerkt, de laatste paar dagen.

Mensen die als krantenbezorger werkten? Mensen van de AA-bijeenkomsten? Mensen uit de buurt?

Mensen op Sandra's werk?

Hij tikte op het toetsenbord tot hij de ManpowerGroup had gevonden, een correcte en keurige website voor wie op zoek was naar zijn droombaan. Experis, daar had je Sandra's werkgever, deel van de groep, namen, namen, leiding, namen, namen, waarnemend vicedirecteur communicatie Jens Likander.

En nu kuste hij haar. Ze voelde zijn lippen op haar mondhoek, hij had niet helemaal goed gemikt. Hij probeerde het nog een keer.

Ze trok haar gezicht terug, voelde zijn hand op haar achterhoofd, haalde die weg.

'Waar heb je het over, Jens? Autorijden in de winter? Wat is dat voor larie?'

Hij antwoordde niet. Hij keek haar niet aan. Ze keek naar zijn handen. Ze bewogen niet.

'Wat bedoelde je met dat Winter snel rijdt? Hoe zit dat?'

'Hij rijdt als een gek,' zei hij en hij glimlachte naar haar.

'Wat weet jij daarvan?'

'Ik zag hem een keer langsrijden.'

'Je zag hem een keer langsrijden?'

'Je herhaalt alleen maar wat ik zeg, Gerda.'

Hij stak zijn hand uit, raakte haar schouder aan. Ze ging wat verder naar achteren zitten.

'Nu is het niet leuk meer,' zei hij. 'Dit is toch nergens voor nodig?'

'Jij hebt iets gezegd,' zei ze. 'Ik geloof je niet.'

Hij zat stil. Hij zag er opeens heel eenzaam uit, alsof hij alleen was in de kamer. Hij keek haar aan.

'Ik snap er niets van,' zei hij.

'Wie ben jij?' vroeg ze. 'Ben jij degene achter wie Erik Winter aanzat?'
'Nee, nee, nee.'
'Jawel, dat was jij!' zei ze en ze stond op.
'Hij kon me niet bijhouden, de sukkel,' zei hij en hij stond ook op. Hij glimlachte weer, een blik van verstandhouding over de vriendelijke onvriendelijke chef, de sukkelige snob die tussen hen in was gekomen, maar slechts voor even.
'Daarom... Daarom ben je hier,' zei ze. 'Bij mij! Jij was degene in die auto op de parkeerplaats bij het winkelcentrum. Jij bent...'
'Ik hou nu al van je, Gerda. Dat weet ik. Daarom ben ik hier. We gaan een gezin stichten.'
'Van mijn leven niet!' zei ze en ze deed drie stappen naar achteren, bij de bank vandaan. 'Jens Likander, je bent aangehouden! Alles...'
Hij stortte zich naar voren, met zijn handen voor zich uit, grote handen, sterke vingers, de glimlach was nu weg, vervangen door een grimas waarbij nog meer mooie witte tanden zichtbaar werden, er zat iets in zijn keel dat omhoog wilde komen, een paar woorden, maar ze kwamen er niet op tijd uit. Hij greep haar bij haar schouders, net zoals hij zopas op de bank had gedaan, maar harder, gedecideerder. Hij weet nu wat hij wil, dacht ze en ze slaagde erin hem zo ver te ontvluchten dat ze hem precies in zijn kruis kon trappen. Eerder was ze in haar gedachten nog niet zo ver gegaan, niet naar zijn penis, mogelijk naar haar borsten, hoe hij die zou strelen terwijl ze op de bank zaten, maar nu waren romantiek en erotiek weggevaagd, met hoge snelheid naar buiten verdwenen, ze trapte nog een keer tussen zijn benen, ze had een harde voet, goed getraind in een mix van vechtsporten, haar voet was veel harder dan zijn pik, nu schreeuwde Jens iets, de woorden kwamen eindelijk naar buiten, ze hoorde ze niet, ze trapte hem tegen zijn borst terwijl hij op weg was naar de vloer, ze trapte hem tegen zijn kin, hoorde een spetterend geluid, een akelig geluid, een heerlijk geluid, haar voet voelde ze niet, hij lag nu een eindje bij de bank vandaan en ze wist dat hij daar zou blijven liggen tot ze hem optilden.

40

Likander was verzorgd, het voornaamste was ijs op zijn onderlichaam, ijs op zijn beschadigde onderlip. Ze hadden vingerafdrukken, foto's en wangslijm van hem en hij rustte nu uit in een cel in het huis van bewaring. Hoffner had het transport geregeld. Een van de agenten die het lijk kwam halen, heette Vedran Ivankovic en was verschrikkelijk lang. 'Heb je dit zelf gedaan?' vroeg hij.

Hoffner belde Winter.

'Ik heb net zijn naam voor mijn neus,' zei hij.

'O?'

'Ik wist niet wie het was. Of wat hij was.'

'Je weet het nu,' zei ze. 'En ik ook.'

Het was al na middernacht toen ze Likander naar de verhoorkamer met de dode muren brachten.

Winter had Halders vanuit huis gebeld. Halders was nog met twee technici in Robertssons woning geweest. Ze hadden voornamelijk flessen gevonden.

'Ik wil dat je er vannacht bij bent, Fredrik.'

'Natuurlijk.'

'Ik zal proberen te luisteren.'

'Ik pak die hufter stevig bij zijn kloten,' zei Halders.

'Die zijn er helaas niet meer.'

Maar Likander kon lopen, en zitten. Op dit moment zat hij tegenover hen. Hij leek slaapdronken, of niet echt wakker, alsof hij nog aan het dromen was. Hij staarde nietsziend naar de apparaten op de tafel. Hij had ervoor gekozen om zelf zijn eer te verdedigen.

'Hoe gaat het met je, Jens?' vroeg Halders.

Likander antwoordde niet.

'Ze heeft je flink toegetakeld,' zei Halders.

'Waar is ze?' vroeg Likander en hij keek op.

'Dat gaat je geen reet aan,' zei Halders.

'Fredrik, Fredrik,' zei Winter. 'Ze wordt op dit moment gedebrieft,' zei hij, terwijl hij zich tot Likander wendde.

'Dat doen we altijd wanneer een vrouw van zestig kilo een man van negentig kilo een pak rammel geeft,' zei Halders. 'Het zijn interessante researchgegevens.'

Likander zei iets wat ze niet konden horen.

'Sorry, wat zei je, Jens?' vroeg Winter.

'Ze... schopte me toen ik daar... niet op voorbereid was.'

'Verrekte laf,' zei Halders.

'Waarom schopte ze je, Jens?' vroeg Winter.

'Geen idee. Ze is gek.'

'Gek?' zei Halders. 'Op jou?'

'Dat dacht ik.'

'Misschien zij ook?'

'Wat bedoel je?'

'Misschien vond ze je leuk. Tot het tot haar doordrong wie je bent.'

'Ik heb niets gedaan.'

'Misschien had ze eerst iets anders met je kloten willen doen?'

Likander keek Winter aan alsof hij hulp van hem verwachtte. Winter keek aandachtig terug.

'Waarom zat je midden in de nacht in een auto op het plein bij winkelcentrum Frölunda Torg?' vroeg Winter.

'Ik weet niet waar je het over hebt.'

'Je hebt het er zelf met inspecteur Gerda Hoffner over gehad, nog maar een paar uur geleden.'

'Ze heeft me verkeerd verstaan.'

'Je noemde mijn naam.'

'Ik had het verdomme over de winter!'

'Voel je je daar gefrustreerd over?'

'Waarover?'

'Dat je in die auto zat.'

'Ik vind het frustrerend dat mensen niet horen wat ik zeg en me vervolgens in mijn weke delen trappen,' zei Likander.

'Dat is een mooie oude uitdrukking, de weke delen,' zei Halders.

'Hij kon me niet bijhouden, de sukkel,' zei Winter. 'Zijn dat jouw woorden?'

'Welke?'

'Je hebt me wel gehoord.'

'Nee, dat zijn mijn woorden niet.'

'Wie is die sukkel?'

'Geen idee.'

336

'Misschien jijzelf wel.'

'Hè?'

'Jij bent de sukkel, Jens. Jij kunt het zelf allemaal niet bijhouden.'

'Ik ben geen sukkel.'

'Ik heb je niet ingehaald omdat ik dat niet wilde.'

'Ha.'

'Zo is het.'

'Je kunt zeggen wat je wilt, maar het is niet waar. Het is haar woord tegen het mijne.'

'Je hebt de afgelopen uren een heel erg lichte stem gekregen,' zei Halders. 'Het is moeilijk jullie van elkaar te onderscheiden.'

'Moet hij erbij zijn?' zei Likander tegen Winter. 'Mag dit zomaar?'

'Als jij in Robins appartement bent geweest, weten we dat binnenkort,' zei Winter. 'Je hebt sporen achtergelaten. Jullie laten altijd sporen achter.'

'Welke Robin?'

'Je weet wie ik bedoel. Luister je, Jens?'

Het leek alsof Likander luisterde, hij bleef naar beneden kijken. Winter zei niets meer, hij wachtte, Halders wachtte, de muren wachtten. Het was nog altijd het spookuur, Winter keek op zijn horloge, nog een paar minuten. Het spook kon zich nog altijd kenbaar maken.

Likander keek op.

'Ik hield van haar,' zei hij.

'Daar is ze niet helemaal van overtuigd,' zei Halders.

'Ik bedoel Sandra,' zei Likander.

Halders keek naar Winter. Die voelde de bekende huivering over zijn schedel lopen. Hij hoorde het geruis in zijn oren nu niet, hij hoorde alleen Likanders ademhaling.

'Vertel,' zei Winter.

'Ze hield van mij,' zei Likander.

'Wat gebeurde er toen ze doodging?' vroeg Winter.

'Hè?'

'Wat gebeurde er toen ze doodging?' herhaalde Winter.

'Daar was ik niet bij!'

'Wat gebeurde er?'

'Jullie moeten me geloven. Ik heb niets met haar dood te maken.'

'Vergeet de kinderen niet,' zei Halders.

'Mijn god,' zei Likander. 'Ik heb dat niet gedaan.'

'Wie heb je dan omgebracht?' vroeg Winter.

'Ik heb niemand omgebracht!'

Winter knikte bemoedigend.

'Waarom zou ik iemand om het leven brengen?'

'Dat mag je ons vertellen.'

'Ik heb niets te vertellen.'

'Vertel over Robin,' zei Winter.

Halders boog zich naar voren: 'Er is geen enkele uitweg, Likander.'

'Denk aan je toekomst,' zei Winter.

'Hè?'

'Die is altijd lichter voor iemand die de waarheid vertelt,' zei Halders.

'Geloof dat maar,' zei Winter.

Likander lachte nerveus en likte zijn lippen af, die waren droog, hij had een verzachtende crème nodig, maar er stond geen verzachtende crème op de tafel in de verhoorkamer.

'Denk aan jezelf, maak het jezelf makkelijker,' zei Halders.

Winter begreep niet hoe iemand zijn uiterlijk kon verwarren met dat van Likander. Niets aan de man leek op hem, of het moesten zijn oren zijn. Hij constateerde dat het ene oorlelletje van de man langer was dan het andere. Hij zag dat er iets in de ogen gebeurde, Likander had besloten het zichzelf makkelijker te maken.

'Ze zagen mij in het huis,' zei Likander.

'Ja.'

'Dat was voor... vóór de moorden.'

'Ja.'

'Ik werd gechanteerd.'

'Ja.'

'Waarom zeg je aldoor "ja"?'

'Ik hoor wat je zegt.'

'Ik wilde daar niet... bij betrokken raken.'

'Nee.'

'Ik had er niets mee te maken. Toch?'

'Nee.'

'Ik... moest aan mijn carrière denken. Ik wilde die niet ook verprutsen.'

'Nee.'

'Het was laf. Ik weet het.'

'Ja,' zei Halders.

'Maar hoe komen jullie erbij dat ik Robin heb vermoord?'

Geen van de ondervragers gaf antwoord.

'Dat... Zoiets zou ik nooit kunnen doen.'

'Je zat in je auto op het plein,' zei Winter.

'Dat is iets heel anders!'

'Je hield me in de gaten.'

'Dat was noodzakelijk! Ik wilde... Ik moest toch... Het ging om wat er om mij heen gebeurde.'

'Maar je bent onschuldig. Dan maakt het toch niet uit wat er om je heen gebeurt?'

Likander antwoordde niet.

'Je hoeft niets te verbergen,' zei Halders.

'Als ik die hufter om het leven had gebracht, had ik de mensheid een dienst bewezen,' zei Likander en hij hief zijn hoofd op, alsof hij bij de gedachte alleen al trots werd. 'Mag ik nu gaan?'

'Nog niet,' zei Winter.

'We kunnen hier tot overmorgen blijven zitten, maar jullie krijgen me niet zover dat ik dat beken, helaas. Jullie willen toch de waarheid horen?'

'Waar is Bert Robertsson?' vroeg Winter.

Het licht van de waarheid scheen nog altijd in Likanders ogen. Het was geen sterk licht, maar het was er wel. Hij zakte een beetje in elkaar.

'Järkholmen.'

'Waar bij Järkholmen?'

'Er is een strandje tussen de heuvel en de jachthaven, een privéstrandje zou je kunnen zeggen.'

'Ik weet waar het is,' zei Winter.

'Daar is hij. Het was een ongeluk.'

'Natuurlijk.'

'Hij bleef me maar chanteren. Hij was onredelijk, onbeschaamd. Onbeschaamde bedragen!'

Winter knikte bemoedigend.

'Ik heb... hem een klap gegeven. Dat beken ik. Hij... viel flauw en ik heb hem naar mijn badhuisje gesleept en ben even weggegaan om hem bang te maken. Ik... wist niet wat ik moest doen. Toen ik terugkwam, was hij... niet meer in leven. Ik heb hem te hard geslagen, maar dat was niet de bedoeling. Dat is de waarheid.'

'Hoe vinden we hem?' vroeg Winter.

'Hij zit nog steeds in mijn badhuisje. Ik wist niet hoe ik hem daar weg moest krijgen, hoe ik hem naar buiten moest krijgen. Uiteindelijk werd het toch zijn huisje.'

Ze namen even een pauze. Winter en Halders dronken boven op hun eigen afdeling koffie, Likander beneden in de verhoorruimte. Gerda Hoffner kwam Winters kamer binnen.

'Gerda, je bent er nog.'

'Hoe gaat het?'

'Hoe gaat het met jou?'

'Ik heb me nog nooit zo goed gevoeld.'

'Je verkeert in shock.'

'Als dat zo is, vind ik dat wel fijn.'

'Een shock omdat je *lover boy* niet aan je verwachtingen voldeed,' zei Halders.

'Fredrik,' zei Winter.

'Ik verkeer nog steeds in shock,' zei Hoffner, 'dus als jij ook een pak slaag wilt, Fredrik...'

'Je hebt het verrekte goed gedaan, Gerda,' zei Halders. 'Alles.'

'Wat zegt hij? Likander?'

'Hij heeft...'

'Allemaal, mijn god!' onderbrak Hoffner hem.

'Nee, alleen Bert, zegt hij.'

'Heeft hij dat bekend?'

'Ja.'

'En Sandra? De kinderen?'

'Hij hield van haar. Hij heeft haar niet vermoord, en de kinderen evenmin.'

'Geloven we dat?'

'We zijn nog lang niet klaar,' zei Halders. 'We geloven het niet.'

Winter stond op.

'Ik voel me niet meer zo scherp. Hoe gaat het met jou, Fredrik?'

'Het is laat. Of vroeg.'

Ze gingen terug. Likander had koffie met melk gekregen. Hij had ondertussen misschien nagedacht, over de waarheid.

Ze namen plaats. Likander zat al.

'Heb jij ons die foto gestuurd?' vroeg Winter.

'Welke foto?'

Ze keken hem aan: Jens, Jens...

'Welke foto?' Jens' stem was overgeslagen. 'Ik weet niets van een foto! Een foto waarvan?'

'Van de jachthaven,' zei Winter.

Likander antwoordde niet. Hij dacht en dacht.

Winter en Halders wachtten.

'Dat kwam door hem,' zei Likander.

'Hij? Wie bedoel je?'

'Haar vader, Egil. Het was zijn schuld dat ze daar niet naartoe wilde. De haven. Ze had het er altijd heerlijk gevonden, zei ze. Vroeger.'

340

'Vertel,' zei Winter.

'We zijn ernaartoe gegaan. Uiteindelijk wilde ze dat wel. Ik zou het allemaal doorbreken. Ik kreeg haar aan het lachen. Hebben jullie dat gezien?'

'Ja,' zei Winter. Halders knikte.

'Die ouwe heeft zich aan haar vergrepen toen ze klein was. Ze herinnerde het zich. Plotseling herinnerde ze het zich. En daar was ik bij, toen ze het zich herinnerde.' Likander had naar de tafel gekeken. Nu richtte hij zijn blik op. 'Hij heeft het zeker gedaan?'

'Heeft Sandra hem geconfronteerd met wat er was gebeurd?'

'Dat heeft ze geprobeerd. Hij ontkende het natuurlijk. Ik vermoed dat ze dat altijd doen. Ontkennen, dus.'

'Geloofde je haar?'

'Natuurlijk.' Likander keek Winter aan. 'Jij gelooft het niet, hè? Ik kan zien dat je het niet gelooft.'

'Heb jij hem gesproken?'

'Nee. Waar is hij nu? Hebben jullie hem opgepakt? Dat zou dan dankzij mij zijn.'

'Probeer je nu sarcastisch te zijn, Jens?'

'Ik probeer dat niet alleen...'

'Daar houden we niet van,' zei Halders.

'Eigenlijk ben ik vertwijfeld,' zei Likander.

Halders knikte.

'Ik heb me belachelijk gemaakt. Ik hield van die vrouw.'

'Hoe heb je jezelf belachelijk gemaakt?' vroeg Winter.

'Ik had haar niet... onder druk moeten zetten.'

'Je had haar niet onder druk moeten zetten?'

'Ja... Ze dacht dat ik haar aanviel.'

Winter en Halders keken elkaar aan.

'Wie?' vroeg Winter.

'Gerda, natuurlijk. Jullie collega. We zouden een gezin stichten, heeft ze dat niet gezegd?' Hij keek Winter aan, alsof Winter deze keer de antwoorden had, antwoord kon geven. 'Misschien kunnen we dat nog steeds doen. Is ze in de buurt?'

Ze waren weer uit de verhoorkamer weggegaan. Winter stond stil. Hij keek de nacht in. Die was weldra voorbij. Het kon de laatste nacht zijn. Er zaten vragen in zijn hoofd, maar hij kon ze op dit moment niet goed formuleren.

Hij was menselijk. Fredrik was menselijk. Alleen Gerda was bovenmenselijk, of liever gezegd, jong, jonger, voor haar zouden er nog vele nachten volgen.

'We laten hem een paar uur nadenken over wat hij wel en niet heeft gedaan,' zei Winter. 'En wij gaan een nachtje slapen. We zien elkaar morgenvroeg om acht uur.'

'En de vader?' vroeg Halders.

'Niet nu,' zei Winter.

'Mag ik erbij zijn?' vroeg Hoffner, die nog altijd op de afdeling was. 'Tijdens het verhoor?'

Het was geen goede vraag. Winter kon de shock in haar ogen en in haar lichaam zien, ze zou het 's ochtends begrijpen, of de dag erna.

'Dat is geen goed plan,' zei hij.

Hij kon de ochtend vermoeden toen hij via Heden naar huis liep. Alleen hij en een paar autodieven waren nu buiten. Over de Södra vägen reed een taxi in zuidelijke richting. Hij wist hoe laat het was, maar niet welke datum of maand het was. Maart misschien, medio maart. Er was een datum waarop zijn moeder zou worden begraven, dat was binnenkort, wat er ook gebeurde. Morgen werd het een lange dag, vandaag was het een lange dag. Hij keek weer op zijn horloge. Tweeënhalf uur slaap en hij zou als nieuw aan de laatste langste dag beginnen.

Runstig hoorde haar in het uur van de wolf, alsof ze ernaar verlangde om in alle vrijheid met haar wilde neefjes en nichtjes te gaan jagen.

Ze stond naast de mand in de hal.

'Hoe gaat het, Jana? Ben je onrustig?'

Ze keek hem aan met ogen die zwart glommen in het grove licht in de hal.

'Wil je naar buiten? Toe maar.'

Hij deed de deur open, ze zette een paar passen over de drempel, draaide zich weer om.

'Je wilt niet naar buiten?'

Ze ging weer in haar mand liggen. Ze wilde gewoon gekalmeerd worden. Door mij, dacht hij.

'We gaan morgen een eind lopen, wijfie,' zei hij. 'Op het eiland, wat vind je daarvan? In de vroege ochtend, dat beloof ik je.'

Jana kwispelde.

Die ouwe vent had gezegd dat ze een andere naam had, maar dat was een leugen, het was in elk geval niet langer waar.

Hij pakte en pakte, hij had haast, de boot zou vertrekken, nee, het was het vliegtuig, hij pakte, spullen vielen uit zijn koffer, ze vielen eruit terwijl hij ze erin legde, messen, speelgoedemmers, een speen, nog een speen, een sleutel, hij pakte de sleutel, hij wist op welk slot die paste, hij had hem lang geleden gekregen, een vrouw op leeftijd had hem aan hem gegeven, zorg er goed voor had ze gezegd, de laatste kamer de laatste plek, hij keek in het graf, Siv lag daar niet, ik vraag het me ook af, zei ze en hij draaide zich om en ze had een Ritz opgestoken, het is te ondiep, zei ze, hij keek uit over de zee en de kinderen kwamen in een kano, ze hadden bloemen in hun handen, iemand zou op reis gaan, het was een afscheid. Winter werd wakker terwijl hij iemand uitzwaaide die hij nooit eerder had ontmoet, hij stond nog altijd op het strand, halverwege tussen dromen en ontwaken, ze had de kinderen ontmoet, ze had voor het kind gezorgd, zijn hoofd stormde nog altijd achter het gebulder van de zee aan, het zou pas ophouden als hij daar was, ver buiten de droom.

De wekker op zijn nachtkastje wees zeven uur aan. Hij ging naar de wc, hield zijn penis in de juiste richting, het schoot door hem heen dat hij dankbaar was dat die het uit zichzelf deed, het was vast geen lolletje om een katheter te moeten hebben. Likander had niet meer geklaagd dan noodzakelijk, hij zou weer op eigen kracht kunnen plassen, maar dat was dan ook alles.

Winter waste zijn handen, liep terug naar de slaapkamer en belde met zijn mobieltje.

Hij hoefde niet zo lang te wachten als hij had verwacht voordat hij werd doorverbonden met de Spoedeisende Hulp. Hij kreeg de namen. Die stonden ergens in zijn bijbel, maar dit ging sneller. Ze hadden elkaar aan het begin van het onderzoek kort gesproken, er was nog geen aanvullend verhoor gehouden. Een van de ambulancemedewerkers van tóén was een vrouw, Lisa Sjölander, ze had nu dienst en hij werd doorverbonden met de ambulance, ze waren zonder sirene op weg naar het SU.

'Ja?'

Hij stelde zich voor, legde uit waarom hij belde.

'Ja, daar was ik bij...'

'Hebt u de vrouw ontmoet? Irma Krol, zijn echtgenote?'

'Nee, er was geen vrouw. Hij was alleen. De man.'

'Hij gaf u het kind?'

'Ja, hij zei dat zijn vrouw voor haar had gezorgd. Dat is toch ook zo?'

'Dat heeft hij inderdaad gezegd. Maar u hebt haar niet gezien? En uw collega?'

'Nee, we waren daar toen samen. We hebben ons snel over het kind ontfermd. Het leek heel acuut. Het wás acuut.'

'Dus zijn vrouw was er niet bij?'

'Ik weet niet waar ze was. Wij hebben haar niet gezien.'

Hij reed in de dageraad, voorbij de dageraad. Hij luisterde naar Coltrane, het voelde alsof ze samen het badstrand bij Askim passeerden.

De parkeerplaats was leeg en dat zou de komende twee maanden zo blijven. Hij parkeerde zijn Mercedes vlak bij de brug. De maan stond nog boven hem, een stuk koud metaal, afwezig, als een munt van een andere wereld zonder waarde voor hem. Hij liep langs de brug, daarvandaan was hij over het ijs gestoven en dat leek heel lang geleden. Als hij daar weer iemand achterna zou zitten, zou hij moeten zwemmen. Of peddelen. Likanders kano had bij het huisje op het strand gelegen. Robertsson had in het huisje gezeten, doodstil wachtend op de eenheid uit Frölunda, ze hadden het bevestigd toen Winter een kleine pauze had ingelast in het verhoor met Likander, die op dat punt geloofwaardig was gebleken. Winter zou later naar dat strand gaan, maar niet nu, over een uur of twee, wanneer alles achter de rug was. Hij zou naar zijn eigen strand rijden. Hij zou naar het Fontanillastrand vliegen. Hij zou blij zijn met het leven, het voorjaar en de zon.

Hij kwam langs de speeltuin, ging verder over de weg, het weggetje, liep zonder te stoppen langs het huis, er staken nu geen kranten meer uit de brievenbus, nog eens vijftig meter en hij was bij het fietspad, zag de woning op de hoek en de haag eromheen met een klein gat aan de straatkant, hij kwam niemand tegen, het was nog steeds vroeg, vanuit het oosten kwam de dag voorzichtig over het water naderbij. Voorzichtig, dacht hij, wees voorzichtig.

Hij klopte aan bij het kleine huis met grijs pleisterwerk, afgesleten door wind en regen, alsof het half in de zee stond, het huis van een zeeman. Er was geen bel. Binnen brandde nergens licht. Hij klopte nog een keer, duwde tegen de deur, opende die, de deur was al open, alsof Krol een blokje om was gegaan en was vergeten af te sluiten; nee, hij was zo iemand die nooit zijn huis afsloot, hier waren geen dieven, hij was hier niet bang voor dieven.

Beneden had je een keuken en een grote kamer, dat was alles. In de kamer hingen dingen aan de muur, vooral herinneringen aan de zee.

Foto's.

Winter liep naar de muur tegenover het raam, dat uitkeek op zee. Boven een kast van rood hout hing een portret van een stel. Het waren een man en een vrouw, het waren Robert en Irma, in het verleden. Er waren geen foto's van kinderen. Winter keek naar buiten. Nu was het licht hier, het was bij de steigers en de brug verderop gearriveerd.

Krol had gezegd dat hij nooit in het huis was geweest.

Maar hij had zich versproken:

Het was niet makkelijk moet ik zeggen om daar iets te horen.

En:

Het was er nogal lawaaierig, om het zo maar te zeggen. Misschien niet gepast nu... maar de jongen rende vaak de trap op en af en, tja... er woonden kinderen, hè?

Hij had de politie gebeld. Hij wist hoe het er in het huis uitzag.

Hij was er nooit geweest. Hij had gewacht tot de politie er was. De vrouwelijke inspecteur had het kind naar buiten gedragen. Hij had het naar huis gebracht, naar zijn vrouw.

Ik moet hem vragen hoe het allemaal zit. Hij komt zo weer thuis.

Winter liep naar de trap, eronder was een ruimte, hij keek en die was leeg.

Hij telde de treden, een gewoonte, achttien stuks, één meer dan in het andere huis.

Boven waren maar twee kamers. In beide stond een bed, misschien hadden ze gescheiden slaapkamers, dat was vaak zo bij oudere mensen, ze hadden genoeg gekregen van elkaars gesnurk.

Het was heel duidelijk dat een vrouw de ene kamer gebruikte en een man de andere.

Winter stond in de kamer van de man. Hij kon door een klein raam naar buiten kijken, het leek nog het meest op een patrijspoort op een schip. Hij zag voornamelijk zee en klippen, slechts een klein stukje tuin, een meter van de weg voor het huis.

De tuin bestond uit aarde, gras en zand, alsof die onlangs was aangelegd, maar het was vroeg in het voorjaar, nu was het daar toch niet het juiste seizoen voor? Winter wist niet veel van tuinieren, maar dat wist hij wel.

Er lag een stapeltje kranten op de vloer, slechts een paar stuks, droog en schilferig zoals alle kranten die nat zijn geworden in de sneeuw en daarna zijn opgedroogd.

Er stond een ladekast onder het raam, die eruitzag alsof hij uit een middeleeuws wrak voor de kust van Vrångö afkomstig was.

Winter trok de bovenste la open. Het leken onderbroeken, hij opende de volgende, sokken, hij boog zich voorover en opende de derde, overhemden, hij tilde het bovenste op en voelde iets onder het volgende kledingstuk, tilde dat op en zag een speen.

Die was lichtblauw met wit.

Er lag er maar een.

Ik weet niet wat ik op dit moment voel. Ik ben niet vreselijk blij. Hij kan de speen hebben meegenomen toen hij het kind redde. Toen ik hem ernaar vroeg, zei hij dat hij dat niet had gedaan. Hij had makkelijk de waarheid kunnen vertellen. Hij had niets hoeven uit te leggen.

Hij was tóén nerveus geworden, toen hij klaar was met moorden. Hij had het kind getroost, hij had sporen achtergelaten, niet vooruit kunnen denken, alleen achteruit.

Nu denk ik alleen vooruit. Ik kan alleen maar wachten. Winter liep naar het halletje tussen de kamers en liep de trap af, een-twee-drie-vier-vijf-zes-zeven-acht-negen-tien-elf-twaalf-dertien-veer...

De kracht die zijn hand trof was sterk als een blok steen, na twee tellen een afgrijselijke pijn, een rood schijnsel voor zijn ogen, zijn rechterhand ergens aan vastgeketend, zijn linkerhand op weg naar zijn holster, een klap op zijn arm, een greep op zijn borst, die afgrijselijke pijn in zijn rechterhand, in zijn arm, naar zijn schouder, door zijn hals, naar zijn hoofd en hij verdween in de rode sluier die voor zijn ogen langs trok, hij dacht alleen aan de pijn, hij moest bij de pijn vandaan blijven, zo ver een mens maar kon.

Ze waren in alle vroegte op pad gegaan, Jana zo enthousiast als een pup, hoewel ze dat stadium al bijna was ontgroeid, hij wist niet precies wanneer dat gebeurde, het was nu niet bepaald zo dat honden op een gegeven moment naar school moesten, ha ha.

Hij voelde zich in vorm. Er was iets gebeurd. Liv was vrolijker, het kon ook aan hem liggen. Ze was niet zo moe, had niet zoveel pijn.

Ik ben blij dat ik zo vroeg buiten ben, dacht hij. Ik ben sinds ik een kind was niet meer zo vroeg buiten geweest. Zelfs Miros is nog niet buiten, voordat hij naar school gaat schiet hij er meestal een paar in de kruising, waarom neemt hij na school nooit een vriendje mee? Het is niet eerlijk, verdomme.

Toen hij op de heuvel stond, zag hij de ochtend over de baai aan komen kruipen. Het zou een mooie dag worden. Ze zouden hier lang kunnen zijn. Hij had niets te eten of te drinken meegenomen, niet voor zichzelf en ook niet voor de hond, maar het was niet ver naar die pizzeria aan de rand van Hovås. Dichterbij Hovås dan daar kwam hij niet, hij had niet het juiste bloed, er waren waarschijnlijk bewakers. Maar zo wilde ik het toch altijd, dacht hij. Bewakers van het blauwe bloed. Word ik een schijterd? Niks daarvan.

Achteraan op de parkeerplaats stond een auto. Hij herkende hem, de Mercedes van de hoofdinspecteur, ik zal niet zeuren, ik viel hem als eerste aan, onbenullig als wat, hij heeft ervoor getraind, het is verdomme zijn baan, hij had er werk van kunnen maken. Hij had me in die cel kunnen laten hangen. Me nog een keer laten ophangen. Nu is hij voor dag en dauw hier, loopt door het huis, wat dóét hij daar in vredesnaam, wat dóét hij hier aan zee, het lijkt wel alsof hij hier elke dag is, kan hij speuren als een hond, net zo lang snuffelen tot hij de schuldigen heeft gevonden, heeft hij een zesde zintuig, graaft hij blindelings, heeft hij geen grip meer op de zaak, heeft hij zijn verstand verloren, zit hij vast in deze ellende, komt hij niet los.

Met een verschrikkelijke kracht had het brede lemmet Winters rechterpols doorboord op de plek waar die op zijn breedst was. Krol moest onder de trap hebben gelegen, bij thuiskomst boven iemand hebben gehoord, of misschien had hij het al geweten, had hij Winter zien parkeren en zich nu naar voren geworpen, vanaf opzij, vanachter Winter, en diens hand met een verschrikkelijke kracht vastgenageld; het was geluk, het was vaardigheid, het was verrassing, het gebeurde binnen een tel, of twee, dat maakte nu niet uit. Winter was vastgenageld aan de massief houten trap, het mes was als een zwaard en stak een aantal centimeter in het hout, hij kon zich alleen maar losrukken door de trap mee te trekken.

De pijn als hij zich bewoog was verschrikkelijk, bij de minste of geringste beweging schreeuwde hij het uit, iemand schreeuwde, dat moest hij zelf zijn, nooit eerder in zijn leven had hij een pijn gevoeld als deze.

Hij raakte buiten bewustzijn, kwam weer bij, ging een paar tellen van zijn stokje, kwam opnieuw bij, zag de man iets verderop, hij verdween, kwam terug, zei iets, was stil, zei nog iets.

'Je had niet zo nieuwsgierig moeten zijn,' zei Krol. 'Dat was nergens voor nodig.'

'Dat... Dat is mijn werk,' zei Winter.

Zei ik dat? Dat moet ik zijn geweest. Sta nu stil, helemaal stil. Geen gewicht op de arm. Sta stil, stil.

'En dat heeft je helaas hier gebracht,' zei Krol. 'Dit kun je mij niet verwijten. Ik had dit niet gepland.'

'Heb je ze al... allemaal vermoord?' vroeg Winter. Hij wist niet of de woorden de moordenaar bereikten.

'Wat zei je?'

'Je hebt ze allemaal vermoord.'

'Nee, niet allemaal.'

'Allemaal, behalve Greta.'

'Wat moest ik doen?'

Winter gaf geen antwoord. Hij probeerde zijn arm te fixeren, zijn pols, zijn hand, alles waar het gevoel langzaam uit wegstroomde als het leven zelf, het is mijn leven, het is niet veel bloed, loopt het onder de tree, zit daar een gat in, ik heb geen gat gezien, het lemmet sluit de wond af, de kracht was zo groot dat de randen van de wond meteen zijn dichtgebrand, ik heb nog nooit zoiets gezien, nooi...

'Wat moest ik doen?' zei Krol met luidere stem.

'Dat weet ik niet,' zei Winter. 'Maak... Maak me los, dan help ik je.'

'Helaas, dat gaat niet. En ik zal mijn vraag zelf beantwoorden. Ze zagen me. De kinderen zagen me. Wat moest ik doen?'

Blijf praten, blijf praten tot ik doodbloed.

'Je hebt niet lang meer, Winter. Een uur, misschien twee. Ik kan zorgen dat het sneller gaat. Jij weet niets. Ik kan het je vertellen, zodat je tenminste alles weet als je sterft. Wat vind je daarvan?'

'Dat... klinkt goed.'

'Ik had in jouw plaats hetzelfde gezegd. Je zeurt niet. Daar hou ik wel van. Dat is goed.'

Winter knikte. Stil, sta stil, sta stil. In zijn binnenzak bewoog zijn telefoon. Hij kon er niet bij. Hij zou sterven als hij hem probeerde te pakken, dat was hem zelfs niet gelukt als hij zich gewoon had kunnen bewegen. Krol kwam dichterbij, hield zijn ogen op Winters linkerarm gericht, pakte het mobieltje uit Winters binnenzak, las wat er op het display stond.

'Angela,' zei hij. 'Iemand die je kent?'

'Mijn vrouw.'

'Hm.'

'Waar... Waar is jouw vrouw?'

'Buiten. Ze is buiten.' Krol smeet de mobiel op de vloer. Die stuiterde twee of drie keer, gleed verder. Krol keek Winter weer aan. 'Ik ging er alleen maar heen om haar tot rede te brengen. Sandra dus.'

'Waarom?'

'Dat weet je best.'

'Wat... Wat kon je eraan doen?'

'Het was verkeerd! Ik wilde haar uitleggen dat ze er verkeerd aan deed. Die man. Hij had daar al kleren liggen. Hij stond op het punt om bij haar in te trekken. Het over te nemen. Ik heb het een paar keer geprobeerd.

Heel vaak. Ze luisterde niet. Ik heb het haar uitgelegd!'

'Je hebt het echt uitgelegd.'

'Het was niet de bedoeling!'

Winter hoorde hem, kon niet antwoorden. Hij probeerde nu de shock te pareren, zijn bewustzijn kwam en ging, het was niet langer van hem, binnenkort zou het van iedereen zijn, groter dan het leven, enzovoort, enzovoort.

Krol zei weer iets. Winter probeerde zich op het gezicht van de ander te richten, het werd afwisselend wazig en scherp.

'Ik ging erheen om Erik het zeemansmes te laten zien,' zei hij. 'Inuit. Nunavut, Noord-Canada, Baffin Island. Ik ben er geweest. Iets groter dan Amundö.'

Erik. Hij had geen pyjama aangehad hoewel het laat was. Hij had op meneer Krol gewacht, die hem het mes zou laten zien. De beelden vlogen door Winters hoofd.

Hij hoorde Krol weer duidelijker.

'Het is heel ver weg. Ik wilde dat hij het zag. Ik had erover verteld. Hij wilde het zien.'

'Roest,' zei Winter.

'Roest? Roest? Ja, op één plek. Dat was al zo toen ik het kocht. Ik heb het er als herinnering op laten zitten. Ze zeiden dat het bloed was. Het gaat er niet af. Dus het is geen roest.'

'Bloed,' zei Winter.

'Het is een ontzettend scherp mes, mits je het goed verzorgt. Ik weet niet hoe ze dat doen. Daarbij vergeleken is de katana van een samoerai maar een lepel. Nou ja, je kunt het zelf zien. Het mes zit vlak voor je.' Hij kwam dichterbij. 'Hallo? Hallo? Je bent een beetje bleek. Je mag nog niet doodgaan. Ik ben nog niet klaar met mijn biecht.'

Ik ben geen dominee het is Krols vingerafdruk onder de vensterbank op Eriks kamer ik hoef alleen maar te wachten tot Torsten belt om dat te bevestigen dat is alles wat we nodig hebben ik kan Krol de hoorn geven dan hoort hij het meteen. Winter verloor zijn bewustzijn.

Ze ging er als een pijl uit de boog vandoor toen hij haar uit de auto liet, alsof ze uit een kanon werd afgevuurd. Wel verdomme. 'Jana! Jana!' Hij rende achter haar aan, had naast de Mercedes geparkeerd, waarom ook niet. 'Jana! Jana, hier!'

Maar Jana kwam niet. Ze was niet op weg naar het eiland, liep niet op de brug. Ze holde naar het weggetje dat naar het fietspad leidde, keek niet op of om, rende maar door, wilde daar weer heen, dat mocht niet gebeuren, hij had haar willen aanlijnen, dit gaf alleen maar gezeik, die brulboei zou door het lint gaan.

Hij rende, zag de hond niet, hij holde nu over de weg, alleen zij en hij waren hier, 'Jana,' bleef hij roepen zodat iedereen het hoorde, nu zag hij haar, ze kroop door de oude haag, het rotgat in de haag, een soort maagdenpalm, het grijze huis, dat was waarschijnlijk van die ouwe, hij wist het niet meer, Jana was destijds teruggekomen met aarde op haar poten, op haar snuit, hij wilde niet dat ze in die kleretuin kwam, hij wilde haar daar als de sodemieter weg hebben.

Winter hoorde iets, een stem tussen zijn oren, nu geen geruis, het moest verbeelding zijn dat hij nu geen geruis hoorde, Krol sprak, Winter kon hem weer duidelijker zien, zijn verhaal, het lange verhaal van hoe hij Sandra's V70 had gezien en opnieuw had aangebeld. Hoe het geluid binnen was weggestorven. Hoe hij had gedacht kindergeschreeuw te horen. Hoe ijskoud de deurgreep was geweest. Hoe hij had geroepen. Hoe het was opgehouden met sneeuwen. Hoe hij naar huis was gegaan en tegen zijn vrouw had geroepen dat ze de politie moest bellen. Er is iets vreemds aan de hand, had hij gezegd toen de eerste eenheid ter plaatse was. Het kind huilt. Er is een baby in het huis en ze huilt, maar niemand doet open.

'Hoor je me?' hoorde hij Krol zeggen. 'Hoor je me, Winter?'

'Ja.'

'Ik heb een beetje water meegenomen. Het staat voor je.'

'Ik kan me... durf me niet te bewegen.'

'Ik zal je zo helpen. Ik wil alleen zeggen dat ik de kleine niets aan kon doen. Zij had niets gezien. Ze wist van niets. Ze kon mij geen kwaad doen.'

'Nee.'

'Snap je?'

'Ja.'

'Sandra snauwde naar me!'

'Ja.'

'Ik heb geprobeerd met haar te praten, daar en tóén. Haar verantwoordelijkheid. Die verantwoordelijkheid heb ik op me genomen. Ik heb het geprobeerd. Ze zei dat ik me met mijn eigen zaken moest bemoeien. Stel je voor. Het was verkeerd, verkeerd. Ze... Uiteindelijk dwong ze me. Begrijp je?'

'Ja.'

Alleen al ja zeggen deed verschrikkelijk zeer, zo'n klein woord. De pijn zou moeten afnemen. Misschien was het wel andersom. Hij dacht andersom. Hij zou willekeurig wat kunnen zeggen wat de pijn verminderde.

Krol vertelde weer iets.

'Ik... Ik... Ik hoor je niet.'

'Er kwam niemand,' zei Krol. 'Niemand ontdekte iets. Ik moest er zelf heen. De kleine helpen. Haar te drinken geven. Er gingen dagen voorbij. Ten slotte moest ik zelf alarm slaan. Geen hond had het ontdekt! Die kleine kon elk moment doodgaan.'

Winter knipperde, dat betekende 'ja'.

'Ik heb alarm geslagen!' zei Krol.

'Dat weet ik.'

'Waar was híj? Ik vraag het maar. Wáár was haar... minnaar?'

'Waar is jouw vrouw?' vroeg Winter. Meer kan ik nu niet zeggen, dit was het laatste.

'Ik heb toch gezegd dat ze buiten is.'

Buiten kroop Christian Runstig door het rotgat. Hij kwam overeind. Hij kon Jana zien, ze was bij de andere haag maar nog steeds in de tuin, ze was op weg naar het middelpunt van de aarde. Hij wilde haar roepen maar besefte toen waar hij was, hoe laat het was en al het andere. Hij wist dat Jana hem zag maar ze kwam niet, wat haar de aarde in trok was te sterk, te wild, het kwam door het wilde beest in haar, de geurzin in haar, bovenmenselijk was het.

Aan deze kant van het huis zaten geen ramen, er was slechts een korte bepleisterde muur die een aantal barsten vertoonde. Hij zette de tien passen naar de kuil, het was een kuil, het was een kuil geweest, die was slordig dichtgegooid, Jana's gegraaf had het geheel er niet fraaier op gemaakt.

Nu sprong ze terug en hij dacht dat ze zou gaan blaffen, maar ze was stil, gespannen als een wild dier. Hij liep naar de opgraving en zag meteen de arm die uit het zand en de aarde omhoogstak, het was vooral zand, een gebloemde mouw, een stukje hals, een plukje haar, grijs als het huis achter hem.

'Irma zag me terugkomen,' zei Krol. 'Ik dacht dat ze niet thuis was. Ze zou niet thuis zijn. Hoe dan ook zag ze mij.'

Winter antwoordde niet, hij deed niets, bewoog niet.

'Zo zit het,' zei Krol.

Er werd op de deur geklopt.

Winter zag dat Krol terugdeinsde. Winter zelf kon nog geen millimeter terugdeinzen. Hij was nu op weg naar beneden, hij ging *down down down*. Er was nu veel bloed, het liep naar de laatste traptreden. Als het de vloer bereikt sterf ik.

Krol zei iets. Winter hoorde niet wat. Hij zag een schaduw overeind komen, voor zich bewegen, als in een nevel van zonlicht verdwijnen.

Krol deed open. Er was niemand te zien. Hij zette een paar passen op de stenen platen voor de deur, maar er was niets wat hij niet herkende.

Het konden kinderen zijn, belletje trekken, deurtje kloppen, dat was wel vaker gebeurd, het was vroeg, maar misschien wilden ze wat lol trappen voordat de school begon.

In huis werd iets verbrijzeld, het klonk als glas. Verbrijzeld!

Had hij zich weten te bevrijden? Dat is onmogelijk, hij is te zwak om zijn hand te amputeren, het zijn kinderen, een dier, dat alles schoot door Krol heen terwijl hij door de deur en de erbarmelijk kleine hal stoof, doorrende naar de kamer en het kapotte raam zag, Winters ineengedoken gestalte in het bloed, het mormel dat op de vloer zat en hem zijn gele tanden toonde alsof ze hem wilde bijten, groter nu, krachtiger nu, hij zag niet wat zijn voorhoofd raakte, dacht daar zelfs niet aan terwijl hij naar de vloer zakte, hij zag de vloer niet.

41

Krol kon niet worden verhoord. Hij was heel lang buiten bewustzijn geweest nadat Runstig hem met hetzelfde stuk drijfhout had uitgeschakeld als waarmee hij het raam kapot had geslagen.

'Je had ook gewoon meteen de politie kunnen bellen,' zei Ringmar tegen hem toen Winter en Krol ieder in een ambulance onderweg waren naar het Sahlgrenska-ziekenhuis. Runstig had wel gebeld, maar pas naderhand.

Runstig lachte, luid. Het geluid stuiterde door de tuin, waar de technici bezig waren de overblijfselen van Irma op te graven. Runstig hield Jana in zijn armen; de pup was nog steeds nijdig over hoe het er in de mensenwereld aan toe ging, maar ze was ook trots, op zichzelf, op het baasje.

Winter werd op Chirurgie in het SU geopereerd. Hij had ontzettend veel geluk gehad – er waren voornamelijk spieren beschadigd, geen botten of pezen; hij bofte dat hij in een extreme situatie veel spieren had. Bovendien had hij minder bloed verloren dan hij had gedacht en dan het had geleken. Door de langdurige pijn was hij in shock geraakt. Die was er nog, vrijwel even groot, groter dan een herinnering.

Het was de ochtend erna. Winter had geregeld dat de begrafenis van Siv in Marbella twee dagen was uitgesteld. Hij liep thuis in een onregelmatige cirkel rond, kwam langs de hal, bleef in de woonkamer staan, ging verder. Buiten was het licht sterk, het was maart, het was nu echt gekeerd, het zou alleen nog maar beter worden. Mars, dacht hij. Mars.

Winter ging aan de keukentafel zitten, zette zijn computer aan, werkte met zijn linkerhand, dat ging goed. Hij opende het ene na het andere document van de moordbijbel, herschikte ze als schaakstukken op een bord op zijn computer, dacht aan de woorden van Krol de dag tevoren, de woorden die in Winters oren steeds zwakker hadden geklonken, als een gedempte cd, steeds verder weg in de kamer.

Krol was sterk geweest in zijn rol als moordenaar.

Waarom dacht hij dat?

Winter dacht het nog een keer: Krol was sterk geweest in zijn rol als moordenaar.

Zijn rol?

We hebben een ongekende bekentenis, ondertekend in bloed. We hebben nóg een bekentenis, die van Likander. We hebben een paar losse eindjes, maar Krol zal ze voor ons aan elkaar knopen: de foto, de dood van Robin en zijn moordenaar, waarschijnlijk Krol, en het kleine 'waarom' waar ik toch bijna nooit antwoord op krijg, daar kan zelfs God zelden antwoord op geven.

In gedachten zag hij de gestalte van Krol, maar die was steeds vager geworden, alsof hij was opgelost, en die was nog steeds even vaag, alsof de toegenomen scherpte van Winters geheugen niet mocht baten. Nooit zou mogen baten, dacht hij. Hij nam de hoorn van de haak en belde de technische afdeling. Nadat de telefoon drie keer was overgegaan nam Torsten Öberg op.

'Erik! Hoe gaat het?'

'Tja, je zou kunnen zeggen dat ik me voel zoals ik verdien.'

'Dat moet je niet zeggen.'

'Het gaat goed met me.'

'Oké. Fijn.'

'Heb je al naar Krols spullen gekeken?'

'De gebruikelijke dingen, je kent de procedure. Het voelt op dit moment niet heel dringend.'

'Ik weet het niet, Torsten.'

'O?'

'Ik denk aan het mes van Krol.'

'Grappig dat je het noemt, we zijn er op dit moment in het lab mee bezig. We zijn nog niet klaar, maar het kan heel goed het moordwapen zijn.'

'Volgens Krol is het dat,' zei Winter.

'Ja.'

'Ik denk het ook,' zei Winter, 'maar daar bel ik niet voor.'

Hij wilde het zelf zien. Een auto van de recherche zou hem komen halen. Reflecties van de zon flitsten in de blauwe pantsers van de trams als ze het Vasaplein passeerden. Met zijn linkerhand viste hij zijn zonnebril uit het borstzakje van zijn jas. Het licht werd gedempt, leek op een schemering aan de Middellandse Zee. Nog even en hij zou daar zijn, zijn moeder begraven. Hij dacht aan zijn eigen kinderen, had dat tijdens bepaalde fasen van het onderzoek geprobeerd te vermijden, was daar niet in geslaagd en had bijna elke avond gebeld, behalve de enkele keer dat hij te veel had gedronken. Tijdens de rit door de stad bleef hij aan zijn kinderen denken. Binnenkort zou het hier echt voorjaar zijn, met het andere licht. Als hij de mensen buiten dichter naderde, zou hij het in hun gezichten kunnen zien.

Hij ging naar Torsten, die op de technische afdeling was.

Het mes lag op een tafel in het lab, een merkwaardig ding: ruw, mooi, wreed, onwerkelijk werkelijk, als iets wat in een andere wereld thuishoorde.

'Misschien hebben we iets,' zei Öberg. 'Er zijn in elk geval sporen. Zoals... druppels.' Hij wees met een wijsvinger. 'Hier en hier. Hier op het lemmet, en daarboven. En een paar hier op het heft.'

'Kan oude troep zijn,' zei Winter.

'Jij hebt mij gebeld,' zei Öberg.

'Ik speel voor advocaat van de duivel.'

'Het is de moeite waard het uit te zoeken,' zei Öberg.

'Mooi.'

Öberg keek weer naar het mes, alsof hij het voor het eerst zag.

'Het lijkt meer op een zwaard dan op een mes,' zei Winter en hij draaide zich om naar Öberg. 'Het kan ook zweet zijn. De sporen.'

'In zweet zit geen DNA,' zei Öberg.

'Dat weet ik, Torsten.'

Öberg bleef het mes bestuderen. Hij wees weer met zijn vinger.

'De ondergrond is nogal vuil. Daardoor laat een opgedroogde kring een beter spoor achter, zoals hier.'

'Ik kan het niet goed zien,' zei Winter. 'Wat is het?'

Öberg antwoordde niet.

'Je noemde het zojuist druppels, Torsten.'

Öberg knikte maar zei niets.

'Wat kan het zijn als het geen zweet is?' vroeg Winter.

En daarna dacht hij er zelf over na wat het zou kunnen zijn. DNA zat in de slijmvliezen van het lichaam, niet in vocht. Speeksel was de drager van het DNA in de slijmvliezen in de mond.

In de ogen heb je slijmvliezen, dacht hij. Met traanvocht komt DNA mee.

Torsten keek hem aan. Winter zag dat hij hetzelfde had gedacht.

'Tranen,' zei Öberg.

Winter knikte.

'Het kwam ineens bij me op,' zei Öberg.

'Bij mij ook.'

'De traanbuis,' zei Öberg.

'Druppels van tranen,' zei Winter. In zijn wereld konden het tranen zijn, in deze wereld, die ook die van Torsten was. 'Wiens tranen? Wanneer kunnen we dat weten? We moeten het gauw weten. Je moet ervoor zorgen dat we bij het Gerechtelijk Laboratorium voorrang krijgen, Torsten.'

'Ik zal met Ronny praten. Misschien krijgen we het over twee dagen te horen.'

'Oké.'

'Ik kan het niet voor honderd procent toezeggen, Erik.'

'Achtennegentig vind ik goed genoeg.'

'We zullen nooit kunnen zeggen dat het tranen zijn,' zei Öberg. 'Hopelijk kunnen we sporen vinden, maar we kunnen niet vaststellen van welke slijmvliezen ze afkomstig zijn.'

Maar Winter wist dat ze van ogen afkomstig waren, ogen waren de spiegels van de ziel en al dat soort ellende, eerst kwam de ellende en daarna kwamen de tranen, en zelfs een moordenaar kon zijn tranen niet in bedwang houden.

'Jij denkt niet dat het Krol is, hè?' zei Öberg.

'Ik weet het niet, ik denk het niet, maar... nee, hij is het niet. Dat zijn niet zijn tranen.'

'De nieuwe vingerafdruk die we in de kamer boven hebben gevonden, was van hem,' zei Öberg. 'De uitkomst van het onderzoek was er vanochtend.'

'Toch is hij niet de dader,' zei Winter. 'De moordenaar heeft hem een sleutel gegeven.'

De auto van de recherche bracht Winter naar de Amundövik. Hij voelde zich nog altijd helemaal prima, alsof het verse bloed van de transfusie net dat beetje extra deed, misschien kwam het van een wielrenner, Lance Armstrong, een wielrenner die doping had gebruikt.

Het bloed op de trap lag er nog, zijn kostbare bloed. Winter voelde niets toen hij eroverheen stapte, dat kon te maken hebben met een shock, doping, professionalisme of het ontvluchten van de werkelijkheid.

Toen hij in Krols slaapkamer stond hoorde hij de meeuwen buiten, het hese gekrijs bereikte de armzalige ruimte als de soundtrack van een horrorfilm en Winter voelde zijn hart sneller kloppen. Hij ging op het bed zitten, hoorde het gebulder tussen zijn oren, probeerde aan de boekenkast te denken die hij aan de andere kant van de kamer naast het raam zag staan. Na een paar minuten kwam hij overeind en liep naar de kast, waar misschien een dertigtal werken in stond, boeken, een paar ordners met ruggen als boeken, albums, misschien fotoalbums. Hij trok er een uit, legde het op een tafeltje dat ernaast stond, bladerde met zijn linkerhand naar de eerste pagina en zag foto's die keurig naast elkaar waren opgeplakt, ze waren in zwart-wit en leken oude herinneringen, het leek een andere tijd. Winter dacht aan de foto van Sandra in de jachthaven. Likander had gezegd dat hij die niet naar hen had gestuurd. Hoeveel anderen wisten van de haven? En wat die voor haar had betekend?

Haar vader natuurlijk.

En haar man.

Winter bladerde langzaam het eerste fotoalbum door. Hij herkende Krols gezicht, het was nog jong. Hij herkende de andere mensen niet. De foto's leken strikt chronologisch geordend. Overal stond een korte tekst onder, slechts enkele woorden.

Wat bracht me hier? Het verleden natuurlijk. We hebben nog niet de hele weg door hun verleden kunnen afleggen. Alle wegen!

Hij was bij de laatste pagina van het eerste deel van Robert Krols leven. Op de allerlaatste foto lag een baby in de armen van een man. Het kind kon niet ouder zijn dan een paar weken. Het hoofd van de man was halverwege zijn voorhoofd afgeknipt. Hij droeg een pak, het kind een witte jurk. Een doopjurk, dacht Winter. Hij las de tekst: 'Mijn peetzoon.' Dat was alles. Hij keek naar het gezicht van de man. Het was een jonge Krol. Er was geen glimlach, alleen grote ernst, dat paste bij het formele en plechtige onderschrift. 'Mijn peetzoon.' De baby leek te slapen.

Winter sloot zijn ogen, hoorde opnieuw de krijsende meeuwen buiten, misschien was het een ander geluid. Hij tilde het album van de tafel en het viel uit zijn hand.

Hij keek op zijn horloge. Hij was hier al veel langer dan hij had gedacht. Het zou nog langer duren.

Halverwege het tweede album zag hij hen weer samen.

Twee mannen op het dek van een schip die een arm om elkaar heen hadden geslagen, de ene ouder, de ander jonger, ze glimlachten alle twee. De oudere was Krol, de jongere Jovan Mars.

Ze stonden bij de reling, op de foto kon Winter een stukje zee en een paar pakhuizen zien, een paar kranen, een truck, het schip lag in een haven, hij las de tekst, een andere toon nu, niet zo ernstig: 'Peter krijgt bezoek van zijn zoon.'

Winter verhoorde Krol die middag. Winter zat bij het bed en Krol lag. Omgekeerde rollen, dacht Winter. Krol sprak onduidelijk, een lang verhoor zou het niet worden.

'Je hebt het dus gered,' zei Krol.

'Ik heb hulp gehad,' zei Winter.

'Op het nippertje,' zei Krol.

'Beter laat dan nooit.'

'Wat wil je nu van mij? Alles is toch duidelijk?'

'Niet echt.'

'Ik kan nu niet denken. Je moet maar terugkomen. Het is hoe dan ook voorbij.'

Winter zei niets.

'Als je je afvraagt hoe het met die kranten zit, daar heb ik een zootje van gemaakt. Ik wilde... een alibi regelen zou je kunnen zeggen, ik heb een paar kranten gebruikt zodat jullie niet zouden weten... wanneer het was. Wanneer het was gebeurd.'

Winter knikte. Hij voelde de stoten in zijn hoofd, *tst-tst-tst-tst*, de toegenomen spanning, hij hoopte dat Krol het niet zag.

'Het ging een beetje mis,' zei Krol.

'Waarom had je een alibi nodig?' vroeg Winter.

'Hè?'

'Je hebt me wel gehoord,' zei Winter.

Krol gaf geen antwoord.

'Ging het om iemand anders? Om een alibi voor iemand anders?'

Krol gaf geen antwoord.

'Wie bescherm je?' vroeg Winter.

'Ik... heb geprobeerd mezelf te beschermen,' zei Krol.

'Tegen wie? Je vrouw?'

'Ze had me gezien,' zei Krol.

'Nee,' zei Winter.

'Nee? Hoezo nee?'

'Niet jou,' zei Winter.

'Ik kan... nu niet meer,' zei Krol. 'De dokter...'

'Twee dode kinderen!' onderbrak Winter hem met luide stem. 'Er zijn twee kinderen vermoord!'

Krol leek niet langer te luisteren. Hij sloot zijn ogen. Hij keek Winter aan.

'Je neemt een grote schuld op je,' zei Winter met zachtere stem.

'Het was...' zei Krol, maar toen hield hij zijn mond.

Winter stond op, kwam dichterbij, boog zijn gezicht naar dat van Krol. Winter voelde de pijn in zijn arm, tot in zijn schouder, zijn nek, zijn hoofd, zijn hersenen. Krols ogen waren op hem gericht. Die vertelden hem dat dit iets was waarnaar de man zijn hele leven onderweg was geweest, Krol had zitten wachten tot dit hem zou inhalen, tot hij zichzelf zou inhalen, tot de verschrikkingen hem zouden bereiken.

'Ik luister, Krol. Zeg wat je wilde zeggen. Ik beloof dat ik daarna meteen wegga.'

'Het was hoe dan ook te laat,' zei Krol. 'Maar ik heb Greta gered.'

Winter zat in zijn woonkamer naar *A Love Supreme* te luisteren. De balkondeuren stonden open naar de schemering. Het rook naar iets wat hij nauwelijks herkende, de Zweedse voorlente, heette het zo, voorlente? In elk geval was het lang geleden.

De muziek stond zacht, was eerder een fluistering. Hij had zopas met Angela gefluisterd, gezegd dat hij van haar hield. Hij had met zijn kinderen gefluisterd, gezegd dat hij van hen hield. Hij had Angela verteld dat het niet zo'n pijn meer deed. Je drinkt toch zeker geen whisky, had ze gezegd, en hij had geantwoord dat hij dat niet deed en dat was waar.

Hij had niet verteld wat hij nu van plan was.

Hij wilde niet op het bericht van het Gerechtelijk Laboratorium wachten. Hij kon niet wachten. Dan zou het te laat kunnen zijn. Te laat waarvoor? Te laat om het te weten, dacht hij. Te laat om te weten waarom. Het was te laat om het te begrijpen, dat was het al heel lang.

Ze hadden Mars nooit aan een ontlastend alibi kunnen koppelen, en net zomin aan een delict.

Hij kan het gedaan hebben, dacht Winter toen hij zijn jas aantrok. Hij raakte eraan gewend dat hij maar één functionele hand en arm had, je kon bijna overal aan wennen.

Wennen aan bijna alle verklaringen, dacht hij. Sommige wil je niet horen, heb je niet nodig. Ik wil alleen maar weten. Deze keer wil ik niet weten waarom.

Bertil reed, Winter vond het prettig deze keer niet alleen te zijn. Ze lieten de Torgny Segerstedtsgatan achter zich, gingen verder over de Krokebacksgatan, sloegen links de Fullriggaregatan in.

Bertil parkeerde voor het huis van Lotta Winter. Achter een paar ramen brandde licht. De avond was nu hier, de lucht was meer blauw dan zwart. Misschien waren er sterren te zien.

'Wil je eerst naar Lotta?' vroeg Ringmar.

'Straks,' zei Winter. 'Na afloop.'

Ze stapten uit Ringmars auto en liepen naar het huis waar de zus van Mars met haar gezin woonde.

Winter belde aan.

Een man deed open. Winter had hem niet eerder ontmoet, niet eerder gezien.

Ringmar en hij stelden zich voor, legitimeerden zich.

De man stelde zich ook voor. Hij was de echtgenoot van de zus, Peter, en meldde dat Jovan niet thuis was.

'Hoe lang is hij al weg?'

'Een paar uur. Sinds het begon te schemeren. Hij had ondertussen terug moeten zijn.'

'Was hij alleen?'

'Eh... Hoe bedoelt u?'

'Had hij het kind bij zich? Greta?'

'Nee. Greta is hier. Ze slaapt.'

'Is hij met de auto?'

'Nee, hij is lopend. De auto's staan hier. Ik was niet thuis toen hij vertrok. En mijn vrouw is naar de film. Ik weet niet of hij haar heeft verteld waar hij heen zou gaan. Is het belangrijk?'

'Bel haar,' zei Winter.

'Ze zit in de bioscoop.'

'Ze heeft haar mobiel toch wel aan? Voor noodgevallen?'

'Ja. Oké, ik bel haar.'

Ze hoorden hem in de keuken praten; daar was hij heen gegaan om te bellen. Het was een licht huis, meer verlicht dan nodig, overal lampen, wat het ook maar kostte.

'Wil je zelf met haar praten?' vroeg Ringmar.

'We moeten maar even afwachten,' zei Winter.

'Hij heeft tegen haar gezegd dat hij een eindje ging wandelen,' zei Peter toen hij terugkwam. 'Er was niets vreemds aan hem. Ik heb het haar gevraagd. Nou ja... jullie weten het wel.'

'Wat weten we?' vroeg Ringmar.

'Alles wat er is gebeurd, bedoel ik.'

'Heeft hij hier een kamer?' vroeg Winter. 'Een eigen kamer?'

'Natuurlijk. Naast de baby.'

'Ze slapen niet in dezelfde kamer?'

'Nee... Dat wilde hij niet. En we hebben de ruimte.'

'Kunt u ons die kamer laten zien?'

'Ja... Uiteraard.'

Ze liepen een trap op. Winter vond het niet prettig, hij wilde nooit meer een trap op lopen.

In de hal stond de deur van een kamer waar ze langskwamen open. Hij stopte even, kon de contouren van het kleine lichaam in het te grote bed zien. Greta heeft hier haar thuis, dacht hij met een directe zekerheid, dit is haar thuis en dat zal het altijd blijven.

De deur van Mars' kamer stond open.

Ze gingen naar binnen. Peter deed de staande lamp naast een rechthoekige salontafel aan. Boven het bed brandde al een lichtje, een bedlampje boven het nachtkastje. Er lag een envelop, A5, wit, stralend.

'Wat is dat?' vroeg Winter.

'Dat weet ik niet,' zei Peter. 'Die heb ik niet eerder gezien. Maar ik ben hier al heel lang niet geweest.'

Winter liep naar het bed. Er was niets op de envelop geschreven, die was leeg, puur en wit. Eén afschuwelijke tel verwachtte hij zijn eigen naam te zien, een mededeling voor hem, de eventuele uitleg aan hem persoonlijk gericht.

De envelop was niet dichtgeplakt. Hij schudde er drie velletjes uit, de tekst was handgeschreven, in grote letters, Winter las her en der wat woorden, als fragmenten van het verhaal: 'zijn kleren lagen er', 'ik reed de hele nacht', 'dacht niet', 'kon niet ophouden!'. 'Krol gaf me geen...', 'probeerde mezelf tot stoppen te brengen, 'mijn gezin!', 'ik weet het niet ik weet het niet ik weet het niet ik weet het niet'.

Winter wilde niet verder lezen. Hij wist het nu. Het DNA-resultaat zou postuum komen. Dat wist hij ook. Jovan Mars was er niet in geslaagd zijn gezin tegen zichzelf te beschermen.

Hij keek op.

'Wat is het?' vroeg Ringmar. 'Een bekentenis?'

'Ja.'

'Ook van de moord op Robin?'

'Vermoedelijk. Zo ver heb ik nog niet gelezen. Krol, of Mars. Robin was voor beiden even bang. Hij heeft ze waarschijnlijk beiden bij het huis gezien. In het huis. Opeens werd het volle ernst. Hij had onze hulp nodig.'

'Wat doen we nu?' vroeg Ringmar.

'We gaan naar de jachthaven,' zei Winter.

Ze vonden Jovan Mars in het boothuisje. Hij hing er al een tijdje. De deur had dichtgezeten, maar niet op slot. Er zat een sleutel in. Mars had hoe dan ook toegang gehad tot het boothuis. Zijn gebarsten ogen staarden naar het niets, helemaal niets, *nada y nada y nada*, dacht Winter.

'Hij wist het,' zei Winter. 'Hij wist het gisteren al.'

'Over Krol?'

'Ja, dat ik daar was. Waarschijnlijk was hij in de buurt. Hij heeft me zien komen. Hij heeft me zien gaan.'

'Per ambulance.'

'Ja.'

'Geen ambulance voor Mars,' zei Ringmar. 'Het wordt een lijkwagen. Er is geen haast meer.'

'Hij heeft er lang mee moeten leven,' zei Winter. 'Uiteindelijk was hij genoodzaakt dit laatste te doen.'

'Ik zou het nog geen dag volhouden,' zei Ringmar.

'Jij zou zoiets nooit doen, Bertil.'

'Ik weet het niet...'

'Je weet het niet...'

'Jij wel?'

Winter antwoordde niet. Er viel niets meer te zeggen. Over menselijk gedrag kon je alles en niets zeggen. Het was beter om niets meer te zeggen.

42

De begraafplaats lag aan de Carretera a Ojén, ver genoeg van het commerciële complex La Cañada.

De urn was het enige wat er nog over was van Sivs lichaam. Het enige wat er over is, dacht Winter, maar al het andere bestaat.

De zon stond precies boven hen. Ze konden de bergtop bijna vastpakken. De begraafplaats lag heel dicht bij de witte berg. De horizon lag als een halve cirkel ver in de diepte. De zee was stil.

Buiten de kapel rook het naar zon en dennennaalden en die geur volgde hen naar binnen. Hij kende de meeste aanwezigen. Sommigen waren met hetzelfde vliegtuig als Bertil uit Zweden overgekomen.

De begraafplaats lag in de schaduw van de bergen. Angela hield zijn schouder voorzichtig vast. Hij greep haar hand met zijn gezonde hand. Een man zong een lied in het Spaans en in het Zweeds, het was dezelfde zanger als op Bengts begrafenis.

Ze dronken koffie in een café in Puerto Banús, vlak bij het strand.

'Dit was Bengts lievelingsplek, en ook die van Siv,' zei Winter. 'We zijn hier na zijn begrafenis heen gegaan.'

'Wat is dat voor standbeeld?' vroeg Ringmar en hij knikte naar de engel die vanaf de hoge sokkel naar de zee keek.

'*Un Canto de la Libertad.*'

'Sorry?'

'Het moet een lied voor de vrijheid symboliseren.' Winter knikte naar het beeld dat honderd meter verderop stond. 'Het was het lievelingsbeeld van mijn vader.'

'Prachtig,' zei Ringmar.

'Inderdaad.'

Winter verstijfde, bewoog voorzichtig zijn schouder. Zijn arm zat in een mitella.

'Hoe gaat het?' vroeg Angela.

'Wel goed. Het gaat nu niet om mij.'

Het is maar pijn, dacht hij, het ging alleen maar om zijn pijn, diepe pijn; *a pain supreme* had hij in het vliegtuig gedacht. Hij had de bloed-transfusie gehad, maar formeel gezien hadden Runstig en Jana zijn leven gered. Hij had Runstig gevraagd of hij mee wilde naar Spanje, maar de Zweed was druk bezig een voetbalclub op te zetten voor de kids bij hem in de buurt.

'Een mooie ceremonie,' zei Ringmar. 'Echt mooi.'

'Angela heeft alles geregeld.'

Angela keek hem aan. De meisjes waren een tijdje terug met Bim en Kristina, de dochters van Lotta, naar het strand gegaan en kwamen nu terug. De zon had zich een eindje in de richting van Portugal verplaatst. Hij pakte Angela's hand. Lotta keek uit over de zee, een zeilschip ver-wijderde zich in de richting van Afrika. Bertil keek hem aan. Ze keken elkaar aan. Winter drukte Angela's hand. Een taxi passeerde toeterend een brommer. Binnen bij de bar lachte een vrouw. Er kwam een man met een lege kruiwagen voorbij. Een jong stel ging aan het tafeltje naast hen zitten. Er reed een vrachtauto met sherryvaten langs.

'Nu gaan we naar huis en drinken wat bij Bar Ancha,' zei Winter. 'Tan-queray en tonic. Het lievelingsdrankje van Siv en Bengt.'

Dankwoord

Dank aan Stephen Farran-Lee, Elisabeth Watson Straarup, Rita Lejtzén-Edwardson, Martin Kaunitz, Hanna Lejtzén, Per Planhammar, Ulf Dageby, Kristina Edwardson, Stig Hansén, Ashley Kahn, David Gilmour, Siv Bublitz, Magnus Krepper, John Coltrane, Lars Norén, Linda Altrov-Berg, Jonas Axelsson, Katherine Hepburn, Göran Wiberg, Willy Vlautin, Johanna Kinch, Martin Ahlström, Eva Bredin, Katarina Arborelius, Christian Wikander.

Speciale dank aan Torbjörn Åhgren, hoofdinspecteur bij de recherche in Göteborg.

Ontdek de beste en mooiste nieuwe boeken met de gratis *Lees dit boek*-**app**

Wilt u als eerste de beste en mooiste nieuwe boeken ontdekken? Vaak nog voordat die boeken zijn verschenen en de pers erover heeft geschreven? Download dan gratis de *Lees dit boek*-app voor iPhone en iPad via www.leesditboek.nl.

Blijft u graag op de hoogte van de nieuwste boeken?
Volg ons dan via www.awbruna.nl, ☐ en ☐ en meld u aan voor de nieuwsbrief.